SY

Née à Paris, Sylvie Y
Quai d'Orsay puis au ministère de l'Intérieur avant de se consacrer à la photographie. En 2008, elle publie *Ceci n'est pas de la littérature*, recueil de critiques littéraires, aux éditions du Rocher. *Mousseline la Sérieuse* a paru aux Éditions Héloïse d'Ormesson en 2016.

# MOUSSELINE LA SÉRIEUSE

SYLVIE YVERT

# MOUSSELINE LA SÉRIEUSE

ÉDITIONS HÉLOÏSE D'ORMESSON

Pocket, une marque d'Univers Poche,
est un éditeur qui s'engage pour la préservation
de son environnement et qui utilise du papier fabriqué
à partir de bois provenant de forêts gérées
de manière responsable.


ISBN 978-2-266-27259-9

*Lorsque je jette les yeux en arrière,*
*je n'aperçois qu'une femme qui pleure.*
*Et quelle femme ! Marie-Thérèse domine*
*toutes les ruines. Elle ensevelit*
*sa douleur dans le sein de Dieu,*
*afin que cette douleur soit éternelle.*
*J'ai dit que cette douleur était*
*une des grandeurs de la France :*
*me suis-je trompé ?*

Chateaubriand,
*Mémoires d'outre-tombe*

*Tout esprit de parti se désarme*
*et expire en (la) lisant,*
*et il n'y a place qu'à une compassion.*

Sainte-Beuve, *Causeries du lundi*

*C'est une des grandes figures*
*de notre époque... Il faut qu'elle soit*
*connue dans l'histoire du temps,*
*mais sans partialité... Il faut*
*faire connaître Mme la duchesse*
*d'Angoulême ; je vais y tâcher.*
*Marie-Thérèse offre en elle tout ce que*
*le cœur de la femme possède de tendre*
*et d'affectueux, tout ce que l'âme*
*de l'homme le plus fort peut donner*
*de vigueur et de grandeur de pensée !*

Duchesse d'Abrantès,
*Mémoires sur la Restauration*

## Avertissement

*La duchesse d'Angoulême n'a pas laissé de souvenirs, hormis un sobre fragment de dix-huit feuillets qu'elle a rédigés en prison à l'âge de seize ans. Purement factuel, il relate la captivité de la famille royale au Temple (1792-1795). Peu après son mariage, Louis XVIII le corrige et l'augmente. Son récit commence cette fois au 6 octobre 1789. Cette seconde version ne paraît qu'après sa mort.*

*Ces trop pudiques originaux ont inspiré ce texte, de même que sa correspondance et les témoignages de contemporains tels que la femme de chambre de Marie-Antoinette, la gouvernante des Enfants de France, les valets de Louis XVI, les gardiens du Temple ou de la Conciergerie, sans oublier les plus illustres, Chateaubriand, Balzac ou Hugo, dûment cités. Enfin, les biographies et histoires de référence des nombreuses périodes traversées m'ont aidée à la situer dans le temps long qu'elle a vécu, puisqu'elle s'est éteinte à près de soixante-treize ans.*

*Dans ces « mémoires d'outre-tombe » qui couvrent sa vie entière (1778-1851), je me suis attachée à reconstituer la personnalité d'une femme méconnue et qui s'est très peu livrée. Prenant la plume à sa place, j'ai souhaité rester fidèle aux faits, en espérant l'être aussi à sa mémoire.*

## « Ce qui nous reste de Louis XVI »

« Du pain ! Du pain ! Du pain !... »

J'entends encore, comme si c'était hier, ces clameurs provenant de l'avenue de Paris, surgissant sous nos croisées, à Versailles. Cette irruption tumultueuse fut pour moi, plongée dès ma naissance dans les fastes somptuaires d'une cour ancestrale, un violent baptême politique.

Souvenez-vous : de votre roi j'étais la fille. La fille oubliée de Louis XVI et de Marie-Antoinette. La sœur aînée de Louis XVII et la seule rescapée de la prison du Temple. Née princesse royale sous le drapeau blanc, dans une monarchie de droit divin, au milieu des ors d'un palais voulu par le Roi-Soleil, j'ai assisté il y a peu à la première élection d'un président de la République au suffrage universel sous la bannière tricolore. Entre-temps, j'ai affronté les convulsions de l'Histoire : trois révolutions, l'Empire, la Restauration, la monarchie de Juillet, la seconde République.

Aujourd'hui exilée, j'avais dix ans lorsque la monarchie s'est effondrée, et jamais princesse ne fut davantage poursuivie par le malheur. Qu'on en juge :

emprisonnée plus de trois années, dont une sans savoir que ma mère et ma tante, à l'instar de mon père, avaient été exécutées ni que mon frère les avait suivis dans la tombe. Libérée, je fus trois fois contrainte à l'exil, pendant quatre décennies, passant ainsi la moitié de mon existence éloignée de ma chère France.

À soixante-dix ans, usée et lucide, je suis une survivante. Aujourd'hui, en 1850, je prends la plume, au bord du Grand Canal de Venise – et non celui de Versailles où, enfant, je pêchais à la ligne. Si j'ai fait montre d'une réserve légendaire, ne confiant mes peines qu'au ciel, je cède maintenant au besoin que mon cœur éprouve de témoigner et de léguer mon histoire qui se confond avec celle, ô combien tourmentée, de notre pays.

Si la Révolution évoque la Bastille, le serment du Jeu de paume, Varennes, l'incarcération de ma famille, la décapitation de mes parents et la mort de mon frère au Temple, peu en connaissent les cruels détails. Ceux-ci paraîtront minutieux aux cœurs froids qui n'ont pas connu nos misères. Et je n'y pense jamais sans m'étonner d'être encore en vie, étant restée sur le volcan révolutionnaire si souvent en éruption, prêt à m'ensevelir dans ses gouffres où tant de malheureux, en sus des miens, ont péri.

Que sait-on, en vérité, des événements qui ont suivi, hormis qu'un général corse a prétendu fonder un nouvel Empire romain ? Se souvient-on que les Bourbons ont repris, une dernière fois, la destinée du royaume, rétablissant la paix et la prospérité dans un pays exsangue ?

Fille, nièce et belle-fille des trois derniers rois de

France, qui étaient frères, j'ai été l'ultime et furtive reine de France et de Navarre, selon Napoléon « le seul homme de la famille ». Qui se le rappelle ?

Depuis la disparition des miens, j'ai été regardée comme une « mangeuse de reliques », voire comme « ce qui nous reste de Louis XVI », ou encore la fille du roi martyr, l'orpheline du Temple, l'Antigone française. N'ai-je été que cela ?

Au seuil de la tombe, j'entends défendre les Bourbons devant le seul tribunal recevable ici-bas : la postérité. Tant de sottises ont été écrites, tant de contrevérités assenées… Faisant violence à mon tempérament peu loquace, je veux enfin raconter une histoire vécue, de chair et de sang. Si l'on venait à croire que j'ai voulu sacrifier la vérité à la reconnaissance, cela n'est pas mon intention. Je ne cherche pas non plus à attirer la pitié, je ne l'ai que trop subie. Mais si l'Histoire est un mensonge que personne ne conteste, alors qu'on me permette de la réfuter, car les faits que je vais rapporter pourraient se révéler plus surprenants que les œuvres de l'imagination.

# Livre I

# La Suppliciée (1778-1795)

## 1. Une jeune princesse

# Mousseline la Sérieuse

Je suis née sous les meilleurs auspices le 19 décembre 1778 dans les splendeurs de Versailles, le plus beau palais d'Europe, devant le flot de la Cour. Les douleurs de ma mère, d'abord supportables, se muèrent en féroces tranchées qu'elle endura avec courage. La violence qu'elle s'infligea pour ne pas gémir, ni même se plaindre, et le manque d'air dû aux paravents disposés autour du lit manquèrent de la faire expirer. Tandis que les médecins s'affolaient, mon père, d'une force herculéenne, parvint à ouvrir les croisées dûment calfeutrées pour l'hiver. Elle jeta alors un cri : j'étais mise au monde.

Lorsqu'elle reprit ses esprits, ma mère me pressa sur son cœur. Si je n'étais pas désirée, je ne lui en serais pas moins chère. Car un fils eût davantage appartenu à l'État, tandis qu'une fille serait à elle.

Les ordres n'arrivant pas, le gouverneur de la Bastille ne fit pas tirer le canon, comme le voulait la tradition, afin de saluer ma naissance. Fallait-il y voir un mauvais présage ?

Mes parents, unis à quatorze et quinze ans, ne parvenaient pas à consommer leur mariage. Après huit années, ma mère qui espérait enfin être grosse prenait pour des maux de cœur jusqu'aux idées qui lui passaient par la tête. Lorsqu'elle me sentit remuer pour la première fois, elle se précipita chez mon père pour le lui annoncer et, d'un air faussement fâché, elle s'exclama : « Je viens, Sire, me plaindre d'un de vos sujets assez audacieux pour me donner des coups de pied dans le ventre. » Il en pleura de bonheur…

Après cette délivrance, je reçus les prénoms de mes parrain et marraine, Marie-Thérèse-Charlotte. Marie-Thérèse comme ma grand-mère maternelle l'impératrice d'Autriche, et Charlotte en hommage à mon oncle paternel Charles III d'Espagne, ce dernier nom étant usité dans l'intimité. En dehors de ce cercle, on m'appela d'abord la Petite Madame, puis Madame Royale. Le soir même, un *Te Deum* fut chanté dans toutes les paroisses parisiennes ; du pain et du cervelas furent distribués aux nécessiteux et on offrit un trousseau aux jeunes mariés. Enfin, une représentation gratuite fut donnée à la Comédie-Française, où les charbonniers et les poissardes eurent le droit d'occuper la loge du roi. Qui sait, d'ailleurs, que trois fois par semaine le peuple français pouvait se rendre à Versailles, à condition d'être convenablement vêtu, et se promener dans le parc et dans les salles ?

Ma mère se préoccupa de mes soins dès avant ma naissance. On n'emmaillote pas les bébés, disait-elle. Ils doivent toujours être dans une bercelonnette ou sur les bras. Elle aurait aimé me nourrir au sein, mais cela lui fut interdit. En ce temps-là, une femme de garde restait au chevet des Enfants de France toutes les nuits, levée et habillée, jusqu'à leurs trois ans. Pas moins de quatre nourrices m'étaient dévolues. Chaque fois que j'étais malade, ma mère quittait tout pour moi. Ma première gouvernante fut Mme de Guéménée ; la sous-gouvernante, Mme de Mackau, dont la fidélité ne se démentit jamais. J'occupais alors, au bout de l'aile du Midi, une chambre rouge et or ouvrant sur une terrasse, devant l'Orangerie. Gouvernantes et domestiques étaient à mon service, tous dotés de tâches précises : faire ma toilette, me vêtir, me dévêtir, me coiffer, me nourrir ou encore ranger mon linge.

Nous devons à Louis XIV l'invention de cette Cour grouillante, de sa liturgie empesée et de sa lourde étiquette. Dieu que cet héritage a rendu notre famille impopulaire ! Mais comment y échapper ? Ma mère avait souhaité alléger sans succès la nuée de dignitaires qui m'entouraient, ces gens de service n'étant propres, selon elle, qu'à favoriser les sentiments d'orgueil. Hélas ! elle fut contrainte de rendre les armes. *In fine*, tout lui fut également reproché : l'apparat comme la simplicité. En s'aliénant les nobles et antiques familles détentrices de charges, en affichant une façon de vivre presque bourgeoise, mes parents descendirent la première marche du piédestal où la naissance les avait placés. Mon père comprit trop tard combien la familiarité éloigne le respect.

En 1781 naquit mon frère Louis-Joseph-François-Xavier, ce Dauphin que la France attendait depuis un demi-siècle puisque le fils de Louis XV était mort avant son père en 1729. Enchanté d'avoir un héritier, mon père ne manquait jamais de placer « mon fils » dans les conversations. Suivirent en 1785 le second Dauphin, Louis-Charles, que nous appelions Charles, duc de Normandie et futur Louis XVII ; puis la petite Sophie l'année suivante, morte dans le tombeau de marbre rose qu'était le Grand Trianon avant son premier anniversaire. On a dit que j'avais montré à cette occasion une sensibilité peu ordinaire pour mon âge – au fond, je n'ai jamais été insouciante. Ma mère, prostrée, ne cessait de se lamenter sur la perte de son « pauvre petit ange ». Elle exhorta Mme Vigée-Lebrun à effacer de son célèbre portrait de la famille royale le nourrisson qu'elle avait placé dans un berceau, puisque désormais celui-ci demeurerait vide…

La ravissante Mme de Polignac, favorite de ma mère en raison de son attachement à sa personne et non à son rang, avait été nommée gouvernante à la place de Mme de Guéménée. Cependant Mme de Mackau nous prodiguait toujours les soins quotidiens. Je quittai l'aile du Midi pour ce qu'on appelait les Petits Appartements, sous la galerie des Glaces, au début de l'année 1783, afin de me rapprocher de ma mère qui souhaitait surveiller mon éducation avec les yeux éclairés du cœur. La princesse aux cheveux blonds et bouclés que j'étais laissait souvent percer les indices d'une âme impétueuse qu'il fallait réduire coûte que coûte. Ma mère disait que je ressentais déjà le sang de Marie-Thérèse et de Louis XIV couler dans mes veines.

Il n'était pas si aisé de me mettre au pas. Quand j'avais sept ans, une baronne me complimenta, ce que l'étiquette interdisait ; les traits contractés, j'aurais répondu, après un silence farouche : « Je suis charmée que vous me trouviez ainsi, mais je suis étonnée de vous l'entendre dire. » La plus surprise fut cette pauvre baronne à qui ma gouvernante dit alors que je ne ferais jamais passer le bonheur d'être aimée après les exigences de l'étiquette, ce qui était une manière de me faire comprendre que mon intransigeance relevait de l'inconvenance. Après quoi, je baisai la main de ma gouvernante, puis fis une profonde révérence avec toute la réserve nécessaire.

Une autre fois, ma mère fit approcher une petite fille qu'elle trouvait très jolie – c'était la future Mme Récamier, muse de Chateaubriand ! Elle nous plaça dos à dos afin de comparer nos statures. J'étais la plus petite, bien que fort grande pour mon âge, et j'ai le souvenir d'en avoir éprouvé une humiliation excessive. Puisque j'avais encore besoin de leçons, ma mère m'engagea ensuite à dîner avec une petite paysanne, qu'elle fit servir la première, ajoutant à mon intention que je devais lui faire les honneurs. Elle ne tolérait pas qu'on me dispensât cette molle et dangereuse indulgence qui corrompt les naturels les plus heureux, et qui est l'écueil de la plupart des éducations royales ; sa tendresse éclairée savait faire preuve de fermeté. Faisais-je tomber un mouchoir ? Elle interdisait qu'on le ramassât pour moi, désirant que j'y reçusse une leçon d'obéissance et de modestie. Je la trouvais sévère à mon endroit, jugeant mon père plus doux et affectueux. C'est à cette époque que je fis un songe prémonitoire : une foule furieuse s'introduisait chez ma mère, la massacrait puis jetait sa dépouille par la fenêtre. Ensuite, sur la terrasse où je me promenais, j'enjambais son cadavre ensanglanté sans manifester aucun trouble…

Un bal était organisé le dimanche dans les jardins de Trianon, où n'importe quel enfant était admis. Je n'y étais jamais à l'aise, paralysée par une timidité sans doute héritée de mon père. Son plus jeune frère, mon oncle Artois, m'avait surnommée Mousseline la Sérieuse – ma façon d'observer ma mère donnait, paraît-il, le sentiment que je la jugeais –, mais on m'appelait aussi Mousseline la Triste. Pour mon éducation, on me donna pour compagnie la fille d'une femme de chambre et d'un laquais, Ernestine Lambriquet, en me priant de la traiter comme une égale. Enfin, je devais copier de nombreuses fois : « Les airs de grandeur que nous nous donnons ne servent qu'à faire remarquer notre petitesse dont on ne s'apercevrait pas sans cela. » Ou bien : « L'affabilité est une manière douce et affectueuse de recevoir et d'écouter les personnes que le hasard ou la nécessité des affaires nous présentent. C'est une vertu de société. » Déjà raisonnable et peu expansive, je n'ai pas toujours su appliquer ce dernier précepte. À ma décharge, je n'ai pas eu l'occasion de m'y employer durant la Révolution, soit de dix à dix-sept ans, ces âges particuliers où s'imprègnent ces précieux enseignements. En revanche, je n'ai jamais oublié, en quelque circonstance que ce soit, la fonction que j'ai occupée et les devoirs y afférents, qui transcendent ma propre personne.

Ma mère se réjouissait que mon frère, au contraire, n'eût aucune idée de hauteur dans la tête – elle pensait que nous apprendrions toujours assez tôt qui nous étions. Plus gai et spontané, il donnait, par sa figure charmante et son intelligence surprenante, les plus hautes espérances.

Soucieuse d'insuffler dans mon cœur le désir de soulager l'infortune, elle m'entretenait sans cesse des souffrances que le pauvre avait à subir pendant une saison aussi cruelle que l'hiver. Plus tard, enfermée au Temple, j'avais ressenti dans ma chair cette morsure du froid que l'on m'exposait enfant sans que je puisse réellement la comprendre. Privée de bois pour me chauffer, transie, j'y avais souffert de multiples engelures. Depuis, je me suis toujours apitoyée sur le sort des indigents et je me soucie des plus démunis, leur offrant la moitié de mes revenus chaque année. Toute ma vie, j'ai fait porter du bois à de fort nombreuses familles et versé des pensions aux établissements de charité. Je l'ai fait sans distinction d'opinion et dans la plus grande discrétion – qu'on me pardonne cet étalage contraire à mes principes.

La leçon de bienfaisance la plus marquante eut lieu une veille de jour de l'An. Ma mère fit disposer dans son cabinet des jouets à la mode apportés de Paris. Nous prenant mon frère et moi par la main, elle nous montra toutes les poupées et toutes les mécaniques qui y étaient rangées. Elle aurait voulu nous donner ces jolies étrennes, mais tout son argent avait été employé en couvertures et en pain pour garantir les malheureux du froid de l'hiver. Cette année, nous nous contenterions du plaisir de voir ces nouveautés, sans pouvoir les conserver. Je n'avais que six ans, mais je n'oubliai jamais cette scène.

Les jeux n'avaient d'ailleurs que peu de place dans nos vies, les devoirs en tenant lieu. Ma mère, qui souhaitait contrôler nos activités, nous enseignait elle-même les travaux d'aiguille – même à mon frère –, et me faisait coudre des vêtements destinés aux nécessiteux. En ce temps-là, j'avais droit chaque mois à des douzaines de gants blancs, des monceaux de rubans, des bouteilles de lavande, etc. Je n'étais pas à plaindre avec mes toilettes en taffetas noir, à rayures ou pistache, ma redingote grise, mes robes blanches de sortie. Des lustres de cristal, des tentures de damas cramoisi et de la passementerie dorée ornaient nos appartements. Cependant les meubles étaient presque toujours recouverts, excepté lors des réceptions.

Objet d'une sollicitude constante, je fus choyée par des parents attentifs, qui n'hésitaient pas à dévoiler leurs sentiments, et ce malgré la pudeur de mon père. Quant à ma mère, elle nous avait habitués à avoir confiance en elle et, quand nous avions eu des torts, à les lui confesser. En nous grondant, elle s'appliquait à paraître plus peinée que fâchée, nous accoutumant à ce qu'un *oui* ou un *non* soit irrévocable, mais s'évertuant à toujours en donner une raison à portée de notre âge pour que nous ne puissions pas croire que c'était humeur de sa part.

Peu à peu, ces apprentissages s'avérèrent fructueux. J'appris à me dominer. Un jour, Mme de Mackau me marcha sur le pied par mégarde. Je ne parus pas, sur le moment, avoir souffert, mais le soir mon bas était teinté de sang et, lorsqu'on m'en demanda la cause, je la dis sans détour. Ma gouvernante marqua sa surprise. Pourquoi n'en avais-je pas parlé sur-le-champ ? Puisque je ne souffrais plus, et puisqu'elle était si peinée de m'avoir blessée, ne l'aurait-elle pas été bien davantage si elle l'eût su quand j'avais senti quelque douleur ? À neuf ans, je possédais déjà une force d'âme, un contrôle inhabituel pour mon âge.

Je reçus naturellement une éducation religieuse, redevable cette fois-ci à ma tante, Mme Élisabeth, la jeune sœur préférée de mon père. Loin de toute bigoterie, cette princesse était pleine de vie et de bons sentiments. Son modèle et l'amour de mes parents m'ont permis d'être plus forte lorsque le malheur a surgi.

Pour que je tienne mon rang, l'instruction n'était pas en reste : maîtres de dessin, de danse, de clavecin, de pianoforte, d'italien, d'anglais, de physique et de mathématiques. Avec ma mère, j'apprenais la harpe dans son petit salon de musique doré. On me faisait lire les classiques, tel Fénelon, mais aussi les philosophes : Descartes ou même Voltaire. Une citation de Montaigne me reste en mémoire : « Le désespoir est une marque de faiblesse. » Nul doute que j'ai su m'en souvenir en temps utile.

Le roi mon père contrôlait les leçons d'histoire de mon frère, refusant qu'on entretienne le Dauphin des exploits de météores ayant dévasté la terre, tel Alexandre le Grand. Il recommandait plutôt qu'on lui parle des princes pacifiques, de ceux qui ont protégé le commerce, agrandi la sphère des arts, des lettres et des idées, enfin des rois tels qu'il les faut aux peuples, et non tels que l'histoire se plaît à les louer. En attendant de lui apprendre l'art de régner, il s'agissait de former son cœur et son esprit, de lui inculquer qu'il n'était au-dessus des hommes que pour les rendre heureux. Ma mère ajoutait qu'il fallait éloigner toute flatterie de l'oreille des princes et ne jamais leur dire que la vérité.

Excellent géographe, notre père avait inventé un jeu pour nous apprendre cette discipline. Il étalait des cartes découpées, de sorte que nous puissions assimiler les quatre parties du monde. Si son destin ne l'avait conduit au dur métier de roi, mon père eût aimé être un explorateur à la manière du capitaine Cook ou de Lapérouse. Pourtant il n'avait vu la mer qu'une fois, à Cherbourg en 1786, lorsqu'il visita les travaux commencés dans la rade pour doter la France d'une véritable flotte de guerre, à l'image de l'Angleterre. À cette occasion, il avait pris un très grand plaisir à quitter – pour la première fois, si l'on excepte son sacre à Reims en 1775 – les solennités confinées, compassées et poudrées de Versailles pour aller à la rencontre des Français. Loin de la Cour, il s'était senti infiniment plus à l'aise – c'est d'ailleurs un trait que je partage avec lui. Chacune des trois branches de la maison de Bourbon a ses goûts, disait alors le maréchal de Richelieu : l'aînée aime la chasse, les Orléans les tableaux, les Condés la guerre. « Et Louis XVI ? », lui demanda-t-on. « Ah ! lui, c'est différent, il aime le peuple. » Cette raillerie se révéla inopportune car, en chemin vers la côte, il reçut tant de témoignages ardents qu'il écrivit à ma mère que l'amour de ses sujets avait retenti jusqu'au fond de son cœur. Il ajouta : « Jugez si je ne suis pas le plus heureux roi du monde ! »

Notre père aimait la vie privée, familiale, les plats simples, et méprisait le faste, le cérémonial de la vie publique – musique de chambre, mets choisis. Ainsi avait-il réduit l'étiquette : le grand couvert était réservé aux fêtes ; quant au petit couvert, il le prenait seul en public. À Versailles, où son unique caprice avait été de faire édifier le bosquet des Bains d'Apollon, il avait pris place dans les Petits Appartements. Ma mère n'aimait rien tant que se costumer en fermière au Petit Trianon. Elle nous avait arrangé un petit parterre et y avait placé quelques chèvres et moutons. Nous jouions sur le gazon avec les animaux de la ferme, buvant le lait tiède des vaches, ou parcourions les allées en calèche tirée par deux autruches. Je revois le manège où des dragons et des paons remplaçaient les habituels chevaux. Ma mère disait : « Ici, je ne suis plus reine de France, je suis moi-même ! »

Elle aussi avait été séduite par les idées de Rousseau, son amour de la nature et ses principes en matière d'éducation. Mme Campan, sa femme de chambre, a d'ailleurs vanté son amour maternel, sa constance en amitié, sa dignité dans la tourmente. Jamais elle n'avait vu une personne d'un naturel aussi séduisant.

Le poids du malheur la rendit plus compatissante encore aux infortunes d'autrui qu'aux siennes. En 1785, l'affaire du Collier marqua le début de son impopularité. Elle fut la victime d'une machination calomnieuse fomentée par une aventurière qui prétendit qu'elle avait commandé une parure si onéreuse que toutes les cours d'Europe l'avaient refusée. Elle ne put, hélas ! convaincre la crédule opinion de son innocence. Blessée par cette injustice, elle fuit alors les mondanités et se réfugia dans la vie familiale.

Sa métamorphose commença avec ses maternités et s'accentua avec les terribles événements. Depuis longtemps, elle n'était plus la jeune femme dispendieuse attachée aux toilettes et aux divertissements. Elle reconnut qu'elle avait eu des torts dans le passé – c'étaient enfance et légèreté, confiera-t-elle –, mais depuis qu'elle était mère, sa tête était bien plus posée. La reine de France était une femme de cœur : elle visitait les chaumières, ce qui ne se pratiquait plus depuis Henri IV ; touchée par quelque misère, elle s'arrêtait sur la route et offrait un petit domaine afin de placer des personnes à l'abri du besoin.

Un jour de chasse à courre, égarées, nous avions fait arrêter les voitures pour écouter d'où venait le son des cors. Subitement un cerf avait bondi et s'était jeté au milieu des chevaux. Exténué, il était venu se cacher et se blottir contre la voiture ; je voyais sa ramure dépasser la portière. Les valets avaient aussitôt sauté de leurs sièges pour le saisir, mais ma mère leur avait ordonné de laisser souffler la pauvre bête. Nous étions donc repartis au pas, suivis par l'animal traqué et tremblant. On entendait la meute approcher. Le cerf se précipita dans un étang et le traversa à la nage. Lorsqu'il eut atteint l'autre rive, il s'arrêta un moment, comme pour remercier, puis disparut dans les taillis. Mon père arriva et demanda si nous avions vu passer le grand cerf. Ma mère lui raconta ce qui s'était passé, ajoutant : « C'est mon cerf, il ne faut pas y toucher. » Amusé, il fit sonner le ralliement et la fin de la chasse, puis lui déclara qu'elle avait fait la plus belle prise de l'année. L'évocation de cet épisode de mon enfance me plonge dans un abîme de nostalgie, sentiment que j'ai pourtant passé ma vie à repousser de toutes mes forces.

Le 5 mai 1789, j'assistai à l'ouverture des états généraux. Ils ne s'étaient pas rassemblés depuis 1614 et mon père avait accepté de les convoquer, bien qu'il risquât d'y perdre une partie de son autorité. Les trois ordres devaient représenter l'ensemble du peuple de France. Or le doublement des députés du tiers état, en majorité composé de bourgeois, venait d'être acté par Necker, et ceux-ci étaient désormais aussi nombreux que la noblesse et le clergé réunis. Cette concession, au lieu de les satisfaire, les excita davantage contre le ministère et les ordres privilégiés. Les meneurs, bourgeois pour la plupart et voulant toutes les places, se permettraient d'abuser le peuple en l'excitant à une révolution dont les fruits devaient leur être réservés. « Les patriciens commencèrent la Révolution, les plébéiens l'achevèrent », a dit justement Chateaubriand.

Cette convocation solennelle visait une tentative de règlement de la crise financière, doublée d'une crise politique résultant de l'incapacité à l'endiguer. Car la dette de notre pays – qui avait commencé à grossir sous Louis XV, après la guerre de Sept Ans – s'était aggravée avec la participation de la France à la guerre d'Indépendance américaine. La banqueroute menaçait. L'ancien principal ministre M. de Maurepas s'était borné à proroger les déficits, temporisant sans cesse, car incapable de les résoudre. À l'aurore du règne de mon père, Turgot avait bien tenté une réforme cardinale mais, comme il voulait naviguer vent debout alors qu'il eût fallu tirer des bords, il n'avait récolté qu'une intenable impopularité. La noblesse, le clergé, les financiers, les protestants, tous s'étaient ligués pour avoir raison de lui. Puis les ministres des Finances s'étaient succédé, qui pour appliquer les idées nouvelles, qui pour proposer avec fermeté une action sans cesse entravée, tel Necker qui, dans son compte rendu publié en 1781, avait préconisé des mesures urgentes. Ou Calonne, qui voulait faire payer davantage ceux qui ne payaient pas assez selon une juste proportion : « La justice le veut, le besoin l'exige ; vaudrait-il mieux surcharger encore le peuple ? Réforme-t-on sans qu'il y ait des plaintes ? »

s'exclama-t-il devant l'Assemblée des notables qu'il fit convoquer en 1787. Las ! certains membres de la noblesse et du clergé, devinant leurs intérêts menacés, firent échouer la « révolution royale ». Le garde des Sceaux Lamoignon émit alors cette prophétie : « Le Parlement, la noblesse et le clergé ont osé résister au roi ; avant deux années, il n'y aura plus ni Parlement, ni noblesse, ni clergé. »

Face à ces échecs répétés, mon père éprouva un fort découragement. Son goût pour l'harmonie a dû souffrir cruellement de ces perpétuels désaccords. Pour réduire les dépenses, celles du roi et de la Cour furent plusieurs fois allégées. « Soyons avares dispensateurs du Trésor public ; il est le prix des sueurs et quelquefois des larmes du peuple », avait-il déclaré solennellement. Lorsque les caisses furent entièrement vides, Necker, l'idole galvaudée, avait été rappelé à contrecœur : le peuple le portait aux nues, bien qu'il n'eût jamais rien fait pour lui. Mais le vaisseau de l'État était si près du naufrage que nul ne pouvait plus le conduire, entraînant un fâcheux immobilisme qui avivait les mécontentements.

Mon père était rendu responsable de tout sans qu'il lui fût permis de rien faire – une position fort inconfortable. Lui qui était doué d'intelligence et de clairvoyance, lui qui était capable de lire un document tout en écoutant le rapport d'une affaire, lui qui avait une prodigieuse mémoire, lui qui avait appris seul l'anglais, l'italien et l'espagnol, lui qui avait étudié l'histoire en analysant les causes des prospérités et revers des règnes précédents, voilà que sa trop grande modestie l'avait tenu en garde contre la présomption, ce qui le portait à croire que ses ministres avaient un discernement supérieur au sien. À la suite d'une longue paralysie, des troubles avaient surgi çà et là, notamment en Bretagne et dans le Dauphiné. En vérité, la Révolution venait de commencer.

Otage de cette révolution, mon père aurait pu sauver sa vie s'il avait osé trancher le nœud gordien en se défendant plus vigoureusement. Mais il en a été empêché par son asthénie : un chagrin commencé en 1787 après la mort de son ministre favori Vergennes et accentué par celle du Dauphin mon frère deux ans plus tard s'empara de lui pour ne plus le quitter. Au décès de son ministre des Affaires étrangères, allié de poids pour les réformes à entreprendre, il s'était exclamé, en larmes : « Je perds le seul ami sur qui je pouvais compter, le seul ministre qui ne me trompa jamais. » Tout engourdi, sinon prostré, s'abîmant dans d'impénétrables rêveries, il ne s'exprimait guère – ou bien avec un laconisme lui tenant lieu de bouclier. Combien de supplices il endura au commencement de la Révolution, en particulier lorsqu'il fut accusé de ne pas aimer les Français, lui qui avait cru leur donner tant de preuves d'attachement ! Il advint alors qu'on ne pût le déterminer à se nourrir ou à se promener, tant il était malheureux. Je n'ai jamais oublié que sa placidité comme sa bonté ont pu conduire aux pires catastrophes, tandis qu'une juste sévérité les eût peut-être conjurées…

Petit-fils de Louis XV, cet orphelin fut hissé trop jeune sur le trône en 1774. Âgé de dix-neuf ans, lucide et érudit, sa réserve et son flegme ont joué de bien mauvais tours à ce prince éclairé, le faisant parfois passer pour un être médiocre ou irrésolu. Pétion, pourtant l'un des révolutionnaires les plus durs, s'était fait l'avocat du diable en concédant que l'on pouvait être tenté de prendre à tort cette timidité pour de la stupidité : « Je ne lui ai jamais entendu dire une sottise », concluait-il.

Aujourd'hui, l'antienne républicaine a persuadé une grande partie de l'opinion que le roi était pusillanime. Comment ne pas voir qu'il était d'abord victime de sa mélancolie ?

Les Parisiens, enchantés, se rendirent donc à Versailles sous un soleil radieux aux états généraux, accompagnés de leurs enfants afin qu'ils soient témoins de ce jour qui marquait une ère nouvelle. Au son des cloches et des tambours, je regardai la longue procession composée d'un millier de députés, cierge à la main : d'abord le tiers état, vêtu de noir et cravaté de blanc, coiffé d'un simple tricorne, qui composait environ la moitié du défilé ; puis la noblesse, parée d'éclatants habits galonnés d'or, culotte noire et bas blancs, et arborant des chapeaux à plumes ; enfin le clergé, cardinaux en pourpre, évêques en violet, curés en soutane, cernés d'une double haie composée de gardes françaises et de la garde suisse, étincelantes dans leurs uniformes. Ce magnifique spectacle signait pourtant l'enterrement de la monarchie et de sa pompe séculaire.

Le duc de Normandie et moi-même étions placés sur un balcon de la paroisse. Je m'étonnai de voir le duc d'Orléans, l'aîné de la branche cadette, défiler avec le tiers. Mon père, en manteau fleurdelisé, qui suivait à pied le baldaquin recouvrant le Saint-Sacrement porté par l'archevêque de Paris, reçut moins d'ovations que son cousin. Pour l'enfant que j'étais, c'était inacceptable. Ma mère, en robe violette, blanc et argent, la tête ornée d'une magnifique plume d'autruche, semblait triste et inquiète. À son passage, la foule ne cria pas « vive la reine », mais de nouveau « vive le duc d'Orléans », avec des accents si factieux qu'aussitôt elle blêmit. Ses jambes manquèrent se dérober sous elle mais elle parvint à demeurer impassible. Elle n'ignorait point les absurdes rumeurs qui circulaient sur son compte. Les députés du tiers eux-mêmes croyaient ces Parisiens qui l'accusaient d'épuiser les trésors de l'État pour satisfaire au luxe comme à la luxure les plus déraisonnables.

Plus tard, quelqu'un s'écria : « Tiens, voilà la louve autrichienne ! » C'était la première fois que je l'entendais ainsi insultée. Je pensais que tout le peuple aimait la reine, puisque son entourage ne la croisait jamais sans exécuter de profondes révérences. Les larmes lui montèrent aux yeux.

En vérité, ses pensées la ramenaient sans cesse vers le Dauphin qui, très malade, n'avait pu assister à ce défilé. Depuis plus d'un an, il n'était plus que l'ombre de lui-même, courbé comme un vieillard, le teint livide, ouvrant des yeux de mourant. Après avoir enduré les plus cruelles douleurs, qui lui arrachaient parfois des cris, il s'éteignit un mois plus tard et fut le dernier des Bourbons inhumé à la basilique de Saint-Denis avant longtemps. Ma mère, qui avait perdu le sommeil, déplora que la France n'eût pas l'air de s'apercevoir de ce deuil et que le peuple en délire ne cessât plus de dévorer ses larmes. Pour ma part, je pleurai beaucoup, mais sans saisir alors la portée politique de cette perte. Le titre de Dauphin échut ainsi au duc de Normandie. On crut qu'il venait d'hériter d'une couronne ; il venait d'hériter d'un martyre.

Brisés, mes parents se retranchèrent à Marly où mon père défendit qu'on le dérangeât. Jadis synonyme de plaisir, ce château édifié par Louis XIV était délaissé : cascades ou fontaines, les eaux ne jouaient plus comme au temps où le peuple était admis dans les jardins. Tout semblait pourtant y avoir été construit par la puissance magique d'une baguette de fée. Alors que les états généraux étaient rassemblés dans la salle des Menus-Plaisirs et que Bailly, le représentant du tiers état, insistait pour le voir, le roi, las d'être ainsi pressé dans des circonstances aussi sensibles pour son cœur, s'écria : « Il n'y a donc pas de pères dans cette Chambre du tiers ? »

La mort de son fils ne pouvait manquer de lui rappeler celle de son propre frère aîné ; deux premiers dauphins, une même maladie osseuse, un âge proche, des prénoms identiques (Louis-Joseph-Xavier). Y avait-il une malédiction attachée à notre famille ? La disparition de son frère en 1761 l'avait rendu héritier d'un trône qu'il aurait volontiers cédé. D'abord asservi par cet aîné malade, puis régenté par ses cadets, surveillé par Louis XV, il s'était réfugié dans le mutisme : « J'aime mieux laisser interpréter mes silences, dit-il un jour à son ministre Malesherbes, plutôt que mes paroles. » J'estime que c'est le meilleur portrait qui se puisse faire de sa personne.

Ce deuil advenait au pire moment. L'heure était grave : la noblesse et le clergé, favorables au vote par ordre, s'opposaient au tiers, plus enclin au vote par tête qui lui assurait la majorité. La petite fille que j'étais n'avait plus alors qu'un père devenu incapable de s'occuper de son pays et une mère éplorée. Mise à l'apprentissage du malheur, je dus ravaler mes larmes au prix d'un raidissement que les tragédies à venir confortèrent encore.

Quelques jours plus tard, le 20 juin 1789 au Jeu de paume, le plus grand orateur du tiers, Mirabeau, fit prêter serment à ses « coreligionnaires », puis tous proclamèrent leur détermination commune à doter la France d'une Constitution. À la fin de la séance royale du 23 juin qui fit couler tant d'encre, il fourbit cette fois sa célèbre sortie : « Nous sommes ici par la volonté du peuple, et nous n'en sortirons que par la puissance des baïonnettes. » Le roi venait de déclarer que le clergé était prêt à des sacrifices ; pour sa part, il acceptait que les impôts fussent votés par les députés, mais aussi la garantie de la liberté individuelle, ainsi que l'octroi de la liberté de la presse. Si on l'abandonnait dans une si belle entreprise, il ferait seul le bonheur de son peuple. Mais ce n'était pas encore assez ! En signe de mécontentement, ils avaient refusé de quitter la séance après qu'il les en eut prié.

De ce jour, la défiance s'établit dans les esprits et le roi le plus juste, le plus humain, et le plus fervent ennemi du despotisme, vit se dérober la popularité que lui avaient acquise quinze ans d'un règne bienfaisant. De ce jour aussi, la prétendue volonté du peuple fut bien souvent celle d'une minorité si active qu'elle empêcha la majorité d'exprimer son opposition, au besoin par la terreur. Pour l'heure, les fondations de son autorité étaient déjà si sérieusement ébranlées que la brèche s'élargit jusqu'à lui faire poser un, puis deux genoux à terre.

Depuis son avènement, le roi mon père avait déjà garanti la dette contractée sous le règne de ses prédécesseurs, établi des assemblées provinciales, le libre exercice des métiers, aboli la question, cette torture du corps ô combien barbare, considérant que la force des nerfs décidaient du crime ou de l'innocence, adouci les lois contre la désertion, protégé les arts et les sciences alors en plein essor, asséché les marais, promulgué des dizaines de lois conçues pour davantage de justice et moins de misère. Sans oublier les aides aux provinces souffrant de sécheresse ou d'inondation. Durant l'été 1789, avec son accord, tout l'ancien ordre commença de basculer. À la lumière des événements qui suivirent, devrais-je tirer pour morale que ce prince éclairé aurait dû opter pour le *statu quo* ? Lorsqu'un pouvoir fort se montre conciliant, il est presque toujours remis en cause, et l'édifice est alors victime d'un fatal déséquilibre.

À la vérité, le cœur du roi le portait vers des idées de réformes : alerté par Malesherbes, puis effaré par l'état de délabrement des hôpitaux – on lui doit celui de Necker – et des prisons, il avait souhaité faire libérer des détenus enfermés pour des péchés véniels ou depuis trop longtemps. En revanche, il ne s'était pas déplacé, refusant l'ostentation. N'a-t-il pas également laissé rentrer Voltaire en France après un exil de près de trente ans ? Si ce dernier était opposé à la monarchie de droit divin, il ne l'était point à la monarchie absolue, car à ses yeux le souverain incarnait l'État.

Mon père alla plus loin avec l'édit de tolérance en faveur des non-catholiques, juifs ou protestants, obtenu non sans combat : « Je vous fais juif, occupez-vous d'eux », avait-il déclaré à Malesherbes. Enfin les cahiers de doléances montrèrent son intérêt pour ses sujets des trois ordres ainsi que sa volonté de conciliation. Mais comment contenter tout le monde ? Ne s'est-il pas égaré à trop vouloir suivre l'opinion ? Il est si rare que le public, toujours prêt à s'enthousiasmer ou à se prévenir, juge d'une manière saine les talents et les vertus…

Et puis les cris d'orfraie des privilégiés, jugeant téméraires les attentes de ceux qui ne l'étaient point, l'ont obligé à abandonner des plans que son amour pour le peuple lui avait fait adopter et auxquels il a finalement souscrit sous la contrainte. Hélas ! il croyait impossible que tant de patience ne pût ramener à la raison les sujets égarés. Car le peuple, livré à lui-même, ne commet pas d'excès : il ne pille et ne tue que lorsqu'il y a des ambitieux embusqués pour le pousser à la violence.

Enfin faut-il rappeler que la royauté n'avait de monarchie absolue que le nom ? Les privilèges n'étaient en aucun cas l'apanage de la noblesse ou du clergé. Ils concernaient aussi certains métiers, certaines provinces, même. Nul ne songeait alors à une république, pas même le jeune club des Jacobins, né au printemps de 1789, réputé pour ses bruyantes séances et la déraison de ses orateurs. L'honnêteté m'oblige à reconnaître que les émigrés, en particulier ceux qui avaient quitté la France dès 1789, ne nous rendirent pas service. Par leur extrémisme, ils désignaient l'ensemble des Royalistes à la vindicte publique, alors que mon père cherchait un compromis avec les Modérés, cette aile libérale disposée comme lui à une évolution mais non à une révolution, cette *tabula rasa*.

Rendue libre par le roi, la presse versa d'abord dans une licence odieuse et effrénée pour sombrer ensuite dans l'excès, un concours de pamphlets pornographiques, de libelles immondes, d'articles sensationnels, d'informations fallacieuses ou erronées. Ma mère, qui s'était pourtant proclamée « reine du tiers », était désormais résolue à se battre. Elle jugeait que mon père, en acceptant toutes les concessions, n'était point lâche, mais écrasé par une conscience trop tendre, une mauvaise honte, une méfiance de lui-même qu'il devait autant à son éducation qu'à son caractère. Elle pensait que quelques paroles bien articulées centupleraient les forces de notre parti, mais qu'il ne les prononcerait pas. Aussi fallait-il s'attendre dès lors à de nouveaux outrages. La succession des événements montre leur différence face à l'adversité. « Pour moi, disait ma mère, je pourrais bien agir et monter à cheval s'il le fallait, mais ce serait donner des armes aux ennemis du roi ; le cri contre l'Autrichienne, la domination d'une femme, serait général en France. Une reine qui n'est pas régente doit rester dans l'inaction et se préparer à mourir. »

Considérant que son autorité était compromise par la politique de Necker, qui ne faisait que renforcer l'opposition, mon père le congédia. Ce fut le signal de la journée du 14 juillet. La cocarde tricolore, triptyque incarnant la royauté cernée par les couleurs de Paris, fut arborée pour la première fois par les vingt mille hommes qui marchèrent sur la Bastille armés de fusils pillés aux Invalides pour délivrer de prétendus prisonniers politiques. Or Louis XVI, je veux le dire avec fermeté, n'embastillait plus quiconque pour ses opinions – excepté Beaumarchais dont l'impertinence lui avait valu quelques jours d'enfermement. Les assaillants ne trouvèrent d'ailleurs que sept prisonniers, des faussaires surtout, et deux aliénés. La forteresse fut sauvagement envahie. Puis la tête du gouverneur, celui-là même qui n'avait point tiré le canon à l'occasion de ma naissance, surgit au bout d'une pique. Ce fut le prélude d'une longue série de fureurs sanguinaires.

Le soir, mon père fut informé des troubles dans la capitale, mais jugea préférable de laisser l'Assemblée décider des mesures à prendre. Pensait-il qu'il n'y avait point d'urgence ? Dans la nuit, il fut réveillé par le duc de La Rochefoucauld-Liancourt, qui arrivait exprès de Paris pour lui narrer la prise de la Bastille et l'assassinat du gouverneur. « C'est donc une révolte ? » s'enquit mon père. La réponse est demeurée fameuse : « Non, Sire, c'est une révolution. » Le talisman était brisé. *A posteriori*, le déroulement des événements semble si implacable qu'il serait naïf de juger qu'il eût été possible de changer le cours du destin. D'ailleurs, après bien des palabres, les états généraux se métamorphosèrent arbitrairement en Assemblée dite nationale constituante : cela équivalait à un coup d'État.

Deux jours plus tard, ma mère enjoignait, non sans une inexprimable douleur, sa chère amie Mme de Polignac de quitter la France pour sa sécurité. Incarnation de la Cour, victime de libelles et de pures calomnies, elle fut injustement impopulaire. Et je puis témoigner de son goût pour la simplicité : la pauvre Gabrielle, si gracieuse, naturelle et enjouée, n'avait aucun des défauts qu'on lui prêtait et qui, en vérité, accompagnent presque toujours les titrés de la Cour. En revanche, combien de jalousies son intimité avec la reine n'a-t-elle pas suscitées ?

Elle fut remplacée par Mme de Tourzel, qui joua un rôle considérable. Ma mère lui déclara dès son arrivée qu'elle avait jusqu'ici confié ses enfants à l'amitié, mais que désormais elle les confiait à la vertu. Sa fille Pauline, qui avait quelques années de plus que moi, devint ma compagne la plus proche. La violence des événements affrontés ensemble et leur constant soutien nous lièrent pour la vie.

Le 17 juillet, mon père consentit à se rendre à Paris contre l'avis de ma mère qui eut bien de la peine à retenir ses larmes : allait-on le laisser rentrer ? « Quand on fait les choses, il faut les faire complètement », expliqua-t-il. Mon jeune frère Charles tenta de la rassurer en lui disant qu'il était si bon qu'on ne pouvait lui vouloir de mal. Et en effet mon père daigna accrocher à son chapeau la cocarde tricolore présentée d'autorité par Bailly, qui venait de se proclamer premier maire de Paris, redevenu capitale. S'il savait fort bien dissimuler son anxiété sous sa bonhomie habituelle, pouvait-il refuser de porter cet emblème de liberté ? Mon oncle Provence qui s'était opposé à cette mascarade n'aurait pas hésité, lui, à faire tirer le canon ! Quant à mon plus jeune oncle Artois, il avait déjà quitté la France à la demande du roi, comme de nombreux clans à sa suite. Une foule de diligences abandonnèrent la France dans la précipitation, si bien que Versailles se vida.

Au retour de mon père, nous nous étions jetés dans

ses bras, fort soulagés car il avait été acclamé avec transport. On avait même requis l'érection d'une statue à Louis XVI, restaurateur de la liberté, sur le terrain de la Bastille ! Touché par ces marques d'attachement, il fit dire qu'il approuvait tout, qu'on ne devait pas douter de son amour, mais qu'il voulait que l'ordre et le calme fussent rétablis. C'est à cette époque qu'il jura en privé de ne jamais faire couler le sang des Français. S'il a respecté cette promesse, il le fit au sacrifice de sa vie et au détriment de sa famille.

J'ai souvent entendu mes parents se plaindre des émigrés de 1789, partis avant les terribles journées d'octobre. Pour ma part, j'ai toujours blâmé cette conduite dictée par la peur, qui fut selon moi une des causes de notre malheur. Car ils ont ni plus ni moins déserté sans résistance pour ensuite exiger que seuls nous nous exposions, et au service de leurs intérêts. Pourquoi, au même moment, nous prenant en étau, les esprits qui restaient, ces délicates intelligences qui avaient passé leur vie dans les salons des grands et dans les demeures royales, pourquoi ces poètes, ces artistes, se retournèrent-ils soudain contre une aristocratie bienveillante, contre une royauté hospitalière ? Et pourquoi poussèrent-ils le peuple à de bruyantes saturnales ? Voilà ce que l'ancienne société n'a pu comprendre et ce que j'ai encore de la peine à concevoir. Même certaines gens attachés au service du roi et comblés de ses bienfaits sont venus grossir le rang de ses persécuteurs en se jetant dans la Révolution.

Après l'inévitable rappel de Necker, dans la fameuse nuit du 4 août, l'Assemblée décida, en prenant l'Amérique pour exemple, le principe d'une Déclaration des droits de l'homme et du citoyen, censée devenir le préambule de la future Constitution. Puis les ducs de Noailles et d'Aiguillon firent consacrer l'abolition des privilèges, l'égalité devant l'impôt, la suppression des dîmes ainsi que les dernières féodalités encore en usage.

Ces concessions ne parvinrent pas à rétablir le calme. Les massacres mettaient le pays à feu et à sang. Voyant les esprits s'échauffer, mon père demanda à notre gouvernante de se tenir prête à quitter Versailles. Il est inutile de dire combien tout cela m'échappait. Je ne pouvais que constater l'état de préoccupation perpétuel de mes parents.

Au début de l'automne, des agents nous informèrent que Versailles pouvait être attaqué. Chargé de protéger le château, un régiment de Flandre fut reçu par les gardes du corps dans la cour où avait été dressé un banquet aux accents du *Richard Cœur de Lion* de Grétry (« Ô mon roi, ton univers t'abandonne... »). Mes parents, mon frère et moi vînmes jusqu'à lui. Le sourire de ma mère était si bienveillant, gracieux et naturel, que des « vive la reine ! » fusèrent, lui offrant un peu de baume au cœur. Puis ils tirèrent leur épée et jurèrent de verser pour nous jusqu'à la dernière goutte de leur sang. On prétendit ensuite qu'ils avaient fait le serment d'attaquer le peuple et l'Assemblée... Cette interprétation de la légitime défense en agression, si caractéristique de l'esprit de la Révolution, fut aussitôt exploitée par la presse. Quelque action que le roi entreprît, et même lorsqu'il s'abstenait, le procès était perpétuel.

## 2. Adieu, Versailles

## « Maman, est-ce qu'hier n'est pas fini ? »

J'ai vécu, le 6 octobre 1789, le commencement de la fin. Cette date a signé d'une plume de sang le terme de mon enfance et flétri mon existence entière. Dans mon esprit, il y eut une première vie avant le 6 octobre, puis tout ce qui advint après.

Blessure cardinale, ce moment fixe le début de notre calvaire, marqué par une violence inaccoutumée. Surtout pour une fillette de dix ans, vivant dans un milieu harmonieux inscrit dans les convenances, le protocole et la bienséance, ce cérémonial lourd mais rassurant dans lequel j'ai grandi et que je croyais immuable.

La veille, le roi mon père avait accepté « purement et simplement » la Constitution, ainsi que la Déclaration des droits de l'homme que l'Assemblée appelait de ses vœux. Il discutait loyalement, donnait son accord sur les réformes essentielles, avançait vers une monarchie constitutionnelle. Mais encore eût-il fallu que la Révolution s'arrêtât le 4 août, lorsqu'il avait presque tout concédé ! Or tout cela fut jugé insuffisant.

Des Parisiennes de la Halle décidèrent alors de marcher sur Versailles pour réclamer du pain. Ce rassemblement n'avait rien de spontané ; c'était en vérité une idée de Choderlos de Laclos, auteur des sulfureuses *Liaisons dangereuses* et féal du duc d'Orléans. Pour exciter le peuple, le moyen le plus sûr était d'empêcher le ravitaillement de la farine. Car, depuis les grands froids de l'hiver qui avaient fait geler la Seine, les moulins, pris dans les glaces, étaient demeurés à l'arrêt, réveillant le spectre de la famine. L'hôtel de ville de Paris faisant la sourde oreille, les femmes vinrent s'adresser aux députés qui siégeaient à Versailles, de nouveau sans succès. Le bruit s'était répandu qu'une multitude arrivait pour exiger du roi qu'il ratifie la Constitution, non plus sur le principe, mais par sa signature. On nous avertit que la famille royale était menacée et que nos têtes étaient mises à prix.

Quelques heures plus tard, une horde de six mille personnes, composée d'hommes habillés en femmes, de perturbateurs et de poissardes déguenillées vociférant, ivres parfois, parvint au château. Ce jour-là, je vis ce qu'était la misère et en restai marquée pour toujours. Entre chien et loup, j'aperçus un attroupement de femmes crottées par la pluie et une foule de brigands, mais je n'avais pas peur car le régiment de Flandre fit rempart devant eux. Nos gardes du corps, vêtus d'un habit bleu et d'une culotte rouge, n'étaient-ils pas censés nous défendre ?

Mon père était à la chasse, seule à même de calmer

ses nerfs, et ma mère, fatiguée par les événements politiques, s'était retirée à Trianon.

Alerté et sensible à la situation de ces Parisiennes, mon père intima l'ordre de faire apporter de la farine des moulins environnants jusqu'à la capitale. Comme son entourage lui conseillait de fuir, il s'exclama : « Un roi fugitif ! Un roi fugitif !... » On lui recommanda alors de canonner la foule. Il réagit plus vivement encore : « Sur des femmes ? Vous vous moquez ? » Il était certain que les insurgés allaient revenir à la raison. Que pouvait-on lui reprocher ? Tandis qu'on lui soufflait cette fois de se rendre à la capitale pour satisfaire les mécontents, d'autres insistaient pour qu'il se repliât à Rambouillet : « Sire, si vous êtes conduit demain à Paris, votre couronne est perdue. »

Des chevaux nous attendaient sous l'orage qui venait de s'abattre. Quel parti fallait-il prendre ? Si mon père temporisa, c'est parce qu'il redoutait d'être poussé à des extrémités. Les femmes arrivaient, jupe relevée sur la tête pour se protéger de la pluie, les chaussures boueuses, pour parler au roi. Dans l'espoir de les apaiser, on reçut une délégation – dans laquelle figurait le Dr Guillotin. La bonne disposition de mon père ainsi que son accueil bienveillant les désarmèrent tant que leurs préventions tombèrent dans l'instant. Il promit du pain, réconforta une jeune fille qui, très impressionnée de le rencontrer, s'était trouvée mal, et proposa même de la faire raccompagner en voiture. Remise de ses émotions, elle s'enquit de savoir s'il permettait qu'elle lui baise les mains ; débonnaire, il lui répondit qu'elle méritait mieux et l'embrassa sur les joues. Mais lorsqu'elle redescendit raconter la scène à ses comparses, son récit passa pour une imposture. Le roi ne pouvait être qu'un monstre.

Une fois le calme revenu, je ne quittai plus mes parents jusqu'à ce que ma mère me mît au lit en s'efforçant de me rassurer. Elle affichait dignité et sérénité. Le roi ne s'était-il pas montré prêt à toutes les concessions ? À minuit seulement, La Fayette arriva pour proposer de défendre la place avec la garde nationale. Commandée par ce dernier – alors surnommé le « héros des deux mondes » pour sa participation à la guerre d'Indépendance américaine –, cette milice bourgeoise enrôlait de force ; ceux qui refusaient étaient considérés comme déserteurs. Ma mère ne se coucha qu'à deux heures du matin : malgré sa contenance noble et calme, sa sérénité n'était qu'apparente. La rémission également, car en vérité l'agitation persévéra. Bacchanales, saouleries, cris et coups de feu se succédèrent toute la nuit.

Le lendemain 6 octobre à l'aube, je fus réveillée par des clameurs, émaillées de hurlements féroces. L'horloge à orgue venait de faire délicatement retentir l'air d'*Il pleut, bergère*, lorsque ma mère pénétra vivement dans ma chambre et me demanda de me lever sur-le-champ. Frappée d'une frayeur panique, tremblante et le regard figé d'épouvante, je jetai une couverture sur mes épaules. À cet instant précis, mon existence bascula.

Apprenant qu'on ne ferait pas feu, les phalanges postées autour des grilles prirent d'assaut le château. La garde nationale, déjà passée du côté des insurgés, ne se privait pas, elle, de tirer sur les gardes du corps qui n'avaient point ordre de répliquer. En conséquence, dix mille envahisseurs étaient à nos portes.

Deux gardes sauvagement massacrés furent décapités puis leurs têtes blêmes et ensanglantées exhibées au bout d'une pique sous les appartements de mes grand-tantes, Mesdames, filles de Louis XV.

Non contents de ces abominations, les assassins, tout en vomissant les imprécations les plus horribles, se ruèrent vers la chambre de la reine : « La voilà, la sacrée p… ! Nous n'avons pas besoin de son corps, il faut seulement porter sa tête à Paris ! » Quels meneurs occultes avaient pu leur donner les plans d'un château aux multiples pièces, escaliers et corridors ? Sa porte ayant été attaquée à la pioche, ma mère parvint à s'échapper de justesse en chemise, frissonnante, les cheveux en désordre, pieds nus, tenant ses bas à la main, en empruntant un passage étroit et sinueux jusqu'à l'Œil-de-bœuf ; mais elle trouva l'appartement de mon père clos de l'intérieur ! Épouvantée, elle sanglotait convulsivement en tambourinant à la porte, et il fallut cinq longues minutes pour que quelqu'un comprenne que ses martèlements désespérés n'étaient point le fait des brigands. Le héros du jour, nommé Turgy, sera par la suite d'une indéfectible fidélité.

Ma mère descendit aussitôt me chercher avec calme, mais fermeté. Le Dauphin avait déjà été amené par Mme de Tourzel. Alors que j'étais portée par Turgy, nous avançâmes dans la pénombre d'un passage secret. J'entendais le fracas des coups de hache des forcenés, tandis que de la cour me parvenaient des cris de haine d'une violence inouïe dirigés contre ma mère. Des bandes armées jetaient les meubles par les fenêtres, pillaient tout ce qui pouvait l'être et brisaient le reste. D'autres malheureux gardes échappèrent de justesse aux potences improvisées.

Nous nous retrouvâmes enfin chez mon père, à peine vêtus, dans cette ancienne chambre de parade du Roi-Soleil où figurait le tableau de Nicolas Coustou représentant, ironie du destin, *La France veillant sur le sommeil du roi*... Nous étions sains et saufs, mais pour combien de temps ? La cour de marbre était remplie de figures atroces formant une marée humaine, une cohue indescriptible. Ce vacarme qui faisait trembler les vitres, les coups de feu épars, la foule grouillante et enragée, au milieu de laquelle se trouvaient des femmes aux seins dénudés, vociférant qui des injures, qui des chants indécents et heurtant mes jeunes oreilles, provoquèrent une terreur absolue à jamais gravée dans mon souvenir.

Les gardes du corps avaient beau défendre les pièces une à une, nous pensions que la mort nous attendait. Seul Charles semblait échapper à l'angoisse. Il jouait avec mes boucles dorées en disant : « Maman, j'ai faim. » Celle-ci lui demanda de patienter et ne put s'empêcher de reprocher à mon père de ne s'être pas décidé à partir la veille, tandis qu'à présent nous étions captifs. Cependant, elle ne voulait en aucun cas être séparée de lui, et ce quels que soient les risques encourus.

Les clameurs, ponctuées de coups de fusil, avaient repris avec plus de virulence encore. « Le roi au balcon ! » « Le roi à Paris ! » « À mort l'Autrichienne ! » Est-ce parce qu'il est un des seuls rois de France à n'avoir pas eu de maîtresses que la haine, ne pouvant se déverser sur une favorite, s'est concentrée sur sa femme ? Inquiétée par la violence de ces paroles, je regardais tour à tour mes parents. Mon père rentrait par moments dans sa chambre pour s'asseoir et se reposer. Victime d'un état de stupeur difficile à peindre, il ne parvenait plus à répondre lorsque ses ministres s'adressaient à lui.

Résigné, il ouvrit tranquillement la fenêtre et parut devant la foule. Une vive émotion l'empêcha d'abord de parler. La Fayette se fit son interprète et prononça quelques paroles apaisantes. Mais le peuple demandait plus : « La reine au balcon ! » Plus fière, celle-ci n'entendait pas répondre à cette injonction. Le « héros des deux mondes » – désormais affublé du sobriquet de « général Morphée », car il dormait encore lorsque les gardes du corps s'étaient fait éventrer – s'adressa alors gravement à elle : « Madame, cette démarche est absolument nécessaire pour calmer la multitude. »

« En ce cas, dussé-je aller au supplice, je n'hésite plus », répondit-elle. Et elle s'exécuta, nous tenant chacun par la main ; puis elle prit le Dauphin dans ses bras. Paralysée par la peur, ne sachant ce que l'on attendait de moi, j'étais occupée à surveiller mon maintien. Je remarquai la présence de nombreuses femmes aux dents blanches, vêtues de fines étoffes et portant de grosses bagues : n'était-ce pas la preuve qu'une classe supérieure avait entraîné le peuple à sa suite ? Mon père savait qu'une cabale « orléaniste » avait semé beaucoup d'argent dans les faubourgs – la somme s'élevait à douze francs par tête… Dès que nous fûmes à découvert, d'autres cris s'élevèrent : « Point d'enfants ! » Ces furies avaient-elles peur de se laisser attendrir par notre innocence ?

Ma mère nous repoussa en arrière et je m'accrochai à sa redingote, affolée, tandis que Charles sanglotait. Puis elle réapparut seule au balcon, les yeux levés vers le ciel et les mains croisées sur la poitrine, sans se départir un instant de sa dignité face à la foule. Son courage impressionna car, après quelques secondes de silence qui me parurent interminables, des « vive la reine ! » éclatèrent. Son admirable fermeté avait réussi à remporter les suffrages.

Elle nous rejoignit enfin, nous embrassa. Je pleurais en silence. « Je sens que nous ne reviendrons plus ici, murmura-t-elle. Mes pressentiments ne m'ont jamais trompée. » Puis, les larmes aux yeux, elle nous prévint que nous allions devoir nous rendre à Paris. Cette perspective me laissa interdite. Je tâchai de me tenir coite afin de ne pas indisposer mes parents, déjà si préoccupés.

Jugeant cette fois qu'on ne pouvait plus parlementer, mon père s'inclina : « Mes amis, j'irai à Paris avec ma femme et mes enfants ; c'est à l'amour de mes bons et fidèles sujets que je confie ce que j'ai de plus précieux. » Des acclamations s'élevèrent. Que serait-il advenu s'il avait refusé ? La mort pour tous ou la survie de toute notre famille ? Ce jour marqua, pour moi, l'anéantissement de son autorité. Alors que l'Assemblée avait plus de pouvoir que jamais, il lâcha : « Tant mieux ! Qu'elle le garde, et qu'elle s'en serve pour rendre le peuple heureux, et je serai le premier à l'en bénir. » Il n'y avait plus qu'à s'en remettre à la Providence.

Mme de Tourzel nous emmena afin de préparer le départ. Nous passâmes par un escalier inhabituel afin de nous épargner la vue des flaques de sang et des cadavres. Sous un grand soleil, les hautes grilles dorées s'ouvrirent au passage du carrosse où nous nous engouffrâmes avec mon oncle Provence et sa femme. C'étaient au même instant dix siècles d'Histoire qui se refermaient derrière nous. Je ne savais pas encore que la prophétie de ma mère serait avérée et que nous quittions alors Versailles pour toujours.

Il manquait à l'apparat coutumier de notre carrosse rouge et or le régiment bariolé des gardes suisses au service des rois de France depuis le siècle précédent, et des gardes du corps juchés sur leurs noirs destriers, cette fois remplacés par un affreux cortège, ponctué de mousqueterie. Des hommes portaient des piques au bout desquelles se balançaient les têtes recoiffées et poudrées des gardes massacrés la veille. Ces hideux trophées servaient de bannières à cette horde sauvage. Cette scène d'horreur redoutée par ma mère se déroulait maintenant sous mes yeux écarquillés par la peur. Les mégères avinées continuaient de vomir leurs flots de haine : « À la lanterne ! » La foule, tout autour et massée jusque sur le toit des maisons criait : « Vive la nation ! »

Si je n'avais pas encore compris pourquoi nous faisions l'objet de cette vindicte suprême, je la recevais stoïquement, m'évertuant à imiter l'attitude de ma mère. Celle-ci essuyait d'ailleurs des injures si infamantes, si basses et si vulgaires que je me refuse à les consigner ici. On pouvait donc être monarque, c'est-à-dire inviolable et sacré, et traité de la sorte ?

Notre voiture, d'une lenteur de cauchemar et sans cesse arrêtée par la foule, tentait de se frayer un passage. Au milieu de cris affreux qui me glaçaient d'effroi, nous étions précédés de gardes nationaux tout déguenillés, baïonnettes relevées. J'apercevais, stupéfaite, des furies, à califourchon sur des canons, chantant des chansons grivoises. Ces monstres à visage humain nous regardaient avec une curiosité si brutale qu'elle valait intrusion. Des charrettes emplies de farine nous suivaient et des femmes brandissaient des quignons. Même la fameuse courtisane Théroigne de Méricourt, « l'Amazone rouge », se tenait l'épée à la main. Tout ce monde grouillait dans une atmosphère de bacchanale déchaînée. Frappée à jamais, j'assistai à un spectacle horrifique, plongée malgré moi en enfer. De ce jour, j'ai gardé une méfiance tenace vis-à-vis du peuple parisien, et de la foule, quelle qu'elle soit.

Nous avançâmes au pas dans la poussière durant sept heures interminables, les rideaux en partie relâchés, et dans un silence pesant. Sept heures de supplice durant lesquelles je demeurai raide et muette. Pétrifiée, mâchoires serrées, j'étais le témoin impuissant d'événements trop grands pour mes jeunes épaules. Mon amie Pauline tenait ses yeux baissés. Les curieux étaient nombreux. D'aucuns leur annonçaient, moqueurs : « Nous ramenons le boulanger, la boulangère et le petit mitron [le Dauphin]. » Ma mère s'enhardit à dialoguer avec la foule : « Le roi n'a jamais voulu que le bonheur de son peuple. On vous a dit bien du mal de nous : ce sont ceux qui veulent vous nuire. Nous aimons tous les Français… » Mon père, lui, demeurait obstinément muet.

Mirabeau, venu avec des députés, le fixa insolemment. Puis, à hauteur de Passy, le duc d'Orléans nous regarda passer en se réjouissant secrètement. Près d'Auteuil, des coups de fusil tirés dans notre direction me firent sursauter – il y eut de nouveau des morts.

Il faisait nuit lorsque nous franchîmes la barrière de la capitale. Les habitants paraissaient heureux de nous voir. À Chaillot, mon père fut accueilli par Bailly :

« Quel beau jour, Sire [mon père soupira à ces mots], que celui où les Parisiens vont posséder dans leur ville Votre Majesté et sa famille ! » Quel « beau jour » en effet : le sang de ses fidèles avait coulé et lui-même avait subi tant d'outrages ! Il répondit d'une voix monocorde : « Je souhaite et désire bien vivement, monsieur, que mon séjour y puisse ramener la paix, la concorde et la soumission aux lois », ajoutant qu'il venait toujours avec plaisir et confiance dans sa bonne ville de Paris. Bailly le fit savoir à la foule en omettant le mot *confiance*. Aussitôt, ma mère lui dit : « Répétez *avec confiance* ! »

Les rues étaient illuminées et des « vive le roi ! » se firent entendre, de la rue Saint-Honoré jusqu'à l'Hôtel de Ville où il fallut se rendre. J'étais exténuée. La foule était si dense en place de Grève que nous terminâmes à pied, éprouvant toutes les peines du monde à avancer. Mes parents furent contraints de se montrer. On plaça même des flambeaux de chaque côté de leurs figures pour prouver qu'il s'agissait bien du roi et de la reine. Là, ils furent enfin acclamés avec bon esprit ; le peuple avait obtenu ce qu'il voulait.

De nouveaux discours s'ensuivirent, à l'issue desquels mon père accepta d'être inséparable de l'Assemblée, soit captif dans sa propre capitale. Le Dauphin, alors âgé de quatre ans, épuisé, dormait dans les bras de Mme de Tourzel. Ma mère affichait de l'assurance, mais paraissait très émue, contenant un chagrin profond. Pour conclure cette épreuve, elle déclara : « Tout ce que l'on pourra dire plus tard sur cette interminable journée sera au-dessous de ce que nous avons vu et éprouvé. »

Conduits aux Tuileries passé dix heures du soir, nous découvrîmes un château à l'abandon dont les appartements étaient remplis d'ouvriers et les salles mal éclairées. Des lits de sangles furent dressés en hâte au milieu du désordre. « Tout est bien laid ici, maman », commenta mon frère. Ma mère lui répondit que Louis XIV y logeait et s'y trouvait bien, aussi nous ne devions pas être plus difficiles que lui. Quant à mon père, il bâilla en lâchant seulement : « Que chacun aujourd'hui s'accommode comme il pourra ; pour moi, je suis bien. » À la surprise générale, il soupa avec appétit, tandis que nous ne pouvions avaler la moindre bouchée.

Cette première nuit, mon frère dormit sans gardes dans un appartement ouvert à tous les vents – vitres brisées et portes fermant mal – que Mme de Tourzel tâcha de combler comme elle put. Puis elle demeura assise à côté de lui jusqu'au matin. Quant à moi, je dus somnoler sur une chaise. Le lendemain, il fallut faire éliminer les punaises qui avaient pris possession des lieux.

Aucun répit ne nous fut laissé. Alors que j'entrais chez ma mère pour réclamer mon pianoforte, une foule de curieux s'était rassemblée pour voir notre famille. Ma mère m'embrassa puis se vit obligée d'ouvrir les fenêtres à de multiples reprises pour se montrer. Charles s'enquit alors : « Maman, est-ce qu'hier n'est pas fini ? » Je me demandais moi aussi si nous allions devoir encore subir des attentats, mais il y eut cette fois plus de peur que de mal.

Les badauds revinrent le lendemain et les jours suivants. Puis des femmes se crurent autorisées à franchir les limites en s'introduisant dans l'appartement de ma tante, Mme Élisabeth, situé en rez-de-jardin.

Mon père se montrait plus renfermé que jamais et demeurait claquemuré chez lui ; l'embonpoint le gagnait. De son côté, ma mère supportait avec difficulté les affronts constants : elle, la descendante des Habsbourg, venait de passer avec brutalité des Lumières à la nuit révolutionnaire ! Une métamorphose s'opéra : triste et fatiguée, trop préoccupée pour lire, elle ne pouvait prononcer une parole sans que sa voix tremblât et que ses yeux s'emplissent de larmes.

Elle était parfois surprise par Axel de Fersen qui la trouvait en pleurs. Ce fidèle ami de cœur fut soupçonné de galanteries à son endroit, ce qui était inconcevable puisqu'aux yeux de ma mère, les liens sacrés du mariage ne pouvaient en aucune façon être rompus. Malgré cela, Dieu sait combien elle ne fut pas épargnée : « On m'a très libéralement supposé les deux goûts, celui des femmes et celui des amants », avait-elle fait justement remarquer. Si je refuse de la défendre sur ce point, je dois rappeler que Fersen n'était que son confident. Elle lui confessa d'ailleurs que désormais elle ne pourrait être heureuse que par ses enfants. Le Dauphin surtout, qu'elle appelait « chou d'amour » et qu'elle aimait à la folie, sans oublier toutefois qu'elle élevait un futur roi. Déjà résignée, elle disait que c'est dans le malheur que l'on sent davantage ce que l'on est. Elle jugeait que, pour nous, le bonheur était fini à jamais et que, puisque c'était le devoir d'un roi de souffrir pour les autres, au moins fallait-il le remplir bien. Dans une missive adressée à Mme de Polignac, elle exprimait ses difficultés à surmonter ses peines, mais aussi celles de ses amis et de son entourage. Elle ajoutait que c'était un poids bien lourd à porter et que si son cœur n'entretenait pas des liens très forts avec nous tous, elle aurait préféré succomber.

Notre vie fut tout à fait transformée, puisque nous étions placés sous scellés. Plus de chasse pour mon père, qui aimait en rentrer fourbu. Plus de sorties au théâtre pour ma mère, dont c'était l'un des divertissements favoris. Cela avait au moins l'avantage de nous rendre l'intimité familiale à laquelle nous aspirions. Nous ne nous aventurions plus à l'extérieur des Tuileries car, dans les rues, nous n'étions que bêtes curieuses harcelées.

Les journées étaient mornes. Le matin, ma mère nous accueillait chez elle, puis nous nous rendions à la messe. Des leçons m'étaient encore dispensées et le curé de Saint-Eustache venait me préparer à ma communion. Après une partie de billard, mon père lisait ou tenait conseil avec quelque intime. Le soir, après le souper, nous nous retrouvions tous au grand salon. Mon oncle Provence venait du palais du Luxembourg, rue de Tournon, où il résidait. Avaient été apportés de Versailles quelques meubles et tapisseries ; un semblant de cour reprenait vie.

J'occupai d'abord une chambre à l'entresol, au-dessus de celle de mon père ; puis en 1791, après réfection de l'aile donnant sur le jardin, je fus logée au même étage que lui avec Mme Élisabeth et Charles. Ma mère resta seule dans un appartement en rez-de-jardin, où se situaient la salle de billard et la salle à manger. Là s'acheva sa transfiguration. Elle ne portait plus ni bijoux ni perruque, mais des toilettes simples. Bien qu'elle n'eût que trente-cinq ans, des cheveux blancs apparurent sur ses tempes.

À l'extérieur, les portes étaient protégées par les gardes nationaux de La Fayette, les anciens gardes du corps, tous nobles, ayant été renvoyés à l'instigation de l'Assemblée. Pendant quelque temps, mon père ne consentit pas à sortir dans le jardin sans eux, mais ma mère, Charles et moi finîmes par nous y résoudre. Nous ne pouvions tout de même pas rester sans cesse enfermés en jouant à cache-cache avec Pauline.

Même s'il avait gardé sa joyeuse insouciance qui faisait notre bonheur, mon frère sentait que les choses avaient changé : « Je vois bien qu'il y a des méchants qui font de la peine à papa, et je regrette nos bons gardes, que j'aimais bien mieux que ceux-là, dont je ne me soucie pas du tout », avait-il confessé à Mme de Tourzel. Celle-ci lui répondit qu'il fallait être bon avec eux et les aimer quand même, mais surtout taire son aversion. Pour ma part, je comprenais seulement que de féroces ennemis ne traitaient plus mon père en souverain, mais en criminel, sans parvenir à me représenter la cause de cette violence et de cette injustice.

À Charles, qui voulait ingénument en savoir les motifs, mon père avait répondu par des mots accessibles : l'argent manquant, il en avait demandé à ceux qui en avaient. Le Parlement s'y était opposé ; on avait alors fait se soulever le peuple, qu'il s'était pourtant évertué à rendre heureux. Je venais d'avoir onze ans, mais aujourd'hui je suis en mesure d'exprimer aussi sobrement que lui le dénouement de son bref exposé : son intrépidité à gouverner malgré l'opinion pour sauver la France de la banqueroute l'a mené en prison, puis à la mort.

Je me faisais discrète, mais je ne pouvais retenir mes

larmes lorsque je voyais les traits contractés de ma mère. J'étais bien sérieuse pour mon âge, et il paraît qu'on entendait parfois avec surprise des réflexions pleines de bon sens sortir de ma bouche. Si mon père avait une tendresse particulière pour moi, ma mère cherchait toujours à mater ma fierté, quitte à se montrer sévère. Trop ? Mme de Tourzel ne partageait pas son avis sur mon compte. Elle me jugeait bonne, affable, timide, et bien trop esseulée dans mon appartement.

Au printemps 1790, mes parents souhaitèrent que je fisse ma communion à Saint-Germain-l'Auxerrois, la paroisse des Tuileries. La veille de la cérémonie, je m'agenouillai pour recevoir la bénédiction du roi qui m'invita à me souvenir que la religion était la source du bonheur et notre soutien dans les peines de la vie. Il me conseilla de ne pas me croire à l'abri du malheur : « Vous êtes bien jeune, mais vous avez déjà vu votre père affligé plus d'une fois. Vous ne savez pas, ma fille, à quoi la Providence vous destine ; si vous resterez dans ce royaume ou si vous en habiterez un autre… Surtout, soulagez les malheureux de tout votre pouvoir : Dieu ne nous a fait naître dans le rang où nous sommes que pour travailler à leur bonheur… » Je l'entends encore conclure son allocution par ces paroles solennelles et ô combien prophétiques : « Offrez vos prières pour obtenir la fin de nos malheurs, et surtout pour mon peuple dont la situation déchire mon âme. » J'éclatai en sanglots. Mes prières ont-elles été si mauvaises qu'elles ont inutilement importuné le ciel ? Je n'ai pourtant jamais manqué de suivre ces recommandations.

Le lendemain, j'arrivai très recueillie à l'église.

M'ayant demandé de renoncer à la traditionnelle parure de diamants qui devait m'être remise à cette occasion, mon père ajouta qu'il me savait trop raisonnable pour croire que j'y attachais un prix : « Mon enfant, la misère publique est extrême, les pauvres abondent, et assurément vous aimerez mieux vous passer de pierreries que de savoir qu'ils manquent de pain. » Après cette leçon, je ne pus jamais, sans me sentir coupable, jouir du superflu. Ma toilette est aujourd'hui encore des plus modestes – on me l'a assez reproché.

Après ma communion, considérée à onze ans comme une demoiselle, je pus dîner chaque jour avec mon père, et accompagner ma mère visiter, par exemple, les manufactures du faubourg Saint-Antoine. Nous étions à chaque fois si bien accueillies qu'elle prit la résolution de se mêler à la foule ici ou là, ce qui était inhabituel, et surtout audacieux à cette époque eu égard aux circonstances.

Alors que nous avions quitté Versailles depuis deux saisons, mon père décida de passer l'été à la campagne dans notre résidence de Saint-Cloud, que nous appréciions tous beaucoup. Elle était dotée d'un immense parc et d'entours plus calmes, et nous nous y sentîmes mieux. Coiffée d'un chapeau de paille au ruban lilas, ma mère se montrait encore nostalgique de ce Paris qui faisait jadis son ravissement : son ancien désir d'y vivre se confronta alors à l'amertume d'y voir sa famille prisonnière d'un peuple révolté.

Un jour, une délégation issue des campagnes voisines se présenta pour lui dire que les bons Français souffraient avec nous. Elle fondit en larmes, et cette société, émue, s'éclipsa ensuite aussi discrètement qu'elle était arrivée.

J'ai remarqué que, dans les temps de révolution, il y a toujours des moments de calme après les grands orages, entraînant un espoir cruellement trompeur. Si les crises se suivaient sans discontinuité, on se raidirait pour résister, et peut-être finirait-on par en triompher. Mais comme le courant se ralentit quand il a emporté les premières digues, on se laisse aller à l'illusion que tout est fini et on omet de prendre les précautions nécessaires. Après les prodromes, l'Assemblée décréta la suppression de la noblesse héréditaire, qui existait depuis les Gaulois – si l'on en croit les *Commentaires* de César. Cette antique coutume plut pourtant à Napoléon puisque, dès sa prise de pouvoir, il s'empressera de la faire rétablir.

La désorganisation de l'armée commença. Craignait-on sa loyauté envers le roi ? Il est vrai que nos partisans se tenaient prêts à agir, mais mon père redoutait tant les ravages d'une guerre civile qu'il ne voulait rien tenter. Mirabeau, chef influent, meilleur orateur de l'Assemblée, mais aussi mercenaire du tiers et royaliste vénal, semblait disposé à traiter avec la monarchie, moyennant finance, car il était perclus de dettes. Mon père refusa d'employer une méthode aussi dangereuse et dégradante. Un allié de circonstance ne sera jamais un fidèle… Peut-être a-t-il été corrompu par la Cour, mais certainement pas par le roi.

Puis survint le décret sur la constitution civile du clergé, le 12 juillet 1790. Après la spoliation des biens du clergé sous prétexte d'alléger la dette, il entraînait de fait la suppression de toutes les congrégations religieuses dont les membres n'allaient plus tarder à être persécutés. Ce nouveau coup de poignard acheva d'abattre mon père dont on venait de heurter profondément la conscience. Désormais, c'était le peuple qui élirait les prêtres, ce que le pape ne manqua pas de condamner. Les constituants jetaient ainsi aux orties l'alliance séculaire du trône et de l'autel. Comment la France, fille aînée de l'Église, osait-elle proposer cela ? Et le roi très-chrétien pouvait-il accepter sans répugnance un décret aussi attentatoire à son honneur ? Puisqu'on avait établi une liberté de culte générale, ne devait-il pas, arguait-il, pouvoir en jouir au même titre que tous les Français ?

Avec le recul, il apparaît que les philosophes ont corrompu la morale et la religion, préparant ainsi les fondements des fureurs révolutionnaires. Même si les Lumières avaient disposé son esprit à la tolérance, mon père jugea que les protestants avaient pris le masque de la philosophie pour égarer l'opinion, mais aussi que Voltaire, par son athéisme, et Rousseau, par sa conception de la souveraineté, avaient perdu la France. Sans religion, confia-t-il peu de temps avant sa mort, point de vrai bonheur pour les sociétés. C'est le plus ferme lien des hommes entre eux car elle empêche les abus de la puissance, protège le faible, console le malheureux, garantit, dans l'ordre social, des devoirs réciproques sans lesquels la force prime le droit. Il était convaincu qu'il était impossible de gouverner par les principes de la philosophie.

À l'Assemblée, les décrets se succédaient pour retirer au monarque non seulement la liberté de sa foi, mais aussi les attributs d'un pouvoir qui se réduisait comme une peau de chagrin. N'avait-on pas promis de lui consentir le pouvoir exécutif ? Afin de le rabaisser davantage, on le désigna comme roi des Français, et non plus de France, vain titre qui l'atteignit profondément. En réaction, il adressa une déclaration secrète en forme de désaveu au roi d'Espagne, chef de la seconde branche, afin de s'élever contre des actes contraires à l'autorité royale et arrachés de force.

Nous revînmes quelques jours à Paris pour la fête de la Fédération, symbole de l'unité nationale, qui devait se dérouler le 14 juillet 1790 au Champ-de-Mars, à l'occasion du premier anniversaire de la prise de la Bastille. C'était une célébration d'une ampleur exceptionnelle : trente rangées de gradins, dressés autour de l'autel de la patrie. À l'École militaire, une sorte d'amphithéâtre couvert d'un courtil tricolore orné de flammes était réservé à la Cour et aux corps civils. Tout en haut, le siège du roi était le seul surmonté d'un drapeau blanc. Nous étions placés derrière lui, sur une estrade.

La veille, il passa en revue les fédérés, ces représentants venant des provinces. Loin d'être factieux alors, ils rivalisaient d'empressement à l'endroit du couple royal. Ma mère nous présenta en prononçant quelques paroles aimables. Malgré la pluie, quatre cent mille personnes voulurent assister au spectacle. Je vois encore danser les parapluies de couleur dans la foule, ce qui était du plus bel effet. Des averses diluviennes se succédèrent presque sans trêve. Officiers portant l'épée nue, hussards, artillerie, cavalerie, marine, sans oublier les oriflammes, les canons et les fanfares : ce défilé de cinquante mille soldats était ruisselant, mais digne. Mon père arriva le dernier, juste après le cortège parti de la place Louis-XV.

Talleyrand, alors évêque d'Autun, bénit les drapeaux tout en murmurant à son voisin ce trait révélateur du personnage : « Ne me faites pas rire ! » À quatre heures seulement, il dit la messe. Mon frère et moi commencions à trouver le temps long. Puis La Fayette, nommé major général de la Fédération par le roi, prêta serment. Aussitôt les sabres furent défouraillés. À son tour, mon père devait prononcer ce serment devant les spectateurs qui, je me souviens, criaient « à bas les parapluies » parce qu'ils gênaient la vue : « Moi, roi des Français, je jure d'employer tout le devoir qui m'est délégué par les lois constitutionnelles de l'État, à maintenir la Constitution décrétée par l'Assemblée nationale et sanctionnée par moi. » Quatre cent mille voix se joignirent en acclamations délirantes et ma mère souleva plusieurs fois le Dauphin pour que la foule le voie.

Une autre scène demeure gravée dans ma mémoire. Pour faire plaisir aux fédérés, nous dînions tous les jours en public. Mes parents les faisaient aimablement parler de leurs provinces. Un matin, Charles arracha quelques feuilles de lilas. Un fédéré les lui demanda pour les garder en souvenir. Soudain, tout le monde en voulut et l'arbuste se trouva dépouillé, aux cris de : « Vivent le roi, la reine et Mgr le Dauphin ! »

Ma mère pouvait encore se risquer en calèche avec nous. Ces derniers instants de bonheur eurent un parfum d'ivresse. Bientôt surgirait la catastrophe, et il faudrait boire le calice jusqu'à la lie… Dans les provinces, un début d'anarchie se manifesta : on massacrait déjà, parfois sur simple présomption. À Nancy, le régiment du roi se révolta, puis se battit avec les gardes nationaux, causant des victimes. Ces scènes sanglantes affligeaient les bonnes gens qui savaient que le peuple, instrument aveugle de grands criminels, se livrait facilement à des exécutions arbitraires dont on craignait chaque jour de voir renouvelées les horreurs.

Après ces mois presque heureux à Saint-Cloud, nous rentrâmes à Paris. C'était la fin de l'été. Nous profitions du bois de Boulogne ou de la Folie-Boutin, ces jardins de Tivoli aujourd'hui disparus. Charles s'était fortifié. À cinq ans, il avait déjà la prescience de son rôle et ses dispositions s'affirmaient. Un jour, le régiment Dauphin-Dragons, de passage à Paris, fit dire qu'il regrettait de ne pouvoir se présenter à lui. « Mon Dieu, s'écria-t-il, qu'il est joli d'avoir un régiment à mon âge, et que je voudrais le voir ! » Néanmoins il ne savait comment réagir : « Cela m'embarrasse, répondez, je vous prie, pour moi, demanda-t-il à notre gouvernante. — Je vais donc répondre que Mgr le Dauphin, ne sachant que dire à son âge, répondra quand il sera plus grand. — Que vous êtes méchante ! s'exclama-t-il. Et qu'est-ce que mon régiment dira de moi ? » Il se mit alors dans une sainte colère qui nous amusa beaucoup. Se reprenant, il regarda Mme de Tourzel d'un air sévère et lui déclara, courroucé : « Eh bien, je répondrai tout seul, puisque vous ne voulez pas m'aider. Dites à M. de Choiseul que j'aurais bien voulu voir son régiment et me mettre à sa tête, qu'il le lui dise de ma part ; et en même temps remerciez-le de tout ce qu'il me fait dire. »

Dès l'automne, des groupes de provocateurs se formèrent dans les jardins des Tuileries. Excédée par les

« vive la nation ! », les glapissements et les insultes, ma mère se réfugia chez moi. Une fois, une bagarre éclata, toujours dans les jardins où un millier d'hommes avaient surgi. Mon père, qui ne craignait pas le peuple, vint au-devant d'eux et les apaisa avec des paroles simples et bonnes. Sait-on ce qu'imprima la presse, le lendemain ? Qu'apeuré il était allé se cacher en suppliant qu'on le protège de cette canaille enragée ! La liberté de la presse était donc celle de la fantaisie et de la licence ? Je n'évoque pas même la littérature ordurière des journaux révolutionnaires… Et pourtant mon père ne cessait de lancer des appels à la concorde. Las ! l'impatience d'une partie du peuple se heurtait à ses principes les plus cruciaux. Résolu à y demeurer fidèle, il n'était nullement disposé à lâcher les fondements d'un magistère dont il avait hérité et qu'il avait le devoir de transmettre. Il l'avait dit, il ne voulait pas priver la noblesse des distinctions et des mérites qu'elle avait acquis, mais il avait également déclaré qu'il souhaitait confier à la nation l'exercice de ses droits. Ces positions étaient-elles aisément conciliables ? Un autre que lui aurait-il eu davantage d'habileté à trouver ce chemin de crête ? Je n'en suis pas convaincue.

Le lendemain de Noël, le 26 décembre 1790, ne pouvant plus résister, le roi fut forcé de ratifier la constitution civile du clergé. Quel déchirement il dut éprouver ! Allait-il devoir consentir à recevoir la communion d'un prêtre « jureur » ? Le pape l'avait mis en garde, qualifiant déjà de schisme le fait de prêter ce serment auquel la moitié du clergé refusait de se soumettre. Cette concession cardinale le laissa abattu, sans la moindre énergie, dans une immense détresse, comme emmuré. Il en tomba malade, toussant et crachant du sang durant tout l'hiver.

Ses médecins lui conseillèrent de s'établir de nouveau à Saint-Cloud. Là-bas, nous serions loin de cette populace payée pour occasionner des troubles… Mais un roi ne fuit pas devant son peuple, rétorqua mon père. Sa crainte d'une guerre civile qui ferait couler le sang de ses sujets était si forte qu'il ne pouvait se résoudre à quitter la capitale, espérant toujours que la nation ouvrirait d'elle-même les yeux sur les malheureux décrets de l'Assemblée et que les inconséquences de la Chambre finiraient par la discréditer, que sa violence et son despotisme, comparés à sa bonté et à sa modération, lui ramèneraient sans effort et sans heurts le gens sages et tempérés, et que la paix se rétablirait. Or la presse, les clubs et ses folliculaires se déchaînèrent et excitèrent les esprits. Tout ce que disait ou faisait « le roi des Français » se retournait contre lui. Plus rien n'était respecté, ni les personnes ni la propriété. Les églises étaient vidées de leur argenterie et de leurs ornements pour, disait-on, renflouer le Trésor, mais en vérité beaucoup de richesses furent détournées au seul profit des profanateurs.

Necker avait perdu sa popularité mais, bouffi d'orgueil et entretenu dans la pensée flatteuse et chimérique que le salut de la France et la tranquillité de l'Europe reposaient sur son existence ministérielle, il bataillait en vain, voyant avec effroi l'abîme dans lequel il avait plongé mon père tout en croyant encore pouvoir diriger les événements. Beaucoup s'accordent à dire aujourd'hui qu'il n'était bon qu'à gérer une caisse de banque, et non les finances d'un royaume.

Parmi ses intarissables décrets, l'Assemblée avait décidé d'appeler le roi « premier fonctionnaire public », le Dauphin étant « premier suppléant ». Cette volonté de renommer les fonctions en les rabaissant n'était-elle pas aussi absurde que navrante ?

Je ne pouvais pas ignorer la physionomie empreinte de résignation de mon père, toujours sombre et absent, refusant de prendre l'air ; ni la douleur, plus véhémente, de ma mère, qui laissait percer rage et indignation. Elle était arrivée à l'extrême limite de sa résistance. La voir se raccrocher, pour ne pas couler à pic, aux plus frêles branches inspirait la pitié. Le temps s'étirait sans qu'aucune solution se dégageât, mais sa détermination demeurait intacte. Résolue à ne pas se soumettre, elle préférait le risque à l'inaction, quitte à mourir aux pieds du roi qu'elle ne voulait en aucun cas quitter. Face à la situation chaque jour plus grave, l'alternative était simple : combattre ou fuir. On ne voulait pas combattre, ce fut donc la fuite – une évasion en montgolfière fut même envisagée. Elle écrivit à son vieil ami Mercy, l'ambassadeur d'Autriche en France, une lettre d'une clairvoyance exceptionnelle dans laquelle elle lui expliqua combien notre position était affreuse. Autant qu'il était possible, elle avait privilégié la douceur, la patience et l'opinion publique mais, s'il fallait périr, ce serait avec gloire. Puis elle confia à Fersen les dispositions à prendre en attendant de parvenir à convaincre son mari.

Alors que mon père s'était finalement résolu à passer la semaine sainte et Pâques à Saint-Cloud avec sa famille pour sa convalescence, un rassemblement s'agrégea encore une fois aux Tuileries. On laissait entendre que sa maladie n'était qu'une feinte.

Le 18 avril 1791, en quelques instants, la porte du Carrousel se remplit d'une foule considérable, œuvre des meneurs : il n'y avait aucune spontanéité chez ces Parisiens rebelles. À l'issue de la messe, alors que nous venions de prendre place dans la voiture, les grenadiers de la garde nationale s'interposèrent. Nous étions cernés. Mon père, interloqué, passa la tête à la portière : « Il serait étonnant, déclara-t-il d'un ton faussement surpris, qu'après avoir donné la liberté à la nation, je ne fusse pas libre moi-même. » Encouragée par la foule, la garde ne bougea pas, et alla jusqu'à insulter et bousculer violemment M. de Duras, premier gentilhomme de la chambre. Mon frère se mit à pleurer en hurlant : « Qu'on le sauve ! Qu'on le sauve donc ! » La Fayette se présenta pour donner l'ordre de nous laisser passer, sans succès, puis conseilla d'employer la violence. Offusqué, mon père lui répondit : « C'est à vous, monsieur, de voir ce que vous devez faire pour faire exécuter votre Constitution. »

Dans notre voiture sans attelage – les écuries ayant été bloquées –, nous patientâmes deux heures dans la perplexité, au milieu des vociférations et des injures abominables, stoïques dans la tempête. Ma mère, qui subissait des diatribes inouïes, laissa échapper quelques larmes aussitôt ravalées et mon père faiblit tandis que je demeurais forte. Mon oncle Provence raconta beaucoup plus tard combien il avait été frappé par mon sang-froid. Pour l'heure, cette foule ne se discréditait-elle pas en empêchant le roi de circuler et en l'insultant avec ignominie ? Ne fallait-il pas cette fois prendre des mesures énergiques ? Hélas ! mon père renonça en lâchant : « Il faut donc que je rentre », tandis que ma mère dit sobrement à la garde : « Vous avouerez à présent que nous ne sommes pas libres. » Un roi arrêté dans son palais ? Une telle avanie ne s'était jamais produite en mille ans d'Histoire !

Pour moi, ce piteux épilogue fut une profonde humiliation. Je descendis de voiture le rouge aux joues, et suivis mon père aussi dignement que possible. Je mesure aujourd'hui combien ma mère a dû souffrir de cette défaite. J'étais bien de sa trempe, et de celle de feu ma grand-mère l'impératrice Marie-Thérèse.

Le lendemain, la consternation et l'accablement étaient peints sur nos figures. Charles confia à notre gouvernante : « Qu'ils sont donc méchants, tous ces gens-là, de faire tant de peine à papa, qui est si bon ! Je ne le dis qu'à vous, ma bonne Mme de Tourzel, que j'aime de tout mon cœur, car je sais qu'il faut se taire. » Puis il saisit un livre au hasard ; c'était « Le petit prisonnier » de Berquin, extrait de *L'Ami des enfants*. Il l'exhiba en se lamentant : « Voyez le livre qui me tombe aujourd'hui sous la main ! » Cet incident eut l'avantage de décider mon père à partir. Aussitôt, ma mère prévint Fersen que le roi lui donnait carte blanche.

Dans cette attente, on ne peut se représenter tout ce que nous eûmes à endurer. D'abord, par volonté d'humilier, Charles se vit livrer un jeu de dominos fabriqué avec des pierres de la Bastille qui venait d'être détruite ; puis l'effigie du pape fut brûlée dans les jardins. Ce fut la goutte d'eau qui fit déborder le vase. Le jour de Pâques, nous ne pûmes éviter d'assister à la cérémonie célébrée par les prêtres jureurs. Comme si c'était une manifestation de la colère de Dieu, un orage éclata pendant l'office, accompagné de formidables coups de tonnerre. Nous cherchions tous à faire bonne figure pour protéger mon frère et sortîmes très tristes, même si nous gardions encore l'espoir de jours meilleurs.

Mon père rédigea alors sa « Déclaration à tous les Français », dont je n'ai jamais pu retrouver l'original et qui est plus connu sous le nom de « Testament politique ». Il y exprimait que plus il avait fait de sacrifices pour le bonheur de son peuple, plus les factieux avaient œuvré à présenter la royauté sous les couleurs les plus fausses et les plus odieuses. Il y affirmait également sa volonté d'une monarchie constitutionnelle : « Français, est-ce là ce que vous attendiez en envoyant vos représentants à l'Assemblée nationale ? Désiriez-vous que l'anarchie et le despotisme des clubs remplaçassent le gouvernement monarchique sous lequel la nation a prospéré pendant quatorze cents ans ? Désiriez-vous voir votre roi comblé d'outrages et privé de sa liberté pendant qu'il ne s'occupait que d'établir la vôtre ? »

Avant notre départ, il demanda qu'on fît porter ce texte, daté du 20 juin 1791, sur le bureau du président de l'Assemblée, qui n'était autre qu'Alexandre de Beauharnais, premier époux de la future impératrice Joséphine. Par ce document, mon père comptait justifier les raisons de son éloignement et dénonçait la Constituante comme un irréfragable despotisme, plus barbare et plus insupportable qu'aucun autre. N'avait-il point poussé la conciliation à son extrême ? Que pouvaient désirer de plus ses détracteurs ? Et le peuple vivait-il maintenant tranquille ? Pas même ! De graves troubles, soulèvements, massacres ou incendies se poursuivaient dans tout le royaume.

## 3. VARENNES

## « BONJOUR, SIRE »

Dans la journée du 20 juin, mes parents me parurent préoccupés et très agités, sans que j'en sache les raisons exactes. Après le dîner, ils nous renvoyèrent, Charles et moi, et s'isolèrent avec Mme Élisabeth. Il s'agissait de se soustraire à la dictature des clubs et d'échapper à la violence en s'installant en province. Mon père aurait-il dû s'y résoudre dès après la prise de la Bastille ? Ayant alors hésité quant à une transhumance à Metz, il avait compris trop tard qu'il avait manqué une occasion. Cette fois conforté par ma mère, il jugeait qu'il serait plus facile de s'entourer de fidèles pour résister hors de Paris. Mon oncle Provence partit pour Bruxelles. Mon père craignait-il que, comme on l'a dit, son frère mît à profit son absence pour se hisser sur le trône s'il le laissait seul dans la capitale ? Ma mère en était persuadée et ne l'appelait que Caïn.

Pendant notre promenade au bout de la Chaussée d'Antin, au parc Tivoli, ma mère m'avait prise à part pour me dire que je ne devais pas m'inquiéter de tout ce que je verrais, que nous ne serions jamais longtemps séparées. À sept heures, je regagnai ma chambre tristement, sans rien comprendre à ces mystères. À peine couchée, j'entendis frapper doucement à la porte. C'était une femme de chambre qui ne comprenait guère plus que moi pourquoi la reine lui demandait soudainement de me passer une petite robe à l'indienne bleue à petits bouquets.

Puis ma mère réveilla Charles en lui disant qu'on partait rejoindre une place de guerre où il y aurait beaucoup de soldats. Aussitôt, il sortit de son lit et déclara d'un ton enjoué : « Vite, vite, dépêchons-nous, qu'on me donne mon sabre, mes bottes, et partons ! » Lui qui aimait tant se déguiser en ancien chevalier, paré d'une armure, on l'affubla d'une robe et d'un bonnet ! Mme de Tourzel lui fit croire qu'il se rendait à un bal masqué. Il était charmant. Comme je lui demandais ce qu'il pensait qu'on allait faire, il me répondit que, comme nous étions costumés, nous allions jouer la comédie.

Nous fûmes ensuite amenés chez notre mère. Elle nous renomma Amélie et Aglaé, filles de la baronne de Korff, incarnée par Mme de Tourzel. Cette dame russe avait fait le voyage dans une voiture similaire, avec un nombre égal de personnes, et avait gracieusement mis son laissez-passer à notre disposition. Le diable étant dans les détails, on avait même calculé le temps du trajet. Mme Élisabeth était censée être Rosalie, dame de compagnie, ma mère endosserait la fonction de gouvernante sous un patronyme tout aussi roturier – Mme Rocher – que mon père, qui figurerait le valet Durand.

À dix heures, nous passâmes par un appartement

sans sentinelle, puis par une porte peu fréquentée. Fersen jouait le rôle du cocher : il portait une houppelande et sifflotait en sortant une tabatière. Ne craignant pas de s'exposer, ma mère nous conduisit elle-même à la voiture pour nous confier à Mme de Tourzel, avant de rejoindre nonchalamment ses appartements. Le roi et la reine devaient se coucher publiquement afin de ne pas éveiller les soupçons. À compter de ce moment, je me souviens de tous les détails de ce voyage qui n'a été pour nous que fatigues, angoisses, souffrances et humiliations.

Pendant que ma mère, aussitôt après son coucher, se relevait pour se rhabiller à la hâte, nous l'attendions rue de l'Échelle, au petit Carrousel. C'était une nuit sans lune ; nous étions plongés dans l'obscurité. Notre gouvernante était sur les épines, bien qu'elle ne fît paraître aucune inquiétude.

Soudain, nous aperçûmes la voiture de La Fayette qui se rendait au coucher de mon père. Nous dûmes patienter encore une grande heure sans savoir ce qui se passait. Jamais le temps ne me parut aussi long. Puis je vis une femme qui rôdait autour de nous. J'eus peur qu'on nous découvrît, mais fus soulagée lorsque je reconnus ma tante. Elle nous assura que nos parents viendraient bientôt. Je m'enquis alors de notre destination ; Mme de Tourzel me répondit que nous tentions de rejoindre les troupes loyales commandées par le marquis de Bouillé, à l'abri de la forteresse de Montmédy, sur la frontière du Nord-Est. Ces paroles, jointes à la noirceur de la nuit, ne laissèrent pas de m'inquiéter.

Après minuit, mon père nous rejoignit en redingote

bronze et souliers à boucle, coiffé d'une perruque grise défrisée et d'un chapeau rond de laquais. Son déguisement était réussi ; je le trouvais méconnaissable. La venue de Bailly et de La Fayette l'avait empêché de se retirer aussi rapidement qu'il l'aurait souhaité. Il s'était ensuite couché en tirant les rideaux de son baldaquin et, profitant d'une courte absence de son valet, s'était glissé hors de son lit sans en écarter les tentures, laissant derrière lui sa « Déclaration à tous les Français » – dont personne n'a pu prendre connaissance puisqu'elle fut censurée par La Fayette. Mon père dira plus tard : « M. de La Fayette veut nous sauver, mais qui nous sauvera de M. de La Fayette ? »

Il s'inquiétait pour ma mère, qui devait en principe le précéder. Grâce à Dieu, elle apparut en robe de soie grise, chapeau noir, voilette prune. Elle s'était égarée dans les ruelles car on n'y voyait goutte. Dès qu'elle fut dans la voiture, mon père l'étreignit. Cette première étape, peut-être la plus ardue, s'était déroulée sans incident. Mon père nous raconta qu'il était sorti par la grande porte en toute tranquillité, les gardes l'ayant pris pour le chevalier qui était passé là tous les soirs durant deux semaines en imitant sa démarche si caractéristique – il se dandinait un peu – pour mieux tromper leur surveillance le jour du départ.

Les rues étaient désertes et nous parvînmes sans encombre à la porte Saint-Martin. Fersen disparut à la recherche de la voiture qui devait nous attendre. Comme il ne revenait pas, mon père descendit à son tour, ce qui nous inquiéta beaucoup. Finalement, le fiacre fut remplacé par une grosse berline verte aux roues jaunes, plus confortable. Par souci de discrétion,

Fersen les fit placer l'une à côté de l'autre pour que nous n'ayons pas à poser un pied à terre. Puis il accéléra la cadence, car nous avions déjà pris du retard.

À Bondy, après le changement des chevaux, la mission de Fersen s'arrêtait. Il lança donc ostensiblement un : « Au revoir, Mme de Korff ! » Mon père lui donna l'accolade en marque de reconnaissance. Ce tableau d'un maître embrassant son cocher était bien inhabituel et aurait pu nous trahir. Heureusement, il n'en fut rien.

À deux heures et demie du matin, nous étions lancés sur la route. Mon père commençait à se détendre et parlait de ses projets. Il ne comptait pas quitter la France : « Me voilà donc hors de cette ville de Paris, où j'ai été abreuvé de tant d'amertume. Soyez bien persuadés qu'une fois le cul sur la selle, je serai bien différent de ce que vous m'avez vu jusqu'à présent. » Il donna ensuite lecture du mémoire qu'il avait laissé à l'attention de l'Assemblée. À quoi toutes ces concessions avaient-elles abouti ? À la destruction, au simulacre de la royauté. Tous les pouvoirs méconnus, la propriété violée, la sûreté des personnes mise en péril et l'anarchie se propageant... Le roi ne pouvait plus participer à l'élaboration des lois et l'administration intérieure se voyait dévolue aux départements. Aussi se réjouissait-il par avance du retour de ses frères et de ses fidèles serviteurs, ainsi que de la restauration de la religion telle qu'elle était pratiquée depuis tant de siècles.

Au matin, nous sortîmes un peu de pain sur lequel nous disposâmes quelque nourriture, sans vaisselle ni couverts. La montre de mon père marquait huit heures. Il s'exclama : « La Fayette est présentement bien embarrassé de sa personne ! » Quant au valet qui dormait au pied de son baldaquin à Paris, combien il dut être décontenancé en écartant le rideau de son lit ! Seuls les fidèles laissés derrière eux inquiétaient mes parents : allait-on leur faire du mal ?

À onze heures, Montmirail fut atteint. De plus en plus confiant, mon père ne pensait pas pouvoir être reconnu. Pourtant des cavaliers étaient déjà à ses trousses sur ordre de l'Assemblée. Nous avions dîné de poulet dans la voiture, jetant les os par la portière et partageant nos victuailles avec les gardes du corps. Charles et moi, enchantés de l'aventure, descendîmes deux fois pour nous dégourdir les jambes, tandis que notre père s'entretenait de la moisson avec des paysans. On a beaucoup dit qu'il avait là perdu du temps, mais c'est oublier qu'il faisait très chaud et que Charles et moi devions souvent nous rafraîchir.

Entre Nitré et Châlons, les traits des chevaux rompirent, ce qui nous fit perdre un temps précieux. Mon père, en bon géographe, avait étalé une carte sur ses genoux pour suivre le trajet, profitant de cette occasion pour montrer à son fils les limites des départements qui venaient de naître. « Quand nous aurons passé Châlons, ajouta-t-il, nous n'aurons plus rien à redouter ; nous trouverons à Pont-de-Somme-Vesles le premier détachement des troupes, et notre voyage est assuré. » Et puis le colonnel-duc de Choiseul ne nous attendait-il pas à l'étape suivante pour escorter la voiture jusqu'à Montmédy ? Or le duc, ne nous voyant pas arriver passé quatre heures du matin, pensa que notre départ avait été empêché ou que mon père avait changé d'avis. Il quitta alors son poste sans laisser quelqu'un pour nous en avertir dans le cas où nous paraîtrions. En sus de cette erreur fatale, il avait fait dire aux relais suivants que le roi ne viendrait plus ! Nous n'avions que trois heures de retard, ce qui était peu, compte tenu des inévitables incidents susceptibles de ralentir notre avancée.

Nous traversâmes finalement Châlons à cinq heures du soir. Ma mère poussa un soupir de soulagement : « Nous sommes sauvés… » La nuit commençait à tomber. Il n'y avait pas la moindre trace de troupe dans cette vaste plaine, pas l'ombre d'un hussard au lieu de rendez-vous. Mon père changea de couleur et dit qu'il avait l'impression que toute la terre lui manquait. Il n'y avait plus qu'à espérer que la troupe serait au poste suivant. L'optimisme prévalut. Oui, certainement, on nous attendait plus loin. Mais notre retard fit tout échouer et, à Orbeval, il n'y eut pas davantage de comité d'accueil.

À Sainte-Menehould, nous ne passions plus inaperçus. Saluée, ma mère inclinait la tête. Ses manières intriguèrent, de même que notre grosse et belle voiture capitonnée de velours blanc d'Utrecht, surmontée de bagages. Sans doute des magnifiques, fuyant la France révolutionnée ! S'approchant de la voiture, un capitaine du régiment de Choiseul dont l'impéritie conjuguée à celle de Bouillé conduisit au drame, annonça à mon père qu'il était trahi, que les mesures étaient mal prises et qu'il fallait se hâter, ajoutant à voix basse qu'il s'éloignait pour ne donner aucun soupçon. Une terrible appréhension nous saisit. Drouet, maître de poste et membre du club des Jacobins, remarquant la déférence avec laquelle on s'était adressé à nous, et averti de la fuite du roi, s'approcha. On dit qu'il fut frappé par le profil du souverain qui correspondait à l'empreinte figurant sur la monnaie, et surtout qu'il oublia de réclamer nos passeports. Il nous fut proposé des rafraîchissements puis, après une courte pause, on nous laissa reprendre la route de Clermont. À aucun moment mon père ne s'est arrêté pour commander du pied de cochon, comme on aime à le faire accroire. Non, il n'a pas été victime de sa « goinfrerie » !

Malheureusement, nous fûmes devancés par Drouet, chargé de contrôler nos laissez-passer à Varennes-en-Argonne. Comble d'infortune : l'homme dépêché par mon père pour prévenir qui de droit se trompa de route et prit celle de Verdun. Le sort nous avait réservé tous les obstacles.

Après avoir attendu jusqu'à la nuit tombée à Clermont, nous décidâmes de repartir. Le paysage avait changé, on avait quitté les plaines sans fin et les routes bordées de peupliers pour les vallons de la Champagne. Enfin, malgré l'inquiétude où nous étions, chacun s'était endormi.

Un cahot affreux nous réveilla peu avant d'arriver à Varennes. Là encore, personne ne put nous guider. En désespoir de cause, mon père se risqua à frapper à une porte pour demander si quelqu'un avait connaissance d'un officier attendant des voyageurs. Ce dernier répondit par la négative. Quelle ne fut pas notre peur d'être démasqués ! Les chevaux étaient fatigués, nous aussi. Ayant relayé plus de vingt fois, nous décidâmes de nous arrêter à la dernière auberge du village – appelée, comment l'oublier, « Au Grand Monarque ». Or le pont situé à la sortie de la ville était barré par Drouet. Nous entendîmes des cris autour de la voiture : « Arrête ! Arrête ! »

Vingt-quatre heures et cinquante-six lieues après notre départ, nous étions pris au piège. En un instant, nous fûmes cernés par des hommes armés.

« Passeports ! » Ma mère, jouant son rôle à la perfection, demanda qu'on se dépêchât car la baronne était pressée. Les hommes prirent des flambeaux, les placèrent juste devant mon père, et nous signifièrent qu'il fallait descendre. Nous refusâmes, précisant que nous étions de simples voyageurs et que nous devions passer. Le procureur-épicier Sauce, tiré de son lit par Drouet, décréta que le passeport était parfaitement valable, mais le maître de poste s'opiniâtra : « Je suis sûr, maintenant, que c'est le roi et sa famille ; si vous le laissez passer en pays étranger, vous serez coupable du crime de haute trahison et puni. » Mon cœur battait à tout rompre, mais il ne fallait pas laisser paraître mon émotion. Je tiens d'ores et déjà à préciser que ce sinistre Drouet, que dis-je ? ce scélérat, fut payé trente mille livres par la Constituante pour prix de sa délation. Mieux, en 1793, devenu député conventionnel régicide, il s'écria à la tribune : « C'est le moment de répandre le sang... Soyons brigands, puisqu'il le faut pour le bonheur des peuples. »

Mon père consentit à se rendre chez Sauce. Le tocsin sonna durant plusieurs heures sans interruption, ce qui mit les nerfs de ma mère au supplice. Éreintés, assommés par la touffeur de cette nuit d'été, nous passâmes par la boutique aux murs de torchis et de bois avant de traverser une épicerie remplie de chandelles et gardée par deux paysans armés de fourches.

Au cœur de la nuit, on dépêcha un témoin qui

avait officié à Versailles. Devant la petite assemblée, celui-ci n'eut pas le loisir d'attester l'identité du roi car, sitôt arrivé, il laissa échapper un « Bonjour, Sire » en le découvrant. Après quelques instants de stupeur, mon père admit qu'il était bien leur roi, embrassa chacun, puis expliqua avec son calme coutumier qu'il quittait Paris mais pas la France, que le but du voyage était Montmédy, qu'on pouvait nous accompagner jusque-là. Il expliqua qu'il voulait, en sûreté et sans obstacle, prendre des mesures nécessaires pour rétablir l'ordre, endiguer l'anarchie et donner à son peuple des institutions sages, appropriées au temps, aux circonstances et à l'état de la société. « Placé dans la capitale au milieu des poignards et des baïonnettes, je viens chercher au milieu de mes fidèles sujets la paix et la liberté dont vous jouissez tous. Ma famille et moi ne pouvons plus rester à Paris sans y mourir ! » Comme il se justifiait avec chaleur et bonté, Sauce se montra ému, et sa grand-mère baisa les mains de mon frère avant de se retirer en larmes.

Dans le même temps, des « patriotes » toujours plus nombreux remplissaient les rues : le roi était à Varennes ! Goguelat, venu à notre rencontre, voulut nous venir en aide, mais on le tira de son cheval et on manqua le tuer. Ma mère tiendra d'ailleurs son ancien secrétaire pour responsable de notre échec, car il avait mal calculé le temps nécessaire pour le trajet et dissuadé Bouillé de nous attendre.

Le duc de Choiseul se présenta enfin, proposant de faire jour au roi en tirant sur les récalcitrants, résolution trop extrême au goût de mon père, si ennemi des partis violents. Il refusa donc de passer en force ; le risque d'une effusion de sang qui nous exposerait était trop grand. Or, si mon infortuné père s'était résolu à ordonner de faire enlever la barricade placée devant le pont, nous serions arrivés à Montmédy ! Je suis persuadée que quelques hommes bien déterminés auraient pu faire peur à tous ces gens, nous sauver et changer peut-être le cours de l'Histoire.

Ce 21 juin fut, à plusieurs titres, la journée la plus longue de l'année. Hélas ! la nuit allait se révéler bien courte. Pendant ces heures passées à parlementer, mon frère s'était endormi sur le lit du procureur, cependant que je patientais sur une petite chaise en paille. Mon père souhaitait que nous puissions nous reposer, mais dehors on le pressait de partir. À tout instant, on venait le dévisager. Dans la rue la foule grossissait de minute en minute, dans l'excitation générale. Sur ces entrefaites, deux émissaires de l'Assemblée montèrent le voir pour lui tendre le décret qui équivalait à une arrestation.

« Il n'y a plus de roi en France », lâcha-t-il. Indignée, ma mère s'empara du décret tombé sur le lit où mon frère s'était assoupi, le froissa et le jeta à terre en s'écriant qu'elle ne voulait pas que ce papier souillât ses enfants. Mon père parut étonné de son audace. Son absence de réaction offrait, il est vrai, un saisissant contraste avec sa combativité.

Il était six heures et demie du matin. Nous étions contraints de rebrousser chemin. Mais allait-on consentir à nous laisser reprendre des forces auparavant ? Comme on soupçonnait mon père d'attendre l'arrivée de renforts, il fut annoncé à la foule que le roi ne voulait pas partir. « À Paris, ou nous le fusillons dans sa voiture ! », lançaient des voix vulgaires. Après huit heures passées à Varennes, on n'entrevoyait guère de recours, et il n'y avait pas d'alternative : il fallait rentrer. Les huées se muèrent alors en cris de triomphe.

Jusqu'à la dernière minute nous attendîmes, en vain, de voir paraître Bouillé en sauveur – cela s'est joué, ai-je appris depuis, à une demi-heure près, peut-être moins… Dans la chaîne des événements, un seul anneau modifié bouleverse la combinaison tout entière. Il eût suffi que Choiseul patientât quelque peu, que la roue ne cassât point, ou même que le courrier ne se trompât point de route, pour éviter que ces grains de sable enrayassent la mécanique savamment mise en place.

Comme l'a noté Victor Hugo, l'un de mes hommes de lettres favoris, Reims, où l'on sacrait naguère les rois, n'est qu'à quinze lieues de Varennes, comme la roche Tarpéienne est bien proche du Capitole. Quand je songe que le passage par Varennes n'avait pour seul but que d'éviter Reims où il pouvait être reconnu… Un demi-siècle après les événements, le même Hugo résuma magistralement les conséquences fatales de cette tragédie. Son funeste épilogue en quelques mots tranchants, définitifs, selon les jours m'émeuvent aux larmes ou me donnent le frisson : « Un homme aborda le roi à la façon de Judas en disant : *Bonjour Sire…* ; il y avait cinq personnes royales dans la voiture ; le misérable, avec un mot, les frappa toutes les cinq. Ce *Bonjour Sire*, ce fut pour Louis XVI, pour Marie-Antoinette et pour Mme Élisabeth la guillotine ; pour le Dauphin l'agonie du Temple ; pour Madame Royale l'extinction de sa race et l'exil. »

Un retour éreintant, bien plus éprouvant et infiniment plus lent nous attendait. Lorsque notre cortège s'ébranla, mon père faisait montre de la douleur la plus profonde et du plus grand accablement, et ma mère paraissait plus souffrante encore. Cette image terrible n'a jamais pu s'effacer de ma mémoire. Nous portions les mêmes vêtements depuis notre départ. En nage, mon père se vit contraint de demander sa chemise à un soldat. Mais le pire fut ces milliers de gens hostiles au bord des routes, excepté quelques rares marques de soutien. Tourments de toute nature, fatigues, soleil implacable, poussière alentour : durant trois jours interminables, nous vécûmes un calvaire inexprimable.

La foule augmentait à chaque nouvelle ville traversée. Je ne puis ici reproduire le flot d'injures qui se déversaient sur notre passage. Tous voulaient voir le roi à terre. Le visage ruisselant, celui-ci demeurait impassible, inanimé, d'une manière désolante. Malgré la chaleur étouffante, mieux valait encore fermer les vitres et baisser les rideaux de taffetas, mais il fallait les remonter à chaque étape pour essuyer les remontrances, les sarcasmes et se justifier de nouveau : « Mon intention n'était pas de sortir du royaume… »

La peur nous faisait observer le silence lorsque soudain, entre Clermont et Sainte-Menehould, on entendit des coups de feu. Mon père demanda des explications. « Rien, c'est un fou que l'on tue. » C'était en vérité M. de Dampierre, gentilhomme du pays qui, voulant saluer son souverain, venait d'être tiré de son cheval et massacré à coups de pioche. Mes parents furent atterrés : allait-on tuer toutes les personnes attachées au roi ? La rage de ces monstres ne se borna point au meurtre. Ils vinrent fanfaronner autour de la voiture en exhibant le chapeau, l'habit et la dépouille de la victime, sans égard aucun devant les sollicitations de mon père qui voulait nous protéger.

Nous passâmes le reste de la journée mâchoires serrées. J'avais le sentiment de vivre un mauvais rêve, un mauvais rêve sans fin… Mes parents étaient interpellés avec la plus grande familiarité. Lorsque mon père demanda aimablement un morceau de tissu pour essuyer la poussière accrochée à son visage humide, un homme lui répondit, acerbe : « Voilà ce qu'on gagne à voyager. »

À Sainte-Menehould où nous devions dîner, le président du district dit à mon père qu'en quittant la France il la livrait aux étrangers. Ce dernier avait beau répéter inlassablement qu'il ne voulait pas quitter son pays et ne pensait qu'au peuple, personne n'y prenait garde. Je tenais à peine debout mais gardais le front haut, à l'instar de ma mère qui, n'ayant pas fermé l'œil depuis deux jours, était dévastée. On nous refusa tout repos et nous n'avions d'autre choix que de nous laisser conduire. En chemin, une foule de plusieurs milliers de personnes dressées comme des haies hurlait toujours et réclamait que nous relevions les rideaux afin de mieux jouir de notre humiliation : « Toinette ! Montre donc ta figure ! » Ma tante céda, pas ma mère. Elle y souscrivit seulement lorsqu'elle y fut prête, déclarant qu'il fallait avoir du caractère jusqu'au bout.

Puis nous entrâmes dans Châlons, ville royaliste, après seize heures de voyage. Mes parents ont-ils eu un pincement au cœur en retrouvant l'arc de triomphe érigé là à l'occasion de leur première rencontre ?

Des jeunes filles compatissantes portèrent des fleurs à ma mère. Dans mon trompeur souvenir, de nombreux habitants avaient fait des vœux pour notre fuite hors de la capitale, mais depuis Mme de Tourzel m'a détrompée sur ce point. À presque minuit, on nous proposa un souper puis les autorités, bien intentionnées à notre égard, proposèrent au roi de le faire fuir, mais seul. Il déclina. Comment aurait-il pu abandonner sa famille ? Mes pauvres parents dormirent ensuite quelques heures. C'était leur premier lit depuis Paris.

La journée suivante fut effroyable. On alla chercher à Reims quelques mauvais sujets chargés de vociférer dès l'aube des propos maléfiques sous nos fenêtres : « Il faut faire des cocardes de leurs boyaux et des ceintures de leurs peaux. » Ou bien : « Nous mangerons leurs cœurs et leurs foies. » Ils interrompirent même notre messe – c'était jour de la Fête-Dieu – en chassant le prêtre *manu militari*. Leurs cris à glacer le sang étaient accompagnés de lancers de pierres contre les fenêtres de la chapelle. Ces attaques n'allaient-elles jamais cesser ? Rien ne nous était plus autorisé, et je ne comprenais pas bien encore les raisons de cette haine démesurée. Pourquoi mon père, qui aimait tous les Français, n'était-il pas aimé en retour de chacun d'eux ?

Mes parents semblaient découvrir que leur impopularité n'était plus seulement parisienne : le royaume avait été corrompu. Comment ? Je peux maintenant affirmer que le peuple était en partie trompé par des scélérats qui lui faisaient croire des faussetés, jouant un rôle nocif auprès de l'opinion. Le roi n'était qu'un monarque absolu incapable de concessions, la reine une femme frivole et superficielle. Des Français mal renseignés pensent encore qu'en octobre 1789, parue au balcon, elle se serait écriée avec dédain : « Qu'on leur donne de la brioche ! »

Plus profondément, les idées libérales séduisaient quelques beaux esprits. Mais songeaient-ils à ce que la liberté sans frein produit de fâcheux dans la société ? Les journalistes publièrent tant d'inepties, de supputations et de calomnies qu'il eût fallu écoper la mer pour en venir à bout, mais ces bruits trouvaient, hélas ! créance dans le peuple. La houle était trop forte et la vague nous emporta.

Nous étions si bouleversés que nous reprîmes la route sur-le-champ sans avoir pu déjeuner, sous une escorte supplémentaire qui jugeait que « le roi était assez gros pour ce qu'on en voulait faire ». Je ne parvenais pas à m'accoutumer à ces marques répétées d'inélégance. Sous une chaleur déjà accablante, on obligea la voiture à aller au pas. Brusquement, un individu grimpa sur le marchepied et cracha au visage de mon père qui, sans prononcer une parole, s'essuya d'un revers de main – j'ai vu sa main trembler – tout en s'efforçant de conserver une physionomie bonhomme. Réprimant une grimace, j'écarquillai les yeux. L'inconcevable succédait à l'inconcevable. Puis des membres de l'escorte se plaignirent de la faim. Aussitôt ma mère sortit des provisions et les distribua. Quelqu'un s'écria : « N'y touchez pas ; c'est sûrement empoisonné, puisqu'on nous l'offre. » Indigné, mon père officia en goûtant lui-même la nourriture, ce qui eut l'heur de les radoucir quelque temps.

Mais à Épernay la violence redoubla. Mes parents,

harassés, semblaient maintenant indifférents. Il y avait tant de monde – dix mille personnes armées de fourches et autres armes rustiques – qu'il fallut descendre de voiture et traverser la marée humaine qui se tenait dans la cour de l'hôtel de Rohan où nous devions dîner. Sait-on ce qu'est marcher au milieu des huées de personnes proclamant haut et fort qu'elles veulent vous tuer ? De tous les moments que j'ai vus depuis, ce fut un de ceux qui me frappèrent le plus et dont l'horrible impression me resta toujours. Je me souviens qu'un homme demanda à son voisin : « Cache-moi bien pour que je tire sur la reine, sans que l'on sache d'où le coup sera sorti. » Au même moment, Charles, porté par un garde national, nous perdit de vue. Il pleurait toutes les larmes de son corps en entendant les menaces et grossièretés proférées contre sa mère, dont la robe s'était déchirée.

Nous nous retrouvâmes enfin pour un éprouvant repas. Nous ne pouvions rien avaler au milieu de ces clameurs. Aussi regagnâmes-nous tant bien que mal la voiture. Mme de Tourzel dut être portée au-dessus des flots du peuple. Ma pauvre mère, que j'accompagnais dans ses pleurs, eut droit à un peu charitable : « Allez, ma petite, on vous en fera voir bien d'autres. » Cernés par tant d'exécration, allions-nous arriver vivants dans la capitale ?

Entre Épernay et Dormans, les forcenés se succédèrent ; un curé fut attaché au cheval d'un gendarme et il s'en fallut de peu qu'on le massacrât sous nos yeux. À l'instant même, nous fûmes rejoints par les représentants de la Chambre venus nous escorter. Le royaliste libéral Latour-Maubourg, la figure de proue du côté gauche Barnave, et Pétion, président de ladite Assemblée. « Ah ! messieurs, s'exclama ma mère en ouvrant la portière et leur tendant la main, qu'aucun malheur n'arrive ! Que les gens qui nous ont accompagnés ne soient pas victimes ! Qu'on n'attente pas à leurs jours ! » Pétion fit aussitôt rétablir le calme. Alors que Mme Élisabeth retenait Barnave par la basque de son habit, celui-ci tançait les agresseurs : « Tigres ! Avez-vous cessé d'être français ? » C'est à cet instant que ma mère commença à le regarder avec intérêt.

Dans la berline, il fallut se comprimer : Barnave se plaça entre mes parents, Pétion entre Mme Élisabeth et Mme de Tourzel ; Charles voyagea sur les genoux de notre mère et moi sur ceux de ma tante. En réaction à cette intimité subie, ma mère se réfugia dans le mutisme. Il ne restait qu'à garder ses distances en regardant défiler les vignobles de la Champagne. C'est Pétion qui rompit le silence en demandant à la reine le nom de ce Suédois qui nous avait fait sortir de Paris. Comprenant qu'il évoquait Fersen pour tenter de la compromettre devant son mari, elle répondit sèchement qu'il n'était pas dans l'usage qu'elle sût le nom des cochers de remise. L'atmosphère se tendit un peu plus. Puis Charles, intrigué par un bouton de l'habit de Barnave, le saisit et déchiffra lettre par lettre la maxime révolutionnaire qui y figurait : « Vivre libre ou mourir ». Je baissai les yeux.

Ce Barnave était jeune et de belle tournure. Il semblait ne pas parvenir à haïr ma mère ; mieux, il ne pouvait cacher entièrement la pitié qu'elle lui inspirait ; je la lisais dans ses yeux bleus. Lui qui avait déclaré : « Le sang qui coule est-il donc si pur ? » au moment des premiers massacres de juillet 1789 s'en était ensuite amèrement repenti. Cet ambitieux ténor du tiers état, plein d'esprit et de sentiments nobles, changea de camp après Varennes. Et comme tant d'autres, sa modération lui valut l'échafaud. Devenu monarchiste constitutionnel, il conseilla le roi secrètement, par le truchement de ma mère, pour sauver la monarchie, allant cette fois jusqu'à dire à la tribune que, puisque les Français étaient libres et égaux, vouloir davantage, c'était « vouloir commencer à cesser d'être libres et devenir coupables ». Hélas ! beaucoup ont voulu davantage. En conséquence, la Révolution ne put se terminer, et conduisit ensuite à la Terreur et à la dictature. Pour finir, je suis la seule survivante parmi tous les occupants, je dis bien tous, de cette berline…

Surpris par la simplicité de notre famille, ces messieurs dits de la « représentation nationale » voyaient bien que nous n'étions pas ces tyrans engoncés dans les ridicules et l'orgueil que dénonçaient sans relâche l'abominable Marat et ses séides. La reine appelait Mme Élisabeth « ma petite sœur » ; Charles épanchait parfois un peu d'eau dans une tasse, et mon père le déboutonnait lui-même. Puis il dansait sur les genoux de notre mère. La conversation s'engagea. Ma tante donna calmement son point de vue ainsi que les motifs du départ du roi. Elle leur montra comment, égarés par un amour excessif de la liberté, ils n'avaient calculé que ses avantages, sans penser aux désordres, voire aux dangers funestes qui pouvaient l'accompagner. Avaient-ils oublié que le bien s'opère lentement et qu'en voulant arriver trop promptement au but on court le risque de s'égarer ? Alors qu'ils avaient attaqué tous les fondements de la royauté, arraché le roi de son palais pour le conduire à Paris de la manière la plus indécente, sa bonté ne s'était jamais démentie. On l'avait forcé de signer une Constitution nullement achevée, puis contraint de la présenter ainsi au peuple.

Ce langage de la raison fut interrompu par Barnave : « Ah ! Madame, ne vous plaignez pas de cette époque, car si le roi eût su en profiter, nous étions tous perdus ! » On peut juger de l'impression que produisit dans nos cœurs un aveu aussi remarquable dans la position où nous nous trouvions… Ma tante reprit, insistant sur le fait que le roi, attaqué dans ses principes, dans sa famille, dans sa propre personne, s'était vu profondément affligé des crimes qui se commettaient dans toute la France. Constatant une désorganisation générale dans le gouvernement, il s'était déterminé à se rendre dans une ville du royaume pour, libre de ses actions, engager l'Assemblée à réviser ses décrets afin de faire, de concert avec elle, une Constitution qui pût faire le bonheur de la France. Sur le moment ils ne répliquèrent pas, mais nul doute une graine venait-elle d'être semée.

Plus tard, trop lourde pour ma pauvre tante, je me retrouvai à moitié sur ses genoux, et à moitié sur ceux de Pétion dont, telle celle de Barnave, l'hostilité reculait d'heure en heure. Mon malaise redoubla et je tentai de me tenir aussi droite que possible, tâchant d'adapter mon comportement selon le modèle de ma mère. Mme Élisabeth, au contraire, s'assoupit un peu et sa tête vint reposer sur l'épaule d'un Pétion qui en éprouva manifestement du trouble. Plus tard, il osera raconter que, s'il avait été seul avec cette princesse, elle se serait abandonnée dans ses bras aux

« mouvements de la nature ». Comment accréditer les dires d'un homme qui frappait son verre contre le goulot pour indiquer qu'il avait assez de vin ?

Nous soupâmes et couchâmes à Dormans. Les clameurs assourdissantes parsemées de « vivent la nation et l'Assemblée » nous empêchèrent de fermer l'œil, excepté Charles qui se réveilla à l'aube en sanglotant parce qu'il avait fait un cauchemar. Perdu dans un bois, il avait vu des loups, des tigres et d'autres bêtes féroces menacer notre mère. Il ne se calma qu'en voyant que sa « maman-reine » était bien là, l'embrassa puis se rendormit jusqu'au départ. Entretemps, un plan d'évasion fut encore proposé à mon père, qui le déclina, le jugeant déraisonnable. Je vis bien que ma mère, qui eût comme toujours souhaité davantage d'audace, en fut contrariée.

À La Ferté-sous-Jouarre, couverts de poussière, nous dînâmes bien accueillis, au frais. Nous pûmes même, Charles et moi, courir un peu dans le jardin. Ce fut le seul moment apaisé. Mon père invita les députés à partager notre repas, mais ils refusèrent. La femme du maire, ne voulant pas s'asseoir à la table du roi par discrétion, s'habilla en cuisinière et nous servit avec zèle, mais sans affectation : elle était bien navrée de notre état. À trois heures, nous étions de nouveau dans la voiture. Barnave, dont la conduite était convenable, entreprit à son tour d'expliquer ses idées à ma mère, qui l'écouta avec attention. Il semblait surpris par son intelligence. Longtemps regardée comme un papillon insouciant, elle démontra là sa bonne volonté et sa capacité d'entendement.

Lors de ce troisième jour de voyage, la chaleur insupportable et les nuages de poussière aussi épais que le plus affreux brouillard nous faisaient suffoquer. S'y associaient des milliers de gardes nationaux formant une marée tricolore autour de la berline. Et il y avait toujours ces badauds oppressants, apparaissant, disparaissant comme des pantins maléfiques… Si les députés n'avaient pas été à nos côtés, il est vraisemblable que nous aurions été mille fois assassinés.

Après une halte pour dormir à l'évêché de Meaux, il nous fallut encore treize heures pour rallier la capitale. Car notre voiture surchargée d'hommes et de tricoteuses, pressée par une foule innombrable, ne pouvait guère avancer. Les injures furent notre seule nourriture de la journée. Je me résous à livrer celle-ci, plus basse encore qu'à l'accoutumée : « Cette garce de Toinette a beau nous montrer son enfant, on sait qu'il n'est pas du gros Louis ! » Mon père blêmit. Toute ma famille insultée dans une seule et même apostrophe ! À douze ans, on commence à comprendre ces sortes de sous-entendus.

Sur la route de Claye, Pétion reconnut un ami. Ce dernier, manquant de la plus élémentaire civilité, nous tourna ostensiblement le dos tout en gardant son chapeau, arguant qu'on ne saluait pas un roi en fuite. À Claye même, nos fidèles gardes se virent attaqués par des forcenés s'accrochant en grappe à nos portes, mais le bataillon envoyé à notre rencontre eut le dernier mot, à notre grand soulagement. Il fallut dès lors rouler au pas sous un soleil de plomb, car ces hommes étaient à pied – plusieurs furent d'ailleurs victimes d'insolation. À la barrière de Pantin, enfin, La Fayette nous fit rentrer dans la capitale.

Nous arrivâmes étrillés à Paris, le 25 juin, où des outrages d'un genre nouveau nous attendaient. Parvenus au bout de ce chemin de croix, après ce tumulte incessant, nous fûmes cette fois accueillis par un silence écrasant, une hostilité teintée de mépris et de réprobation. Et pour cause : après notre départ, on avait d'abord fait croire que mon père avait été enlevé, puis on l'avait fait passer pour un déserteur quand le mensonge n'avait plus été tenable. Le peuple s'était senti abandonné par son roi. Et le repli stratégique d'un roi captif vers Montmédy devint la « fuite à Varennes ». L'Histoire appartiendrait-elle à la secte jacobine ?

Interdiction avait donc été donnée aussi bien d'insulter que d'acclamer, mais encore de découvrir sa tête à notre passage, si bien que les marmitons, qui n'avaient pas de chapeau, s'étaient couvert le chef avec un torchon sale. Dans la foule, on ne voyait que des mines sombres, on n'entendait que des murmures. Et le roulement sinistre des tambours. Il semblait qu'on assistait aux funérailles de la monarchie. Un journal évoqua même « la pompe funèbre d'un roi vivant ».

Trop fatigués pour ressentir l'humiliation, nous nous dirigeâmes vers les Tuileries dans notre corbillard, sous le regard du peuple – on eût dit que tout Paris et ses environs s'étaient réunis –, juché jusque sur les toits des maisons. Nous passâmes par la barrière de Monceau, celle de l'Étoile, puis avenue de la Grille-Royale, appelée depuis 1789 Champs-Élysées, enfin la place Louis-XV, où la guillotine serait bientôt dressée. Ma mère s'était interrogée sur cet itinéraire sans logique. Alors que nous arrivions par l'est, on nous faisait rentrer par l'ouest. Sans doute pour surprendre nos partisans et les empêcher d'intervenir, mais aussi pour permettre aux chasseurs de ramener triomphalement leurs trophées en les exhibant quelques heures supplémentaires.

Entre la barrière de l'Étoile et les Tuileries, il fallut encore deux heures au milieu d'un océan de trois cent mille personnes hostiles et des troupes l'arme au pied. Ma mère, qui semblait souffrir cruellement, les implorait : « Voyez, Messieurs, dans quel état sont mes pauvres enfants, ils étouffent. » Ce à quoi un patriote répondit : « Nous t'étoufferons bien autrement. » Le regard de mon père n'était plus que celui d'un homme ivre.

Lorsque nous arrivâmes, enfin, au pied du péristyle, quelques membres de notre suite, harcelés puis molestés, obligèrent à clore la grille juste après notre passage. Ma mère était si faible qu'il fallut la porter, à demi évanouie. Mais lorsque mon père descendit à son tour de voiture, hébété, en nage et couvert de poussière, il parut presque heureux de rentrer chez lui. Barnave s'empara de Charles qui se mit à pleurer. Finalement Hüe, premier valet de chambre du roi et fidèle d'entre les fidèles, le prit dans ses bras pour le ramener dans son appartement. Enfin, affectant l'indifférence, je les quittai pour aller chez moi, à bout de force.

Mon père était-il toujours roi de France et de Navarre ? Cachant sa rage sous un regard fuyant, il semblait imperméable à tout ce qui advenait. Toutefois, après avoir réprimandé La Fayette, il se justifia de nouveau en déclarant que sa première intention avait été de s'établir à Strasbourg pour se rendre médiateur des différends qui chaque jour se multipliaient dans l'Assemblée. Mais dans son journal, encore plus laconique que celui que j'allais tenir au Temple, il se contenta de noter les horaires de départ de Meaux et d'arrivée à Paris. Sans autre commentaire. Du moins savait-il désormais qu'il s'était trompé sur l'opinion générale du royaume. Et sans doute aussi qu'il était perdu.

Trois décennies plus tard, alors que je rentrais de Metz, mon postillon s'arrêta pour relayer les chevaux. « Où sommes-nous ? demandai-je. – À Varennes, Madame. » Je passai la tête par la portière et reconnus ce lieu de sinistre mémoire. Je ne m'y attendais pas du tout ; aussitôt je crus entendre le tocsin, les clameurs de la foule, et fus prise d'une attaque de nerfs. Ma faille ressurgit et je hurlai comme un animal au fond de la voiture : « Qu'on reparte ! Qu'on remette les chevaux. Pour Dieu, je ne veux pas rester ici un moment de plus… » Je perdis la tête, ce soir-là, et je ne me rappelle plus les mots que je prononçai ensuite. Je sais seulement qu'un petit attroupement entoura ma berline, comme en 1791…

Après cinq jours d'absence, tout était prêt pour le souper, comme à l'accoutumée, comme si nous n'étions jamais partis, comme si nous avions fait un mauvais rêve. Rentrée dans ma chambre, je changeai de robe, car une manche en était déchirée. Puis je m'aperçus qu'on m'avait volé l'argent que je destinais aux pauvres. Le cœur gros, j'allai trouver ma mère. En quelques jours ses cheveux, qui avaient commencé de blanchir depuis deux années, étaient devenus gris.

Alors que mon père ne réagissait presque plus aux

événements, ma mère était mortifiée, mais n'en laissait rien paraître. Passant sans cesse de l'espoir au désespoir, elle se lamentait : « C'est un enfer que notre intérieur. » Elle jugeait les Français atroces, qu'ils soient demeurés dans le pays ou aient émigré. À cet âge tendre où la sensibilité n'est pas encore émoussée, j'absorbai fortement ces impressions, en conservant pour toujours d'ineffaçables cicatrices.

Aux Tuileries, de nouveaux gardiens furent nommés par La Fayette. De crainte de nuire à sa popularité, qu'il entretenait par les moyens les plus ridicules, il poussa le zèle jusqu'à demander à des ramoneurs de voir s'il était possible de fuir par les cheminées. Il fit aussi fermer toutes les portes à double tour, même les chambres communiquant entre celle de mon père et celle de mon frère, et placer des gardes assis dans chaque escalier. Il en fut de même pour le palier intérieur que j'empruntais pour me rendre chez ma mère. Comble de l'indélicatesse : il avait fallu insister pour lui permettre de faire sa toilette porte fermée.

Mme de Tourzel fut confinée dans le cabinet de Charles jusqu'à son interrogatoire, qui eut lieu après celui de mes parents. On demanda même à mon frère s'il savait pourquoi on privait sa gouvernante de liberté. Il murmura : « C'est pour avoir suivi papa. » Pendant ce temps, notre impopularité était savamment entretenue par des chansonniers colportant les plus odieux mensonges : affiches, pamphlets et caricatures, rien ne nous était épargné. Le côté gauche le plus extrême traitait ma mère de « catin criminelle » et réclamait que ses amis du côté droit fussent empalés vivants. Pour ma part, j'étais représentée en truie aux côtés de mes parents dans « La Famille des cochons ramenée à l'étable ». On me prêtait les défauts extravagants couramment attribués à ma pauvre mère, ou bien l'on me dépeignait en bégueule se réjouissant de la défaite de la Révolution, quand je n'étais pas une bigote un peu sotte. On se gardait bien de m'informer de tout cela, naturellement.

Charles se vit interdit de promenade, même escorté, car mes parents ne voulaient plus qu'il entende les « vive notre petit roi ! » moqueurs lorsqu'il se rendait à la terrasse du Bord de l'eau. Lassés des grossièretés, nous décidâmes de ne plus nous montrer, et ce malgré la chaleur de l'été. Un garde national avait demandé à mon sujet : « Quel âge a Mademoiselle ? » Et ma mère lui avait répondu, avec une majesté mêlée de tristesse : « Un âge où l'on ne sent que trop l'horreur de pareilles scènes. »

Suivit une période d'accalmie durant laquelle mon père lisait toute la journée, puis jouait le soir au billard. La seule détente de notre mère était de nous regarder jouer. Les députés du côté droit, nos derniers fidèles, passaient nous saluer sous les croisées, mais l'Assemblée en prit ombrage et fit fermer l'accès aux Tuileries. L'étau se resserrait.

Sa mère l'impératrice l'ayant toujours poussée à ménager les contraires, la reine se lança dans une diplomatie occulte. Traquée et entourée d'espions, elle en était venue à dissimuler ses lettres dans une boîte de chocolats. Car, prenant conseil auprès de Barnave, elle écrivit à son frère Léopold des courriers pour lui demander de reconnaître la Révolution et de négocier un retour des émigrés, dont l'Assemblée redoutait une attaque de l'extérieur. Cette Fronde tapageuse et inconsidérée, réfugiée à Coblence, appelait en effet de ses vœux une guerre contre la France. Comment cela eût-il pu advenir puisque Léopold II ne tenta rien pour nous sauver, autant par manque de moyens que parce que son intérêt le portait à laisser la France affaiblie par ses divisions ? C'était un jeu de dupes au sein duquel ma mère, sans aucun doute, se sentait mal à son aise, car elle envoyait parallèlement à son frère des lettres sincères dans lesquelles elle lui dépeignait son désespoir. Or, à ses yeux, cette France qu'elle avait épousée n'était plus la France.

Enfin, ne devait-elle pas se défendre ? Comment agir autrement ? Pour sortir de cette impossible existence et nous sauver la vie, elle était prête à tout tenter, cependant que mon père sombrait toujours plus avant dans le découragement, la langueur et l'apathie. Il était comme assommé depuis déjà plusieurs mois.

Après le 21 juin, jour de notre arrestation à Varennes, le parti républicain était né. Quatre jours plus tard, le pouvoir royal était « suspendu », mais l'Assemblée se déchirait sur la position à adopter vis-à-vis du monarque. Les Jacobins réclamaient sa destitution et sa mise en jugement, tandis que d'autres demandaient qu'il prêtât serment à la Constitution, à défaut de quoi il serait regardé comme ayant abdiqué, ce qui était ni plus ni moins du chantage.

La nouvelle Constitution finit par entrer en vigueur le 3 septembre 1791. Se prétendant source de toute légitimité, elle découronnait celle, ancestrale, des Bourbons et cantonnait mon pauvre père au seul droit de veto – et encore était-il suspensif. Je devenais donc une « citoyenne », Mlle Capet ! S'ajoutait, après la suppression de la noblesse héréditaire l'année précédente, l'abolition des titres, décorations, blasons. Il fallait cependant posséder un revenu foncier pour acquérir le droit de vote. On voit par là combien le « peuple » était évincé du projet par la bourgeoisie conquérante. Ma mère qualifiait cette Constitution de monstrueuse, équivalant à une mort morale, à ses yeux mille fois pire que la mort physique qui délivre de tous les maux. Pour la mettre en pratique, une nouvelle Assemblée, dite législative, fut élue mais, les électeurs boudant les urnes, les plus radicaux l'emportèrent au détriment des Royalistes modérés.

Mon père savait tout ce qu'il devait à ceux qui s'étaient sacrifiés pour lui. Ainsi, par peur des représailles pouvant peser sur eux, il n'avait d'autre choix que d'y adhérer. Cette fois, ma mère l'approuva : « Nous ne calculons pas nos personnes quand il s'agit du bien général. Il est impossible, vu la position ici, que le roi refuse son acceptation. »

Dès lors, les dés étaient jetés. On donna dix jours au roi pour examiner ladite Constitution et la ratifier. Le côté gauche jouissait avec jactance de son triomphe, tandis que les fanatiques jacobins n'y voyaient qu'un piège adroit pour détruire la royauté. Mes oncles Artois et Provence tentèrent de le mettre en garde contre ce funeste cautionnement qui verrait une atteinte fatale à la monarchie, se disant prêts à verser jusqu'à la dernière goutte de leur sang. Protégés des fureurs révolutionnaires, puisqu'ils étaient établis hors de France, ils ne comprenaient pas les compromis de leur frère aîné, regardés comme autant de renoncements. De même, les émigrés enrageaient, jugeant que ses reculades allaient entraîner sa perte. En conséquence, ils le punissaient de ses malheurs en s'opposant à ses résolutions. Avec eux, l'Europe entière désapprouvait ce serment, sans nous venir en aide pour autant.

Dans l'autre camp, les révolutionnaires se montrèrent peu disposés à croire à la sincérité de mon père quand il accorda tant de concessions. Hélas ! les Royalistes servaient cette défiance en répétant sans cesse que le roi n'était pas libre, que tout ce qu'il faisait était frappé de nullité et ne l'engageait en rien pour l'avenir.

Soutenu comme la corde soutient le pendu, mon père résolut alors de se justifier en écrivant à ses frères. Tandis que ceux-ci rêvaient encore d'absolutisme, il leur dit avec netteté qu'ils le faisaient frémir d'horreur, car cela ne pourrait se réaliser sans faire répandre le sang à grands flots. Puis il eut ces mots magnifiques, présageant son propre sacrifice :

« Je sais que tous les rois se sont toujours fait honneur de regagner par la force ce qu'on voulait leur arracher, que de craindre les malheurs de la guerre s'appelle faiblesse. Mais j'avoue que ces reproches m'affectent moins que les malheurs du peuple, et mon cœur se soulève en pensant aux horreurs dont je serais la cause. Je sais combien la noblesse et le clergé souffrent de la Révolution ; tous les sacrifices qu'ils avaient si généreusement proposés n'ont été payés que par la destruction de leur fortune et de leur existence... Mais pour des crimes commis, faut-il en commettre d'autres ? »

Ceux qui ont voulu lui refuser l'intelligence des affaires et le discernement politique auront bien de la peine, ce me semble, à ne pas s'incliner devant tant de hauteur.

Il sentait toutes les difficultés, voire l'impossibilité à gouverner ainsi une grande nation. Il avait préféré la paix à la guerre, parce qu'elle lui avait paru à la fois plus vertueuse et plus utile. Harcelé de toutes parts par ses conseillers, il refusa d'utiliser cette force qui l'eût sauvé. Il s'attendait à la mort ; il a même dit qu'il la pardonnait d'avance. Indifférent au présent, il n'escomptait plus que sa parution devant Dieu.

Comme il jugeait plus convenable de prêter serment de fidélité à la Constitution dans l'enceinte même de l'Assemblée, le cérémonial avait prévu deux fauteuils identiques et fleurdelisés, l'un pour le roi, l'autre pour le président Thouret. Le côté droit protesta devant cette égalité de traitement. Mme de Tourzel, mon frère et moi nous tenions dans une loge réservée à la reine, témoins obligés de cette pénible séance. D'abord seul debout, puisque les députés venaient de s'asseoir, mon père, décontenancé, finit par en faire autant pour prononcer son serment, non sans avoir promené sur les députés un regard où la bonté le disputait à la surprise. Puis il déclara qu'il espérait que désormais la concorde prévaudrait, rappelant que dès le début de son règne il avait désiré la réforme des abus, et pour toutes ses décisions pris pour règle l'opinion publique. Le président de l'Assemblée répondit sans élégance qu'il était heureux de voir la destruction des abus. Mais de quel côté sont les abus quand une minorité impose sa loi ?

Mes parents sortirent accablés. Dès que nous fûmes réunis aux Tuileries, pâle et tremblant, les traits altérés, mon père se tourna vers sa femme, bouleversé :

« Tout est perdu ! Et vous avez été témoin de cette humiliation ! Et vous êtes venue en France pour voir cela ! » Il porta un mouchoir à ses yeux et se jeta dans un fauteuil avant de s'y affaisser. Ma mère s'approcha vivement et l'étreignit. Avait-il encore l'espoir que le peuple saisît *in extremis* où étaient ses intérêts ? Les Français, pensait-il, se fieraient à coup sûr plus à leur jugement qu'aux intrigants. Aussi ne comprenait-il pas leur passivité devant les assauts toujours plus iniques du côté gauche. Pour l'heure, il était malgré tout résolu à soutenir la Constitution, interdisant qu'on la critiquât.

Pour fêter ce serment, il y eut des jeux sur les places et une distribution de nourriture. Nous fûmes priés de nous rendre au spectacle aux Champs-Élysées, où nous entendîmes quelques timides « vive le roi ! » et quelques « vive La Fayette ! », mais sans enthousiasme véritable. « Qu'il est triste, dit ma mère, que quelque chose d'aussi beau ne laisse dans nos cœurs qu'un sentiment de tristesse et d'inquiétude ! »

On rouvrit les jardins des Tuileries. Les « vive le roi ! » et « vive la reine ! » renaissaient de leurs cendres. À l'Opéra du boulevard Saint-Martin, je découvris la *Psyché* de Lully. C'était la première fois que j'assistais à une telle représentation. La pantomime de Psyché m'émerveilla, et je me rappelle avoir poussé un cri de surprise au moment de son enlèvement par Zéphyr.

Nous n'étions donc plus prisonniers ? La Révolution était-elle enfin terminée ? Hélas ! l'agonie était lente, et les fausses joies fréquentes. Il fallait une bonne constitution nerveuse pour résister à cette grande marée qui revenait sans cesse. Ma mère écrivit à son frère qu'une attaque extérieure nous coûterait la vie, et à Fersen que tout le monde l'accusait de dissimulation, de fausseté, et que personne ne pouvait croire que son frère s'intéressât aussi peu à elle. Fersen rentra en France au péril de sa vie pour proposer un nouveau projet de fuite au roi. Ce dernier le refusa : « Je sais qu'on me taxe de faiblesse et d'irrésolution », lui dit-il, ajoutant qu'il ne serait pas embarrassé s'il n'avait pas sa famille avec lui : « On verrait bien que je ne suis pas aussi faible qu'on le croit. » Au demeurant, n'avait-il pas promis devant l'Assemblée de ne pas fuir ? Il ne voulait pas se renier. Ce jour-là, Fersen et ma mère se virent pour la dernière fois. Vingt ans plus tard, à la suite d'une rumeur colportant qu'il avait empoisonné le roi de Suède pour prendre sa place, il fut massacré par la foule en descendant de sa voiture, le jour anniversaire de Varennes. Fersen, accusé de régicide ? Terrible fin pour cet homme qui s'était donné tant de peine pour nous…

Sur ces entrefaites survint la mort de Léopold II. À cette occasion, mon père me raconta qu'avant ma naissance mon oncle autrichien avait dit à ma mère, alors qu'il venait lui-même d'avoir un garçon : « Attendez-vous à une fille, car deux rois n'ont pas deux fils dans le même mois. » Puis mon père poursuivit en me regardant tendrement : « Peu de jours après, mademoiselle vint au monde. – Votre Majesté me permet-elle de lui demander si elle regrette sa naissance ? – Non certainement », répondit-il en m'étreignant, les larmes aux yeux, tandis que j'éclatais en sanglots.

François II succéda à son père Léopold, se faisant sacrer empereur d'Autriche en 1804 sous le nom de François Ier. Répudiant la neutralité de son père, il menaça d'attaquer la France, pensant écarter les Jacobins en ralliant au roi les Modérés. D'après ma mère, son neveu ne connaissait pas la situation de notre pays et, en déclarant la guerre aux extrémistes, il nous mettait sous le couteau. Dans tous les cas, nous étions perdants. Si la France gagnait contre « l'Europe des rois », notre position était menacée ; si l'étranger battait la France, on nous en tiendrait pour responsables ; ce que ma mère ne manquait pas de rappeler avec constance.

On apprit ensuite, en mars 1792, l'assassinat du roi Gustave de Suède, qui venait de prononcer l'égalité des droits, ce dont la noblesse, qui n'en voulait pas, s'était vengée. Nous étions consternés. Ma mère jugeait qu'il fallait nous armer de courage, car qui pouvait répondre de ne pas éprouver un pareil malheur ? Les ministres, en qui mon père n'avait aucune confiance car ils dépendaient du bon vouloir de l'Assemblée, le pressaient de déclarer la guerre au roi de Bohême et de Hongrie, puisqu'il accueillait les émigrés et se faisait menaçant. Après avoir longtemps résisté, mon père s'y résolut tristement. Puis il revint aux Tuileries abattu, sachant d'avance que cela ne l'aiderait pas à remonter sur le trône, contrairement aux espoirs de certains de nos partisans. Ma pauvre mère était partagée entre l'espoir et la crainte de voir son pays de naissance victorieux. Nous étions en danger de mort et elle le savait. Cette guerre, commencée avec une armée désorganisée et des finances calamiteuses, durerait vingt-trois ans, ne prenant fin qu'à la chute définitive de Napoléon à Waterloo.

## 4. Le dernier jour de la royauté

### « Il est temps de savoir qui l'emportera »

L'Assemblée législative affichait de plus en plus son désir d'établir une république – dont même Rousseau pensait qu'elle ne pouvait convenir qu'à de petits pays – et saisissait toutes les occasions de discréditer mon père. Quand il se plaignait officiellement des calomnies incessantes, on excitait davantage le peuple contre lui. Une nouvelle fois, des milliers de personnes armées tentèrent de franchir les grilles des Tuileries aux cris de « ça ira ! », mais les Suisses nous protégèrent.

Oppressée par les injures proférées sous ses fenêtres, ma mère s'échappait parfois avec nous à Saint-Cloud. Elle ne voulait pas fléchir ni pleurer sur son sort – je crois avoir hérité d'elle ce trait de caractère –, mais le temps d'un instant elle eut besoin de se confier à une âme sœur qui la comprendrait. Faisant fi de sa dignité, elle ouvrit son cœur à son amie, la vertueuse Mme de Lamballe : « J'ai besoin de m'épancher… Je suis blessée au vif par les endroits les plus sensibles. » Cette dernière paya de sa vie le courage d'être rentrée en France pour la soutenir, malgré le danger qu'elle encourait.

Le maire de Paris jeta de l'huile sur le feu en déclarant à l'Assemblée que si la capitale était pour l'instant tranquille, cela ne durerait pas toujours. Hélas ! au moment même où nous étions le plus fragiles, mon père fut contraint de renvoyer ses Suisses, alors que les gardes nous avaient déjà été retirés. Après quoi il se mura dans le silence durant dix jours. Qu'en était-il désormais de notre sécurité ?

Au mois de juin 1792, refusant cette fois de s'incliner, mon père se cabra contre les projets visant à punir les émigrés en confisquant leurs biens et à déporter les prêtres réfractaires. Il y opposa son veto. La liberté de propriété et la liberté de conscience, dont les révolutionnaires s'étaient tant rengorgés, étaient bafouées. « Je fais assez ce que tout le monde désire pour qu'on fasse une fois ce que je veux. » Sa propre conscience chrétienne pouvait-elle laisser passer cet ultime renoncement, cet affront ? Sa décision fut, hélas ! annoncée la veille de l'anniversaire de la fuite à Varennes. Aussitôt, deux surnoms surgirent : M. et Mme Veto. La presse se déchaîna, évoquant « cette crapule de Louis XVI assis dans sa bauge à porcs » tandis que ma mère était qualifiée de « garce en pleurs ». Quant à Charles et moi, on comptait rien de moins que nous « étouffer » ! Il était impossible d'échapper à ces écrits ignobles que mes parents trouvaient jusque sur leurs tables de chevet...

L'anarchie se répandait chaque jour davantage : des piques à crochets étaient exposées aux Tuileries pour « arracher les entrailles des aristocrates ». Dans l'armée, les insurrections se succédaient, et les pillages dans les provinces étaient fréquents. Mon père était impuissant à enrayer cette tourmente. Les Jacobins terrorisant tout un chacun, il ne pouvait que prendre la France à témoin de leurs méfaits puisque eux seuls étaient responsables de ce désordre.

Trois ans s'étaient écoulés depuis le serment du Jeu de paume, et une année depuis Varennes. Ce 20 juin 1792 fut doublement symbolique car, malgré l'interdiction d'un rassemblement de personnes armées, une émeute fut favorisée. Santerre, alors censé commander la garde nationale, donc maintenir l'ordre, avait recruté des aventuriers et des repris de justice, et fit mettre au cachot les bons sujets qui s'y opposaient. Ces brigands se mêlèrent à des sans-culottes armés, eux, de crochets, piques, massues, grandes gaules, fourches, bâtons ferrés, haches, pieux et faux.

Dès dix heures du matin, une immense foule déboucha. Spectacle impossible à rendre que ces gens, la rage sur la figure… On entendait une grande clameur : « À bas le veto ! » On venait donc encore et toujours nous persécuter ? La rumeur prédisait le pire : tous les jours on nous annonçait que le faubourg Saint-Antoine venait assassiner le roi, mais cette fois-ci il semblait que notre dernier jour était arrivé. Redoutant à juste titre des excès, mon père s'alarma et nous fit mander dans son appartement, où nous attendîmes avec anxiété les suites de cette agitation. La garde nationale, se déclarant neutre, refusa de nous défendre. Il était trois heures. Nous voyions bien que les esprits s'échauffaient. « Ils arrivent ! Ils arrivent ! », entendait-on dans les couloirs. On ne pouvait s'opposer à cette multitude effrénée. Nous l'attendions avec angoisse car il n'y avait nulle échappatoire. On fit clore les grilles, mais un officier municipal les fit céder et la horde déferla dans les jardins des Tuileries jusque sous les fenêtres de mon père qu'elle injuria à torrent plusieurs heures durant. Puis les portes du château, d'abord refermées, furent encore une fois forcées.

En quelques instants, vingt mille créatures envahirent cours, escaliers, appartements. Plus rien ne résistait : portes et serrures sautaient une à une. Repliés dans une petite chambre à coucher, comment allions-nous échapper à cet assaut ? J'avais le pénible sentiment de revivre le 6 octobre 1789.

Récusant la passivité, mon père nous quitta pour se présenter courageusement à la foule. Les yeux pleins de larmes, ma mère s'écria : « Français, mes amis, grenadiers, sauvez le roi ! » La pique d'un enragé le menaça ; un commandant eut juste le temps de l'intercepter et un autre para un coup de hache. Aussitôt, il les invita à mettre la main sur son cœur : « Vous verrez si j'ai peur. » Il en imposait par un notable sang-froid et demeurait imperturbable. Après lui avoir exposé un bonnet rouge au bout d'une pique pour le narguer, on le lui mit sur la tête. Il répondit aimablement aux questions provocantes sans l'ôter, afin de prouver son amour de la nation qui n'avait d'égal que son absence d'effroi. La mèche d'un canon chargé était prête et, en cas de résistance, on n'aurait pas hésité à l'allumer.

Apercevant Mme Élisabeth, quelqu'un s'écria : « L'Autrichienne, où est-elle ? Sa tête, sa tête ! » « Ne les détrompez pas, dit-elle discrètement à son frère ;

s'ils pouvaient me prendre pour la reine, on aurait le temps de la sauver. » Dans l'instant une pique fut placée sous sa gorge. Tranquillement, elle répliqua : « Vous ne voudriez pas me faire du mal ; écartez votre arme. » Les cris fusaient de toute part, accompagnés de banderoles : « Tremblez, tyrans, le peuple est armé ! » La multitude semblait sortir des pavés.

Pendant ce temps, ma mère et nous étions confinés dans une attente insupportable. Allait-on assassiner mon père ? Puis nous massacrer ? On nous dit que le roi était cerné. Notre mère voulut aussitôt le rejoindre, mais nous nous accrochions à sa robe en la suppliant de demeurer auprès de nous, de peur de la perdre aussi, tandis que Mmes de Lamballe et de Tourzel tentaient également de l'en empêcher. Sa place n'était-elle point auprès de ses enfants ? À ce moment, nous ne pûmes échapper aux bruits provenant de ses appartements mis sens dessus dessous, et ceci : « Nous l'aurons morte ou vive ! » L'angoisse était à son comble mais, devant ce danger si proche, ma mère gardait encore son calme. Nous nous cachâmes finalement dans un petit passage accessible par une porte dissimulée dans la boiserie, séparant les chambres de mon père et de mon frère.

Là, durant deux longues heures mortellement éprouvantes, nous entendîmes les injures et les coups de hache donnés dans toutes les portes, les unes après les autres. Cette scène, elle aussi, me rappelait en tous points le 6 octobre. On nous avait chassés de Versailles, voulait-on nous bouter hors des Tuileries ? Pour aller où, cette fois ? Ma mère étouffait des sanglots de peur en nous serrant dans ses bras. Le corps entièrement crispé, je fermais les yeux en pleurant. Le temps n'existait plus, semblait s'être arrêté. La charge se rapprochait. Je nous imaginais transpercés par une épée ou bien le crâne fendu par un violent coup de hache. Inutile d'ajouter que je pensais ne jamais revoir mon père… Les forcenés se rapprochant, nous dûmes nous réfugier dans la salle du Conseil des ministres, où ils n'auraient peut-être pas l'idée de nous chercher.

Des représentants de l'Assemblée tentaient de calmer les esprits, mais personne ne les écoutait. L'un d'eux, Beugnot, alla jusqu'à s'exclamer : « Ce n'est pas le peuple, ce sont des brigands ! » À six heures du soir, mon père faisait encore preuve d'une patience exceptionnelle, supportait ces farouches pourfendeurs sans afficher le moindre signe d'agacement. « La force ne fera rien sur moi, disait-il. Je suis au-dessus de la terreur. » Alors que Pétion, finalement survenu, demandait à la foule de se retirer, mon père invita le peuple à visiter les appartements d'apparat, ce qui eut l'heur d'exciter sa curiosité tout en le détournant de sa colère.

Commença alors un défilé ininterrompu. Mon père était assis devant une table sur laquelle était juché le Dauphin, forcé de porter un bonnet phrygien qu'il tint finalement à la main car, trop grand pour lui, il manquait l'étouffer. Placée derrière à côté de ma mère, ce qui nous protégeait un peu, je me sentais bafouée de devoir arborer à mon tour un attribut révolutionnaire, en l'occurrence une cocarde tricolore.

Les invectives étaient continuelles. Des mégères interpellaient ma mère. Santerre, qui avait sciemment fait envahir le château, lui dit que, contrairement aux apparences, le peuple ne lui voulait pas de mal. « Si vous vouliez, ajouta-t-il, sibyllin, il n'y aurait pas un d'eux qui ne vous aimât autant que cet enfant. N'ayez pas peur. » Cet homme semblait dire le contraire de ce qu'il déclarait, et cela n'en était que plus effrayant. À ces mots, mon frère se blottit contre notre mère, qui répondit calmement qu'elle savait qu'elle n'avait rien à craindre au milieu de la garde nationale. Mais elle dit ensuite à Mme Élisabeth qu'on l'assassinerait la prochaine fois. Ayant fait le deuil de la Couronne, et sans doute de sa vie, elle ne s'inquiétait plus que pour nous.

Nous dûmes endurer ce spectacle durant quatre heures. Je me rappelle un jeune homme portant un cœur de veau qualifié de « cœur des aristocrates », et aussi une potence à laquelle était suspendue une vilaine poupée, accompagnée d'une légende : « Marie-Antoinette à la lanterne ». Puis une des plus furieuses Jacobines s'arrêta pour vomir mille imprécations contre elle. Néanmoins, après quelques mots simples de ma mère, la mégère se mit à larmoyer en disant : « Je ne vous connaissais pas, je vois que vous êtes bien bonne. »

Au même moment, une nouvelle pelletée de brochures infâmes la prenaient à partie. Un seul titre montre toute la violence de l'époque : *Turpitudes de la Messaline royale*. Le délire des hommes n'a point de limites quand il n'a pas de frein.

Le soir, la foule se retira enfin. Exténué, mon père rentra chez lui et put constater les dégâts de cette abominable journée : bris de glaces, portes fracassées, plancher défoncé. Aussitôt nous le rejoignîmes, nous précipitant en larmes à ses pieds. Nous étions sains et saufs. Il nous entourait tous de ses bras mais, détail cruel à ma mémoire, il avait oublié de retirer le bonnet rouge. Charles posa sur lui des yeux étonnés et, incapable de prononcer une parole, prouva par ses caresses qu'il comprenait les souffrances de ses parents. « J'existe encore, écrivit alors ma mère à Fersen, mais c'est un miracle. »

Bien qu'il n'eût pas cédé sur le moment, mon père, assiégé, dut retirer son veto, mais tint à faire une proclamation prenant à témoin l'opinion de l'attentat inouï dont nous venions d'être victimes. « Les Français n'auront pas appris sans douleur qu'une multitude, égarée par quelques factieux, est venue armée dans l'habitation du roi, traînant un canon jusque dans la salle des gardes, qu'elle a enfoncé les portes à coups de hache, et qu'abusant odieusement du nom de nation, elle a tenté d'obtenir par la violence la sanction de deux décrets refusée constitutionnellement par le roi. Il n'a opposé aux menaces et aux insultes que sa conscience et son amour pour le bien public... »

Redoutant plus que jamais que l'on attente à notre vie, nos partisans nous avaient fait livrer trois cuirasses de douze doubles de taffetas, en principe pare-balles et pare-poignards, destinées à mes parents et mon frère. On craignait moins pour moi. Je revois ma mère passer la sienne, puis demander à Mme de Tourzel de la poignarder pour éprouver sa solidité. Notre gouvernante ne pouvant se résoudre à un tel geste, elle enfila la cuirasse à son tour puis se poignarda elle-même : le rempart se révéla impénétrable. Mon père portait désormais un plastron épais. Mes fenêtres furent renforcées et l'on plaça chez moi une sonnette reliée à sa chambre. Le danger était permanent, si bien que la quiétude de mes nuits ne fut guère plus assurée que celle de mes jours.

Et croira-t-on qu'une reine de France en était réduite à avoir un petit chien, Mouflet, couché à ses pieds pour l'avertir au moindre bruit ? Parfois, ma mère se couchait auprès de mon frère, mieux protégé. À son réveil, enchanté de la voir, Charles se précipitait pour l'enlacer et lui dire des mots charmants. Malgré son jeune âge, il avait compris l'intérêt de la prudence et prenait garde de ne jamais répéter ce qu'il avait entendu en privé : « Avouez, dit-il un jour à Mme de Tourzel, que je suis bien discret et que je n'ai jamais compromis personne. » Ce mot qu'à son âge, il n'aurait pas dû connaître, ne lui était que trop familier. « Je suis curieux, j'aime à savoir ce qui se passe, et si l'on se méfiait de moi, l'on s'en cacherait et je ne saurais jamais rien. » Lorsqu'il jouait avec son lapin, il expliquait que celui-ci battait du tambour pour le roi parce qu'il était royaliste, ajoutant : « Ne le dites pas, on me le tuerait. » Une autre fois, égratigné par l'animal, il s'exclama : « Ah ! Vous faites l'aristocrate ! Eh bien, vous serez renfermé ! »

J'étais présente lorsque mon père reçut quelques jours plus tard un Pétion qui cherchait à minimiser les débordements, les déniant même. D'après lui, sans les mesures de précaution prises par la municipalité, il serait peut-être arrivé des événements beaucoup plus fâcheux. « Non pas contre votre personne, ajouta-t-il en fixant ma mère ; vous devez savoir, Sire, que votre personne sera toujours respectée. » À ces mots, mon père, indigné, lui lança : « Est-ce me respecter que d'entrer chez moi en armes et de briser mes portes ?

Ce qui s'est passé, monsieur, est un sujet de scandale pour tout le monde ; vous répondez de la tranquillité de Paris. » D'ailleurs, une pétition réclamant que les responsables soient punis fut signée par vingt mille personnes. Quelques mois plus tard, sous la Grande Terreur, tous ceux qui y avaient participé, ou en étaient juste soupçonnés, allaient être exposés.

La nouvelle fête de la Fédération, à laquelle mon père souhaitait assister, approchait. Le 14 juillet 1792, nous sortîmes sans encombre des Tuileries, accompagnés de Mmes de Lamballe et de Tourzel. Mais au Champ-de-Mars le triomphe de Pétion fut complet : bâtons tricolores, emblèmes et pancartes voués à la « liberté », et toujours des piques et des sabres. Au moment où mon père allait prendre la parole, quelques dizaines de « vainqueurs de la Bastille », comme ils se nommaient eux-mêmes, exhibèrent une maquette de la forteresse. Ma mère, qui l'observait sans cesse avec anxiété à l'aide d'une lunette d'approche, s'inquiéta de le voir entouré de si près, mais sembla rassurée par son flegme. Au retour, il y eut bien quelques « vive le roi ! », mais surtout des : « Vive Pétion ! À bas le veto ! Les aristocrates à la lanterne ! » Charles et moi nous jetâmes dans les bras de notre père, agrippant ses mains pour les baiser en pleurant.

L'aspect de la capitale devenait toujours plus effrayant et plus tumultueux. Ma mère ne supportait plus d'entendre chanter *La Carmagnole* : « Madame Veto avait promis / De faire égorger tout Paris. » Elle n'en dormait plus la nuit. À chaque fois que les cloches sonnaient, nous croyions que cette alarme annonçait une attaque finale. Marat, directeur de *L'Ami du peuple*, réclamait sans cesse notre destitution. Notre salut ne pouvait plus venir que des alliés – la Prusse s'étant jointe à l'Autriche. C'était notre dernière chance, le temps pressait, et ma mère le comprenait parfaitement.

C'est alors que le manifeste de Brunswick, par lequel la coalition s'adressait aux Parisiens par la voix de son principal général, mit le feu aux poudres. Le message leur demandait maladroitement de se rendre et de se soumettre au roi très-chrétien, mais surtout menaçait de détruire la capitale si le moindre mal était fait à mes parents. Ma mère aurait souhaité un message à la fois amical vis-à-vis du peuple mais ferme à l'endroit des terroristes, au lieu de quoi ce texte fut reçu comme une provocation.

Peu après, les fédérés entrèrent dans Paris, bien décidés à nous exterminer – ils avaient même le projet d'enfermer la reine dans une cage, telle une bête fauve. Cette milice révolutionnaire, dont le fer de lance était composé de Marseillais, entonna le *Chant de guerre pour l'armée du Rhin* de Rouget de Lisle, qui allait devenir l'hymne de la Révolution. Une bagarre éclata entre eux et les grenadiers de la garde nationale, en poste aux Tuileries, qui nous soutenaient encore, entraînant un mort et des blessés – certains pansés par Mme Élisabeth elle-même. Mon père soupirait : « Après tout ce que j'ai souffert, mourir n'est pas difficile. » Ma pauvre mère, elle, jugeait que désormais seule la Providence pouvait encore nous sauver. Cette chance semblait ténue, mais comment ne pas espérer encore ?

Chaque jour, mouvements séditieux et rumeurs alarmantes entretenaient la fureur du peuple et son aveuglement. Nous n'osions plus nous risquer à l'extérieur. Cependant, un soir, comme nous manquions d'air et de distraction, nous sortîmes. Des fédérés nous aperçurent et en profitèrent pour tenir des propos peu amènes, puis, enhardis, se décidèrent à entonner une chanson détestable, nous fixant droit dans les yeux, sans ôter leur chapeau. Je voulus me retirer, mais les gardes me déconseillèrent de montrer ma peur, puis crièrent plus fort qu'eux : « Vive le roi et la famille royale ! » Si bien que les agresseurs finirent par se découvrir. Ces gardes nationaux étaient touchants. Ma mère leur en fut très reconnaissante. « S'ils étaient tous de cette trempe ! Si seulement ils avaient tous ce bon esprit ! », s'exclama-t-elle. Telle fut notre dernière sortie dans les jardins des Tuileries.

Plus tard, des rassemblements aux grilles augmentèrent nos inquiétudes. Cette nuit-là, mes parents furent trop alarmés pour se coucher. Je me souviens que les fenêtres étaient ouvertes sur un ciel d'été semé d'étoiles. Dès minuit, le lugubre tocsin résonna de tous les clochers de Paris, puis le roulement d'un tambour se fit entendre ; l'insurrection commençait ! L'effroi pénétra dans mon âme. Nous n'attendions plus que le carnage et la mort.

À quatre heures, pourtant, tout était encore calme. Le soleil se levait. Tandis que mon père faisait les cent pas en robe de chambre, ma mère se tenait sur ses gardes, à l'affût du moindre bruit. Puis elle me réveilla, me priant de m'habiller et de la rejoindre chez le roi. Lorsque j'arrivai, encore ensommeillée, mon père m'embrassa, tout dépoudré, la perruque de travers, et entouré de gentilshommes qui avaient passé la nuit en sa compagnie, assis dans des fauteuils, voire à même le sol. Où était donc passée l'étiquette ? L'attente semblait avoir été rude, la crainte du danger se révélant, comme souvent, plus éreintante que le danger lui-même.

Ce 10 août 1792 marque une nouvelle date cruciale de la Révolution car, cette fois, les extrémistes triomphaient, y compris de l'Assemblée. C'en fut fini des droits de l'homme : le « règne » de Robespierre et ses sicaires allait pouvoir commencer.

Sentant le danger, mon père avait fait venir le régiment des Suisses de Courbevoie. « Messieurs, notre intérêt est commun », leur avait dit ma mère. À l'aube, le roi les passa en revue, ainsi que cette garde nationale dont la soudaine hostilité était inquiétante. Il semblait résigné, peiné, inquiet, mais s'efforçait de paraître serein. Je le regardais en tenant mon frère par la main. Aujourd'hui, chacun s'accorde à dire qu'il avait assez de gardes et de munitions pour se défendre, mais le voulait-il seulement ? Car s'il avait refusé la proposition de prendre les armes de l'Arsenal, les conjurés, eux, le dévalisèrent sans scrupule. Au fond, je crois qu'il était convaincu qu'aucune digue ne serait assez puissante pour arrêter ce torrent impétueux. Et puis il a toujours refusé de céder aux instances de ceux qui l'incitaient à employer la force. Cette disposition habituelle chez un homme qui avait résolu de faire le sacrifice de son repos, de son pouvoir et de sa vie, plutôt que de permettre qu'une seule goutte de sang fût versée pour sa défense, a dicté toute sa conduite. Ce défaut, si c'en est un, n'était qu'un excès de vertu, comme sa prétendue faiblesse ne fut jamais qu'un excès de courage puisant sa source dans une sorte d'abnégation. Sans doute faut-il y adjoindre sa soumission chrétienne à la volonté de Dieu.

On entendait le grondement d'un peuple en délire, porté par une joie presque aussi effrayante que l'éclat de ses fureurs. Malgré la fermentation des esprits, l'Assemblée ne bougeait pas.

À sept heures, la crise éclata et les insurgés furent annoncés. La foule hurlante se rapprochait et des coups de feu résonnèrent. Les canonniers, affolés par l'arrivée imminente des brigands de la capitale et de l'armée marseillaise que sa sinistre réputation précédait, déchargèrent leurs canons et les abandonnèrent. Figurait encore Théroigne de Méricourt, la « Furie de la Gironde » – qui allait bientôt sombrer dans la démence et passer les vingt-cinq dernières années de sa vie internée à la Pitié-Salpêtrière.

Une insulte plus grossière encore qu'à l'habitude sortit des rangs : « À bas le gros cochon ! » À ces mots mon père devint pâle comme s'il avait cessé d'exister et ma pauvre mère fondit en larmes. Elle avait des cernes jusqu'au milieu des joues. Je me sentais si impuissante… Tout comme mon père, je parlais peu, espérant ainsi protéger les uns et les autres. Il me restait l'observation et l'ouïe, cette dernière faculté me permettant de reconnaître le danger d'assez loin.

La foule, ivre d'une rage irraisonnée, se déversait des faubourgs pour réclamer la déchéance du roi, son détrônement pur et simple. Il était donc urgent de prendre un parti. Roederer, procureur général du département de la Seine, vint nous trouver. Il n'y avait plus une minute à perdre, car la défense était impossible : « Votre Majesté et sa famille courent les plus grands dangers, ainsi que tout ce qui est au château ; elle n'a d'autre ressource pour éviter l'effusion de sang que de se rendre au Corps législatif. » Là, nous serions en sûreté, ajouta-t-il pour convaincre mon père. Ma mère dit alors qu'elle préférait se faire clouer aux murs plutôt que d'abandonner ceux qui étaient prêts à donner leur vie pour nous. Quant à s'abaisser à aller demander de l'aide à l'Assemblée… Épouvantée par les conséquences prévisibles d'une résistance, je sentis mon sang me tomber dans les talons.

Roederer lui demanda alors – et c'était la voix de la sagesse – de songer à ses enfants. « Monsieur, répondit-elle, il y a des forces ici ; il est temps enfin de savoir qui l'emportera, du roi et de la Constitution, ou de la faction. » Le procureur insista en faisant valoir que si elle s'opposait à cette mesure, elle répondrait de la vie du roi et de la nôtre. Révoltée et frémissante, ma mère se tut mais changea de couleur : son mari allait encore céder ! Pour amoindrir l'effet de cette décision, il nous fut assuré que nous serions bientôt de retour, mais j'étais tenaillée par un mauvais pressentiment.

Mon père se tourna alors vers ses fidèles et les pria de se retirer, de cesser cette défense inutile : « Il n'y a plus rien à faire ici, ni pour vous ni pour moi. » Face à leurs mines consternées, après une courte hésitation, il lança : « Je vais donner cette dernière preuve d'amour à mon peuple. Marchons ! » Puis il se leva et sortit le premier. Bouleversée, ma mère me prit par la main, que je serrai très fort, et nous lui emboîtâmes le pas. Je pleurais à chaudes larmes, sans savoir que je devrais attendre plus de vingt ans pour revoir les Tuileries, seule. À nos côtés se trouvait encore Mme de Lamballe.

Alors que nous nous apprêtions à traverser les jardins, les canonniers osèrent tourner leurs canons contre le roi, geste incroyable dont je peux témoigner. Nous étions encerclés par une foule déchaînée. Je tenais cette fois ma mère par le bras et nous marchâmes dans les feuilles mortes que Charles envoyait promener d'un coup de pied. « Voilà bien des feuilles. Elles tombent de bonne heure, cette année », dit tranquillement mon père, sans doute pour se donner une contenance. « Nous demandons la tête du tyran », s'écria un homme, le poing levé.

La terrasse des Feuillants, par où nous devions passer pour nous réfugier à l'Assemblée, était remplie de brigands. L'un d'eux s'écria : « Point de femmes ou nous les tuons toutes ! » Nous fûmes contraints de patienter une demi-heure dans cette ruelle étroite et obscure, car nombre de députés s'opposaient à notre venue. Ma mère s'y fit voler sa montre et sa bourse, et mon père y fut tenu en joue. Jamais je ne me suis crue si près de la mort, ne doutant pas que le parti fût pris de nous assassiner tous. Nous pénétrâmes finalement dans l'Assemblée où la confusion et la fièvre n'étaient pas moindres, au point qu'un grenadier dut élever mon frère au-dessus des remous.

À l'apparition du roi, le silence se fit. « Je viens, Messieurs, dit-il avec solennité, pour éviter un grand attentat, pensant que je ne puis être mieux en sûreté qu'au milieu de vous. – Vous pouvez compter, Sire, sur la fermeté de l'Assemblée nationale », répondit le président Vergniaud, alors que la Chambre ne maîtrisait à l'évidence plus rien. Mon père prit place à ses côtés, tandis que nous nous installions face à lui sur le banc des ministres. J'étais sur les charbons ardents.

Comme des députés arguaient que toute délibération se révélait impossible en présence du roi, il fut arrêté que nous prendrions place dans la loge du logographe, le transcripteur des débats, dont le plafond était si bas qu'on n'y pouvait tenir debout. Ma frayeur augmenta. Nous restâmes durant dix-huit heures confinés dans cette cage – il n'y a pas de mot plus juste pour désigner ce réduit –, contraints de subir les divagations des uns et des autres, terrés dans une chaleur suffocante, privés d'eau et de nourriture. Personne ne se préoccupait de notre confort, pas même du nôtre, alors que nous étions des enfants.

Roederer expliqua que le château venait d'être forcé. Peu après on entendit les premiers tirs, qui provenaient des attaquants, mais que mon père, se méprenant, crut provoqués par nos défenseurs. Aussitôt il s'écria, indigné, qu'il avait expressément demandé que l'on ne fît surtout pas feu. Puis des pétitionnaires vinrent se vanter d'avoir incendié les Tuileries et réclamer encore une fois la déchéance du pouvoir exécutif. En bruit de fond, nous entendions les canons et les mousquets. On avait l'impression que toutes les vagues de l'océan battaient les murs du Manège.

Une autre députation surgit, disant cette fois que le peuple, fatigué des crimes de la Cour, n'aspirait qu'à la liberté et à l'égalité. Le peuple, « fatigué des crimes de la Cour » ? Mais de quoi nous entretenaient-ils ? Et de quel côté étaient donc les crimes ? Chateaubriand a d'ailleurs montré depuis que, si les Royalistes défendaient la liberté sans égalité absolue, les révolutionnaires soutenaient, eux, l'égalité absolue sans la liberté.

Nous entendions toujours les tirs, non sans une profonde douleur. Charles pleurait dans les bras de notre gouvernante. Je suis certaine que peu de députés demeurèrent insensibles à cette scène.

Le roi fit passer un message aux Suisses, renouvelant ses exhortations à désarmer. Les survivants marchaient vers l'Assemblée tandis que les fédérés les pourchassaient. Les deux tiers avaient déjà été décimés – il y aura mille morts – avec une inconcevable barbarie ; des femmes s'acharnaient à émasculer leurs dépouilles. Les Suisses arrivèrent déguenillés, souhaitant trouver refuge, puis ils nous annoncèrent que les Tuileries étaient sens dessus dessous. Il paraît que les escaliers étaient jonchés des cadavres de nos fidèles et que partout coulaient des rivières de sang. Les fédérés apportèrent à leur suite les bijoux de ma mère, un paquet de lettres et l'argenterie qu'ils venaient de piller. Les vins et liqueurs avaient, eux, disparu dans leurs gosiers.

Les invectives étaient si outrées que nous les traitâmes par le mépris. Seul nous inquiétait le sort réservé à nos partisans. Je me souviens du vicomte de Maillé, aux vêtements déchirés et ensanglantés. Le mauvais traitement qu'il avait reçu nous mit à la torture et la vérité oblige à préciser que le coup de grâce lui fut donné peu après. Quant aux autres, on a raconté qu'on leur avait arraché le cœur pour le faire bouillir, ou qu'ils avaient été découpés en morceaux dans les appartements de ma mère. Je tentais de ne pas me représenter ces scènes d'horreur, mais mon imagination ne pouvait s'empêcher de vagabonder. Comment échapper au château profané, aux gémissements, aux flots de sang répandus chez nous ?

Pendant ce temps, tétanisés par la peur de subir un sort semblable, les parlementaires abandonnaient par pans entiers cette légalité dont ils se prétendaient les garants. Les ministres pouvaient désormais se passer de la signature du roi. Après cette décision, si symbolique, quel attribut de la puissance restait-il donc à un « souverain » dont le pouvoir venait par ailleurs d'être déclaré suspendu par un décret hors la loi dans l'attente de l'élection d'une… Convention nationale, cette même Convention dont le nom seul fait encore frémir ? Ainsi, l'Assemblée législative violait deux fois la Constitution qu'elle avait proclamée, en décrétant sa propre dissolution et la mise à l'écart du roi. Puis Danton fut nommé ministre de la Justice. Danton, justicier ?

Dans notre fournaise, condamnés à écouter des tirades remplies de contrevérités ou les emphatiques envolées d'un harangueur jacobin, l'indignation se mêlait à la lassitude. La présence du roi n'était-elle donc nécessaire que pour sanctionner des décisions unilatérales ? La fierté de ma mère ne mollissait point, bien qu'elle fût exténuée. Contrairement à mon père, elle refusa de toucher aux quelques victuailles proposées. Charles et moi avions fini par nous assoupir.

Puisque nous n'avions plus de résidence, il fut arrêté de nous transférer « sous la protection des citoyens et de la loi », soit en prison. Voyant le roi dépouillé de toutes ses prérogatives, les députés royalistes voulurent se rebeller, mais mon père les arrêta par un billet : « Vous augmenteriez le nombre des victimes sans pouvoir m'être utiles, et ce serait un chagrin de plus pour moi. Retirez-vous, je vous l'ordonne, et ne revenez plus ici. » Je comprenais alors ses raisons, mais avec le recul je m'interroge. Quand on se souvient des foules de sacrifiés qui s'ensuivirent, n'aurait-il pas dû agir ? Le sang eût-il coulé davantage ?

À la lueur de chandelles fichées dans des canons de fusil, nous partîmes à pied à une heure avancée de la soirée. Au milieu des piques encore dégouttantes de sang, des cris féroces ajoutaient à l'horreur du tableau. Au couvent des Feuillants, situé à quelques pas rue Saint-Honoré, des cellules avaient été aménagées. Nous mourions de soif et aucun souper n'avait été prévu. Quand je songe que la reine de France fut contrainte d'emprunter quelques louis d'or à l'une de ses servantes, mon cœur saigne. Nos fidèles, qui n'avaient pas le droit de demeurer auprès de nous, fouillèrent leurs poches après lui avoir fourni un peu de linge : « Gardez, messieurs, vos portefeuilles, vous en aurez plus de besoin que nous, ayant, j'espère, plus de temps à vivre », leur dit-elle avec un sourire navré.

Tombant de Charybde en Scylla, nous étions cette fois au bord du précipice : « Je suis donc en prison, déplora mon père, et plus malheureux que Charles Ier d'Angleterre, qui conserva tous ses amis jusqu'à l'échafaud. » Quant à ma mère, elle ne pouvait que se lamenter sur notre sort, trouvant bien cruel et bien amer de constater ce qu'elle nous laissait en héritage : « Tout finit avec nous ! » Ces paroles prémonitoires m'émeuvent toujours, six décennies plus tard…

Nous entendîmes des clameurs provenant de l'Assemblée jusqu'à trois heures du matin. Des possédés tentèrent de franchir les grilles, laborieusement défendues par les sentinelles. Chaque fois que j'y portais les yeux, je croyais être à la ménagerie en voyant la fureur des bêtes féroces derrière leurs barreaux. Leurs hurlements enragés m'épouvantaient. Comment trouver le sommeil alors que Versailles et les Tuileries avaient déjà été forcés ? Ma mère gémissait doucement et son mouchoir était trempé de pleurs. Elle ne put avaler une seule bouchée à son lever.

Le lendemain et le surlendemain, dès sept heures, de retour dans la loge de l'Assemblée pour une nouvelle interminable séance, nous fûmes témoins des applaudissements saluant la décision de créer une cour martiale pour les Suisses qui avaient réchappé à l'attaque – tous furent fusillés dans la foulée. Danton n'évoquait plus le roi ou la reine, mais les « oppresseurs du peuple ».

Un enlèvement de la famille royale par nos fidèles étant redouté, il fallait nous enfermer dans un lieu sûr. Ouvertement révolutionnaire, une Commune insurrectionnelle venait d'être créée sous l'égide de Danton, et c'est au sein de ses membres que nos gardiens allaient être ensuite, chaque soir, tirés au sort. Prenant d'ores et déjà l'habitude de dicter ses décisions à l'Assemblée, cette nouvelle Commune de Paris, épigone autoproclamé de la souveraineté, retint l'enclos du Temple. Il était composé, entre autres, d'un palais et d'une grosse tour féodale désaffectée. À cette évocation, ma mère blêmit et dit tout bas à

Mme de Tourzel qu'elle pressentait que nous serions séquestrés dans le donjon, bien qu'on nous fît croire que nous serions logés dans l'ancien palais. Que de prescience chez ma mère, qui faisait preuve à chaque étape d'une incomparable lucidité...

Elle avait toujours eu une telle horreur pour cette tour qu'elle avait prié mille fois mon oncle Artois, qui résidait dans le palais contigu lorsqu'il se rendait à Paris, de la faire détruire. En 1785, après la naissance de mon frère, un dîner avait été donné dans ce bâtiment médiéval, alors demeure du grand prieur, qui n'était autre que mon cousin et futur mari, Louis-Antoine, duc d'Angoulême. Ma mère, l'incarnation même de la grâce, était alors au sommet de sa popularité, regardée comme une déesse. Le teint de cette grande et belle femme était si éclatant que sa portraitiste, Mme Vigée-Lebrun, se plaignait qu'il ne prît pas l'ombre.

Si mon père se montrait navré qu'elle eût été ensuite en proie aux plus basses attaques et si mal jugée, il pensait qu'un jour les Français lui rendraient justice, disant que, s'ils savaient ce qu'elle valait, à quel degré de perfection elle s'était élevée depuis nos infortunes, ils la révéreraient. Seulement nos ennemis avaient eu l'art, en semant des rumeurs, de changer en haine cet amour dont elle avait été si longtemps l'objet. Ma mère avait d'ailleurs dit à Mme Campan que la calomnie était la plus sûre manière de tuer. « C'est par elle qu'on me fera mourir. »

Heureusement, on laissa auprès de nous les dévoués valets de mon père et de Charles, MM. Hüe et Cléry, et quatre femmes de chambre, puis les époux Tison, qui s'avéreraient bien peu fiables. Notre gouvernante hésitait : devait-elle emmener sa fille, qu'elle avait par sécurité éloignée avant Varennes ? Charles et moi nous jetâmes à son cou : « Oui, donnez-nous notre chère Pauline ! » La seule chose qui nous importait, désormais, c'était d'être ensemble. Nous étions toutes deux enchantées de ces retrouvailles : « Ne nous séparons plus jamais », lui dis-je en l'embrassant. Ses attentions me furent bien précieuses dans ces instants tragiques qui semblaient ne jamais devoir trouver de fin.

À six heures du soir, avant la tombée de la nuit pour que le peuple puisse savourer sa victoire, Pétion et son féal Manuel nous firent monter à onze dans une voiture tirée par deux chevaux seulement, avec l'intention de ralentir la marche et ainsi prolonger notre supplice. S'étant placés avec nous, le chapeau sur la tête, ils criaient : « Vive la nation ! » Nous traversâmes les rues accablés d'injures, encadrés par un millier de soldats portant la crosse en l'air. Nos conducteurs mêmes craignaient beaucoup pour mon père et ne voulurent point que la voiture s'arrêtât. Mais Manuel laissa la populace immobiliser la voiture place Vendôme pour nous obliger à considérer la statue équestre de Louis XIV précipitée à terre et brisée sur ordre de l'Assemblée. « Voilà, dit-il, Sire, comment le peuple traite ses rois. » Tandis que j'avalais péniblement ma salive, mon père, qui masquait son affliction, répondit pince-sans-rire : « Plaise à Dieu que sa fureur ne s'exerce que sur des objets inanimés ! »

Après cette spirituelle repartie, un profond silence se fit. Les visages étaient sombres. À mes yeux, se révolter contre le roi équivalait à contester l'ordre établi par Dieu ! Or toutes les statues de rois de France étaient balayées, même celle d'Henri IV, le bon roi Henri !

Mes parents conservèrent tout du long la tranquillité que seule la bonne conscience peut inspirer. Nous ne rencontrâmes pourtant aucune âme se montrant touchée de notre état, tant les violences inspiraient d'effroi à ceux qui avaient bon esprit.

Il nous fallut deux heures pour arriver dans la cour du Temple, à travers une foule déchaînée. Épouvanté, mon frère regardait de tout côté, puis soudain il s'écria : « Qu'ils sont méchants ! » Ce à quoi mon père répondit : « Non, ils sont égarés. » Maintenant que la terreur s'était emparée du pouvoir, nous étions bel et bien prisonniers de la Commune de Paris. Ce fut la dernière fois que les cochers vêtus de gris nous conduisirent, et cet ultime chemin de croix en famille, parsemé de cris incessants, de figures aux regards haineux, marqua cette fois mon entrée dans le monde des adultes en de bien funestes circonstances. J'étais alors dans ma quatorzième année.

## 5. Le Temple

## « Vous mourrez le premier »

Après les affres de cette géhenne, l'arrivée au Temple, à la nuit, fut presque un soulagement. De multiples lampions illuminaient la façade de l'hôtel du Grand Prieur, comme si une fête se préparait.

Bâti au XIII^e siècle, le Temple renfermait jadis des trésors rapportés de Terre sainte, avant de servir d'arsenal. Philippe le Bel, assiégé, y avait – librement, lui – établi sa résidence au début du XIV^e siècle. Finalement, les chevaliers de l'ordre des Templiers ainsi que ceux de Malte avaient occupé ce lieu. D'une hauteur vertigineuse – cent cinquante pieds, soit deux fois celle de la Bastille – et surmonté de créneaux, le sinistre donjon, carré et fortifié, aux murailles sombres de neuf pieds d'épaisseur, était flanqué de quatre tourelles fort oppressantes car presque aussi élevées. Au nord, une petite tour était accolée à la grande, que jouxtaient encore deux tourelles. À chaque étage se succédaient de lourdes portes avec des verrous, sans compter les nombreux guichets. Ce bâtiment lugubre et écrasant, à l'abandon, sentait le moisi et rappelait des temps barbares.

Charles mourait d'envie de dormir et demanda à se coucher mais, sa chambre n'étant pas prête, il s'endormit sur un sofa. On ne répondit à aucune de nos questions et nous attendîmes longtemps le souper auquel nous ne touchâmes que pour la forme, puis mon frère fut emmené hors du palais. À la lueur des flambeaux, on nous fit traverser la cour encore humide de l'orage qui venait de s'abattre, jusqu'à la tour située à deux cents pas. « Ne vous l'avais-je pas bien dit ? », glissa ma mère à Mme de Tourzel, navrée. Elle rejoignit son fils endormi et pleura en le regardant : qu'allait-il devenir ? La soirée fut ponctuée du chant des sentinelles qui braillaient : « Madame à sa tour monte / Ne sait quand descendra ! »

La petite tour où nous étions provisoirement reclus comptait quatre étages. La pièce du premier faisait office de salle à manger et de bibliothèque. Mon père habitait une chambre au troisième. Au deuxième, ma mère et moi logeâmes d'abord dans une grande chambre azur donnant sur le jardin, avec Mme de Lamballe dans l'antichambre. Puis, mon frère étant souffrant, elle le prit avec elle et je rejoignis ma jeune tante, notre gouvernante et Pauline, dans deux pièces séparées par une cuisine d'une saleté repoussante et remplie de toiles d'araignée, où Manuel avait paru honteux de nous conduire. De hauts plafonds en croisée d'ogive surplombaient d'austères fenêtres aux embrasures si profondes qu'un homme aurait pu s'y étendre. Figuraient çà et là des gravures jugées peu convenables par mon père qui les fit aussitôt retirer, déclarant qu'il ne voulait pas laisser de pareils objets sous les yeux de sa fille.

Imbus de préventions contre le roi, gardé à vue jour et nuit, les gardiens se montrèrent d'emblée très familiers. Ils n'avaient plus aucun respect pour lui, ne disaient plus « Sire » ou « Sa Majesté », mais « monsieur » ou « Louis ». Ils nous tutoyaient, nous appelaient « citoyens ». Un municipal avait dit à notre bon M. Hüe : « Ton maître verra comme on loge les assassins du peuple. » À la fin du mois d'août, les municipaux lui ôtèrent son épée, insulte pénible qui l'affecta vivement, et osèrent fouiller ses poches. Dès lors, il demanda à son valet de ne plus lui présenter ses habits que les poches retournées.

Des gardes armés surgissaient dès notre lever dans nos appartements fermés de l'extérieur. Les repas étaient prestement avalés, en silence, sous le regard des commissaires. Aucune conversation n'était possible ; il fallait surveiller nos paroles. Nous en prîmes l'habitude, mais devoir à chaque instant prendre sur soi était épuisant. Tel Damoclès, je voyais toujours le glaive suspendu au-dessus de nos têtes. Nos surveillants rompaient le pain et sondaient la mie avec leurs doigts pour vérifier s'il ne contenait pas quelque message provenant du dehors. Quel contraste avec Versailles, Saint-Cloud, les Tuileries… Les personnes qui n'ont pas vu de leurs propres yeux la dureté de notre prison ne peuvent se la représenter. Moi-même qui en ai tant souffert, j'ai encore peine à le croire.

Pétion avait envoyé comme geôlier le monstre qui avait forcé la porte de mon père le 20 juin précédent pour l'assassiner. Cet homme à l'horrible figure, avec de longues moustaches et un bonnet de poil noir, essayait de le tourmenter de toutes les manières. Tantôt il entonnait *La Carmagnole* et mille autres horreurs, tantôt il envoyait chanter la sanglante sérénade révolutionnaire *Ça ira* sous ses fenêtres. Sachant que mon père n'aimait pas l'odeur de la pipe, il lui en soufflait une bouffée sur son passage, provoquant ainsi les rires gras des autres. Nous étouffions sous un déluge de mortifications de toute nature.

Ces mauvaises manières ne laissaient pas de m'étonner, mais je ne me souciais que de ma propre tenue, que je copiais sur celle, en tout point digne, de mes parents. Ma mère en imposait par son calme ; c'était rarement à elle qu'on osait adresser la parole. Consigne nous avait été donnée de ne répliquer en aucun cas : « Je m'abaisserais, disait mon père, si je paraissais sensible à la manière dont on me traite. Si Dieu permettait qu'un jour je reprisse les rênes du gouvernement, on verrait que je sais pardonner. »

Maigre consolation : cette claustration nous protégeait de nouvelles attaques. Après les craintes endurées, nous réussîmes à retrouver le sommeil. Pétion venait nous visiter et semblait étonné de notre résignation, surtout celle de mon père qui s'en remettait à Dieu depuis qu'il était déchargé de ses écrasantes responsabilités. Nous étions reconnaissants envers nos dévoués serviteurs, et nous ne nous privions pas de le leur faire savoir à chaque attention réitérée. Pauline fut aussi pour moi, hélas ! peu de temps, une compagne apaisante. Nos distractions étaient rares, mais elle en avait imaginé une : assise sur un tabouret en cœur, elle faisait tourner une petite toupie en ivoire, organisant des joutes – c'était à celui qui la ferait tourner le plus longtemps. Cela avait le don d'amuser mon frère et donnait aux joueurs l'occasion de se pencher sur la table de manière à pouvoir échanger quelques paroles à voix basse.

Pauline profita d'un bref moment d'intimité pour me raconter ce qui s'était passé le 10 août après notre départ des Tuileries, et comment elle avait échappé au carnage. Restée seule au château, elle s'était attachée à la bonne princesse de Tarente, dame du palais. Après notre départ avait commencé une canonnade ; les balles sifflaient d'une manière effrayante. Les carreaux cassés et les fenêtres brisées provoquaient un vacarme épouvantable. Elles décidèrent alors de se réfugier dans l'appartement de la reine. À peine installées, elles avaient entendu des cris affreux dans une chambre voisine, et un cliquetis d'armes annonçant que le château était forcé.

Après un temps qui leur parut interminable, de bonnes âmes les avaient aidées à sortir, mais elles durent pour ce faire passer sur les corps du garçon de chambre et d'un des valets de ma mère qui, n'ayant jamais voulu abandonner la chambre de leur maîtresse, furent victimes de leur attachement. Car entre-temps les corridors, les appartements, les moindres réduits avaient été arrosés de sang et encombrés de cadavres aussitôt dépouillés et mutilés, leurs lambeaux portés en triomphe. La cruauté des assassins avait épuisé sur leurs victimes tous les genres de torture. Parvenues hors des Tuileries, elles avaient aussitôt été tenues en joue. Pour la première fois de sa vie, elle avait eu peur car cette sauvagerie abominable n'avait aucun frein. Il leur avait fallu ensuite traverser toute la place

Louis-XV, au milieu des morts et des agonisants – Suisses ou malheureux gentilshommes. Aidées par un complice, elles avaient enfin pu se rendre dans la famille de Mme de Tarente. Ce récit me serra le cœur car il confirmait les craintes que nous avions conçues. Les fidèles n'ayant point voulu céder malgré les ordres l'avaient payé de leur vie.

À la mi-août, il y eut des messes basses inquiétantes. On vint arrêter Pauline et sa mère ainsi que cette malheureuse Mme de Lamballe. Ma mère se précipita dans la chambre de sa douce amie aux yeux gris dont elle se sépara avec une douleur poignante – toutes deux se doutaient qu'il s'agissait d'un adieu. Elle pleurait sans parvenir à s'arracher des bras de celle qu'elle appelait « mon petit cœur » et qu'on disait fort sensible, délicate à souhait. Comment alors imaginer la terrible fin d'une femme si bonne ?

Avec une inégalable prescience, ma mère glissa à Mme de Tourzel de bien vouloir prendre la parole autant que possible afin d'éviter à Mme de Lamballe d'avoir à répondre aux questions captieuses. Puis elle les regarda partir, interdite, accompagnées de M. Hüe et des femmes de chambre. Charles et moi venions de perdre notre gouvernante bien-aimée et Pauline. Mon père déclara avec son flegme habituel qu'il était résolu à se servir lui-même, tandis que ma mère, accablée, déplorait qu'on veuille nous enlever les personnes qui nous étaient le plus attachées et en qui nous avions mis notre confiance. Elle avait également appris quelques mois auparavant que Gabrielle de Polignac était désespérée de rester sans nouvelles. Comme il ne fallait pas la compromettre en lui écrivant, ma mère m'avait priée de le faire à sa place : « Maman vous embrasse de tout son cœur et me charge de vous dire qu'elle a bien pris part à votre affliction. Quand on perd une amie, on est bien à plaindre. » La pauvre Gabrielle, dépérissant loin de ma mère, mourrut de douleur, en exil, quelques semaines après elle.

Seul le fidèle Hüe, pour qui mes parents avaient tant d'égards, revint au Temple, mais fut de nouveau arrêté peu après. Il nous informa que Mmes de Lamballe et de Tourzel avaient été conduites après un interrogatoire éprouvant, de nuit, en partie debout, à la prison de La Force. Elles y furent d'abord séparées, chacune dans un cachot. Au tribunal, notre gouvernante s'était défendue en plaidant qu'elle n'avait fait que son devoir, ayant juré au roi de ne jamais quitter le Dauphin. Elle eut, sans aucun doute, beaucoup de chance qu'on lui laissât la vie sauve. Comme elles étaient parties sans bagage, ma mère prépara elle-même leur cassette, y joignant la moitié de sa flanelle anglaise ainsi qu'une robe de Mme Élisabeth pour Pauline, remise à sa taille. Celle-ci me dira plus tard l'avoir conservée toute son existence avec un respect presque religieux.

Nous étions totalement isolés. À compter de ce moment, par une suite fatale, ma famille n'aurait de cesse de se réduire comme une peau de chagrin.

Comme il y avait toujours des partisans pour crier « vive le roi ! » et que nos geôliers redoutaient une évasion, on nous encoffra davantage : abords interdits, murs et grilles renforcés, enceinte surélevée, édification de murets supplémentaires, arbres de la cour abattus pour une surveillance permanente et directe…

Des abat-jours furent aussi ajoutés aux fenêtres déjà très hautes, de sorte qu'il était impossible de voir autre chose qu'un carré de ciel. Enfin, près de trois cents gardes nationaux furent placés en faction tout autour.

Dorénavant, je dormais avec Mme Élisabeth et ma mère avec Charles. Nous étions séparés par une petite pièce où se tenaient un municipal et une sentinelle. Nous montions tous les matins chez mon père pour déjeuner, après quoi nous redescendions tous chez ma mère où nous passions la journée. L'ameublement était confortable, la table convenable, du moins les premiers mois : potages, entrées, rôtis, compotes, entremets, desserts, vin – pour mon père uniquement, bien qu'il le coupât de beaucoup d'eau ; lui seul observait le jeûne les jours prescrits par l'Église.

J'ai découvert depuis, non sans surprise, qu'un rapport fait à la Commune nous avait rendus responsables de la disette publique. Si les denrées renchérissaient, c'était parce que « les anthropophages de la tour du Temple » consommaient, osait-on affirmer, cent livres de bœuf par jour, sans compter les « mille cinq cent quarante-quatre livres quinze sous de volailles » ! Or il me semble que, si mon père avait un solide appétit, la sobriété de ma mère était bien connue. Depuis toujours elle soupait d'un bouillon, accompagné d'une aile de volaille et d'un verre d'eau, dans lequel elle faisait tantôt râper un peu de sucre, tantôt tremper de petits biscuits.

Pour toute garde-robe, mon père avait deux habits havane à boutons dorés qu'il portait l'un après l'autre. Ma mère en arrivant possédait seulement quatre chemises, quatre jupons, un peignoir et quelques tours de gorge.

Puisque nos amis étaient considérés comme des traîtres, tout courrier était interdit, ainsi que les visites. Avant son arrestation, Pauline nous avait d'ailleurs aidées, ma tante et moi, à faire disparaître une lettre de huit pages en avalant elle-même les deux dernières.

Le matin, mon père continuait de donner à Charles une leçon de géographie : quiconque y aurait assisté se serait ému de tout ce qu'il trouvait à dire de sensé, de cordial, de tendre, à la vue de la carte de la France déployée devant lui. Tout dans ses paroles dénotait l'amour qu'il portait à son royaume. Ma mère, elle, se chargeait de nous apprendre l'histoire et nous faisait réciter des poèmes, ma tante étant dévolue au calcul – nos surveillants croyaient que c'étaient des messages chiffrés. De même, lorsque ma mère me préparait des extraits, ils regardaient par-dessus mon épaule, pensant que c'étaient des conspirations ; même les tapisseries étaient prises pour des hiéroglyphes ou des caractères magiques ! Ces exercices nous occupaient jusqu'à onze heures.

Quel que soit le temps, une première promenade s'imposait ; prendre l'air était indispensable à l'âge et à la santé de mon frère. À deux heures nous prenions notre repas dans l'appartement de mon père ; le poêle n'était plus orné de fleurs de lys, mais de la devise « Liberté, égalité, fraternité ». Un jour, relisant les Droits de l'homme placardés sur un mur et encadrés dans une bordure aux trois couleurs, mon père dit en soupirant : « Ce serait beau si cela pouvait s'exécuter… »

L'après-midi, le temps s'écoulait, monotone : trictrac, jeu de dames, échecs ou piquet pour mes parents, puis tapisserie pour ma mère et lecture pour mon père.

Vers cinq heures, ce dernier accompagnait Charles en promenade, car il craignait un enlèvement. Il le faisait jouer avec un ballon dans l'allée bordée de marronniers, tandis que Cléry, resté au service de mon frère, l'entraînait à la course. Ma mère, ne supportant plus les charrettes d'insultes des gardes et des ouvriers, avait renoncé à sortir. L'un d'eux avait déclaré vouloir la décapiter avec ses outils.

Un jour, après une de ces longues sorties, Mme Élisabeth entonna une ariette en me proposant de chanter avec elle. Je m'y refusai obstinément, étant peu d'humeur au divertissement et estimant inopportun de manifester de l'enjouement, en particulier sous le regard des municipaux. Sur ces entrefaites, ma mère entra et ma chère tante lui raconta le refus qu'elle venait d'essuyer de ma part, ajoutant : « Votre fille aura de la tête, et bien de la tête, je vous assure… » Avec la maturité, j'ai compris qu'elle avait cherché à m'égayer, mais la sincérité ne s'aliène pas, surtout quand elle est la seule liberté qui vous reste.

En fin de journée, Charles travaillait de nouveau jusqu'au souper, après quoi ma mère le couchait puis mon père allait l'embrasser, non sans nous avoir fait deviner quelques énigmes. Alors Mme Élisabeth s'emparait d'un livre de piété, parfois lu à voix haute à la demande de ma mère, et s'adonnait à de grandes méditations. La bibliothèque, celle des archives de l'ordre de Malte, renfermait principalement des auteurs latins. Mon père s'occupait en traduisant Horace afin d'initier son fils à cette langue qu'il prisait tant.

Il a lui-même calculé que, pour remplir son « existence de chartreux », il avait lu très exactement, du 13 août 1792 au 21 janvier 1793, jour de sa mort, deux cent cinquante-sept ouvrages, dont les *Annales* de Tacite qu'il consultait souvent et dans lesquelles il nota quelques remarques frappantes en rapport avec sa situation. Sans nul doute, ses yeux sont tombés sur ces mots : « Les bienfaits qui deviennent trop grands sont payés de haine. » Au début de son procès, j'avais aperçu un volume de Virgile sur sa cheminée. Figuraient aussi les *Fables* de La Fontaine et les titres demandés pour le Dauphin – dont Montesquieu – à qui il faisait la lecture. Il lisait aussi le Tasse en italien, en particulier *La Jérusalem délivrée* qui avait sa faveur, mais était surtout magnétisé par l'*Histoire de l'Angleterre* due à Hume – dévorée cette fois dans la langue de Shakespeare –, qui racontait notamment l'effroyable décapitation de Charles Ier à la hache. Il lisait et relisait *L'Imitation de Jésus-Christ*, ouvrage plus philosophique que religieux et immense succès. Un jour, il s'empara du premier tome des *Études de la nature* de Bernardin de Saint-Pierre et ne put s'empêcher de nous donner lecture de l'éloge au roi qui y figurait :

« Ah ! Si un seul homme peut être sur la terre l'espoir du genre humain, c'est un roi de France. Il règne sur son peuple par l'affection, son peuple sur l'Europe par les mœurs, l'Europe sur le reste du monde par la puissance… Il peut descendre vers ses sujets, ou les faire monter vers lui… Ô Louis XVI… Vous avez détruit les restes de l'esclavage féodal, adouci le sort des malheureux prisonniers ainsi que les punitions militaires et civiles, donné aux habitants de quelques provinces la liberté de répartir entre eux les impositions nationales, remis à la nation les droits de votre avènement à la Couronne… Tandis que d'une main vous aidiez les infortunés de la nation, de l'autre… vous appeliez une partie des Américains à la liberté… Votre nom sera un jour évoqué par les malheureux de toutes les nations… Ils le présenteront comme une barrière à leurs tyrans. »

Dans de si malheureuses circonstances, qu'il fut bienfaisant de savourer un texte de cette teneur !

Pour ma part, je me souviens des *Mille et Une Nuits* et d'œuvres telles que *Cécilia* ou *Evelina*. Cette dernière, due à Fanny Burney, narre l'histoire de la fille d'un aristocrate anglais élevée loin du monde jusqu'à l'âge de dix-sept ans. J'aurais tout le loisir de me la remémorer quelques années plus tard, alors que, moi-même entièrement isolée, j'allais atteindre cet âge.

Cette période plus calme ne dura pas, car nous fûmes ensuite placés sous la coupe d'Hébert, l'enragé, le grimaçant, l'ordurier Hébert, le plus extrémiste de tous les Jacobins. Fondateur de la feuille *Le Père Duchêne*, flattant les plus bas instincts pour complaire au peuple dont il n'était pas, il parlait de « l'ivrogne et sa grue » pour désigner mes parents. En toute occasion, il faisait pauvrement rimer « bougre » et « f*… (outre) » dans une diarrhée verbale insane. Se déclarant « gardien de la ménagerie du Temple », il nous rendait visite chaque semaine, terrorisant les municipaux qui ne regardaient point, eux, le roi comme un « rhinocéros écumant de rage », mais comme un inoffensif et doux père de famille dont la fille lui sautait au cou le soir pour lui souhaiter une bonne nuit. Les gardiens s'obligeaient à davantage de sévérité pour satisfaire le vrai tyran, à qui ma mère refusait de parler. D'ailleurs, quand on lui demandait si elle avait des motifs de plainte, elle se contentait de répondre par la négative. Eux qui pensaient devoir surveiller une écervelée capricieuse et vaniteuse découvrirent une femme à fleur de peau, discrète et digne. Quelque ton qu'ils prissent à notre endroit, nous adressions la parole à nos geôliers avec tant de respect et d'amabilité que d'aucuns s'adoucissaient.

À la fin de l'été, les armées alliées progressèrent, ce qui échauffa les esprits des Républicains les plus acharnés. La secte furieuse des Jacobins multipliait les appels à ce qu'ils nommaient « l'épuration » des Royalistes. Le clergé émigrait en masse. En Vendée, la guerre civile tant redoutée par mon père commençait sans qu'il en soit informé. Aussi, lorsque le tocsin avait sonné, nous étions-nous interrogés : allions-nous bientôt être délivrés ? Certes les journaux nous étaient interdits, mais Cléry parvenait à nous faire passer des nouvelles par Mme Élisabeth. Il parlait à voix basse lorsque mon frère et moi jouions bruyamment au volant pour tromper la surveillance.

Un commissaire de la Commune s'annonça et décida par pure vengeance d'arrêter Hüe. Tout enflammé de colère, il menaça mon père : « L'ennemi est à nos portes. S'ils viennent nous périrons tous, mais vous mourrez le premier ! », ajoutant que mon frère seul lui faisait pitié, mais qu'étant né d'un tyran il devait mourir. Un de ses comparses renchérit : il brandit son sabre en rugissant que si les alliés arrivaient ils tueraient mon père en faisant un boulet de canon de sa tête. Nous poussâmes un cri d'effroi en nous rapprochant les uns des autres, tandis que Charles fondait en larmes en s'enfuyant. J'eus toutes les peines du monde à le consoler.

Pour la seule fois de ma vie, je crus voir mon père vaciller, lui qui se faisait fort de rester de marbre en toute circonstance. Ses yeux se gonflèrent de larmes, mais il se reprit vite car il lui fallait se justifier. Ces hommes pensaient que le roi de Prusse tuait les soldats français par un ordre signé « Louis » ! Comme ils inventaient sans cesse les calomnies les plus absurdes, mon père les pria de ne point accréditer celle-ci dans l'opinion. On voit par là combien il était malaisé de les convaincre que nous étions distincts de la progression des troupes coalisées. Telles étaient les scènes que ma famille essuyait chaque jour et, bien que leur sévérité augmentât sans cesse, nous trouvâmes pourtant deux municipaux qui adoucirent les tourments de mes parents en montrant de la sensibilité, et en leur donnant de l'espérance. Je suppose qu'ils n'y ont pas survécu.

Le 3 septembre, alors que Manuel avait affirmé à mon père que Mme de Lamballe se portait bien, nous entendîmes des cris terribles, accompagnés d'injures adressées à ma mère. Comme souvent, mes parents jouaient au trictrac pour se donner une contenance, et surtout pouvoir échanger quelques mots sans être écoutés. Des gardes se présentèrent, demandant qu'ils se montrent à la fenêtre, tandis que les municipaux s'y opposaient, fermant aussitôt fenêtres et rideaux. Comme mon père demandait ce qui se passait, un garde lui fit cette froide réponse du ton le plus grossier : « Eh bien ! *Monsieur* [Monsieur !], puisque vous voulez le savoir, c'est la tête de Mme de Lamballe qu'on veut vous montrer. »

Ma mère demeura glacée d'horreur, tituba et s'évanouit. En pleurant, mon frère et moi cherchâmes, par nos caresses, à la ranimer. C'est, et j'y insiste, le seul moment où sa fermeté l'a abandonnée. Après avoir sauvagement assassiné son amie, prétendait-on maintenant présenter sa tête et ses boyaux jusque sous nos croisées ? Mon père se fâcha : « Nous nous attendons à tout, mais vous auriez pu vous dispenser d'apprendre à la reine un malheur aussi affreux. » Le vacarme ne cessa qu'après deux heures atroces.

Les détails de ce qui advint sont connus. Au matin, Mme de Lamballe fut tirée de son cachot. Comme elle refusait, entre autres, de jurer haine à la reine, le monstrueux Hébert, véritable Caligula, la lâcha dans l'arène en ordonnant : « Élargissez madame ! » Elle fut exterminée, d'abord égorgée puis décapitée. On lui arracha le cœur, on lui ôta ses vêtements, on délaissa sa dépouille mutilée plusieurs heures durant, tandis que sa tête était promenée par une foule ivre de haine, de rage et d'alcool jusque dans la cour du Temple, afin que nous puissions constater ce qu'était devenue la « saphique » amie de la reine. L'emblème de sa féminité avait été tranché, faisant office de moustache, dans l'intention de forcer ma mère à « baiser la tête de sa p... ». Le corps nu, éventré, fut exposé : l'un des ogres avinés tenait la tête au bout d'une pique tandis qu'un autre barbare avait accroché à la sienne, tel un croc de rôtisseur, les entrailles de la pauvre femme après les avoir saisies à pleines mains puis triomphalement exhibées.

Un municipal était parvenu à contenir la horde sauvage pour que nous ne soyons pas témoins des attributs de leur forfait, ce dont mon père le remercia : « Vous nous avez sauvé la vie ; vous n'avez dit que ce qu'il fallait dire dans une telle circonstance. » Cet homme avait eu l'idée de placer son ruban tricolore devant les criminels tout en leur demandant s'ils oseraient franchir ce symbole sacré, et, par miracle, cela avait suffi. Mais les cannibales avaient traîné jusque-là, par les jambes, un corps sans tête et étripé. On avait permis aux monstres de faire le tour du Temple avec la tête aux longs cheveux blonds et bouclés à la seule condition de laisser la dépouille à la porte. Un jeune homme, saisi d'horreur, se trouva mal et se fit gronder de ne pas se réjouir devant ce spectacle. Les bourreaux lâchèrent alors des imprécations abominables. C'est à ce moment que nous avions été alertés.

Depuis qu'elle avait repris connaissance, ma mère était restée debout, immobile. Se ressouvenait-elle des joyeuses parties de traîneaux partagées avec la future martyre, vêtue comme elle de fourrure, au plus fort de l'hiver 1776 ? Ou de la bague à chaton de pierre bleue renfermant une mèche de cheveux et portant l'inscription : *Blanchis par le malheur* qu'elle lui avait donnée à son départ et qu'on retrouva sur ses restes ?

Au son sinistre des tambours qui battirent toute la nuit, ma malheureuse mère ne put s'endormir et nous entendîmes ses sanglots de désespoir jusqu'à l'aube.

Cette amie fut une des premières victimes des massacres de septembre, de sinistre mémoire. Cette saturnale inaugurait le règne en France de l'immolation journalière de tout ce qui était royaliste, ou même chrétien. On a dit que seule la peur de l'invasion étrangère avait mobilisé ces âmes devenues soudain animales, mais il ne faut pas être grand clerc pour y voir une démonstration de force des Jacobins dont la volonté était d'épouvanter la population, mais également d'écarter leurs rivaux girondins, favorables à un apaisement.

En vérité, tous les principes de morale et de liberté posés étaient aussitôt violés avec une audace et une fureur inouïes. C'était au moment où se proclamait la plus libre des Constitutions que les attentats les plus horribles contre la liberté et l'humanité se multipliaient. Le chaos triompha : l'aristocratie fut cette fois torturée et massacrée. La persécution des prêtres, les emprisonnements arbitraires, les accusations sans preuve devinrent l'ordinaire. La lie de la nation bouillonnait violemment et l'on eût dit que rien ne pouvait calmer l'effervescence des passions. Seuls ceux qui se rappellent les écrits sanguinaires publiés dans ce temps-là peuvent se faire une idée des supplices endurés par des honnêtes gens.

Lorsque la barbarie se découvre, elle ne se peut contenir : déluge de sang et montagnes d'ossements, tel fut le legs des meutes d'enragés qui pénétrèrent sauvagement dans les prisons, hospices, couvents ; prêtres réfractaires, nobles, fous, tout était bon pour le viol, la torture et les coups de hache.

Aussitôt après, la république fut si bruyamment proclamée que la joie féroce de la foule nous parvint jusqu'au Temple. En ce 21 septembre 1792, la Convention venait d'abolir la royauté à l'unanimité. Cette nouvelle ne fit pas sortir mon père de son atonie. Et lorsque les commissaires vinrent, au son des trompettes, en informer officiellement celui qu'ils ne désignaient plus que sous le nom de « Louis le Dernier », ils purent constater que le « ci-devant » roi était devenu hermétique aux outrages comme aux humiliations. Il continua de lire son livre et aucune altération ne parut sur son visage. Il réagit toutefois à l'appellation « Louis Capet » en précisant avec calme et une légère froideur que seuls ses ancêtres avaient porté ce patronyme.

Nonobstant demeuraient l'homme et, partant, le symbole. Pour certains extrémistes, c'était encore trop. Le redoutable abbé Grégoire disait hautement que les dynasties n'avaient jamais été que des races dévorantes qui ne vivaient que de chair humaine. Pourtant opposé à la peine de mort, il n'hésita pas à applaudir, quelques mois plus tard, au trépas de « celui que nous avons exterminé ». Pour nos ennemis, une seule issue prévalait donc : le procès à seule fin d'exécution.

## 6. Le régicide

### « Non, monsieur, ce n'est pas moi »

À la fin du mois de septembre, les travaux de la grande tour s'achevèrent. Mon père allait y être transféré seul. Cette nouvelle, apprise par un crieur public, annonçait une pénible séparation. Ma mère faillit perdre son courage ordinaire et en éprouva un saisissement dont elle eut peine à se remettre. Le lendemain, très abattue, elle refusa de se sustenter. Les municipaux, troublés par notre morne douleur, nous accordèrent de voir mon père aux heures des repas, nous défendant de parler bas, ou en langues étrangères. Jusque-là nous avions encore eu la consolation d'être ensemble. À présent, on avait décidé de séparer un père de ses enfants, un mari de sa femme. Il ne restait plus qu'à confondre nos lamentations. Simon, qui incarnait à lui seul toute la dualité de la Révolution, maugréa : « Je crois bien que ces bonnes femmes-là me feraient pleurer. » Ajoutant brusquement : « Quand vous assassiniez le peuple le 10 août, vous ne pleuriez point. » Fort désarmée, ma mère lui répondit : « Le peuple est bien trompé sur nos sentiments… »

Nous suivîmes finalement mon père dans la grande tour le mois suivant. Au deuxième étage, une chambre au papier jaune semé de fleurs blanches lui était réservée, ainsi qu'à mon frère ; une autre était prévue pour Cléry. Ma mère, ma tante et moi fûmes placées au troisième. Nous y avions chacune une chambre.

L'impuissance nous gagnait, et le silence s'installait. Nous entendions mon père faire les cent pas. À quoi bon nous lamenter sur nos malheurs ? Cela n'aurait fait que les aggraver. L'espoir n'était plus de mise, même pour nous, les enfants, condamnés à vivre dans la pénombre.

Pétion, qui ne voulait pas la mort du roi, avait évoqué la possibilité de l'enfermer à vie au château de Chambord, tout en interdisant au Dauphin de se marier. Charles était parfois réveillé la nuit car les gardiens voulaient s'assurer de sa présence. Imagine-t-on la stupeur et l'effroi d'un enfant de son âge brutalement tiré de son sommeil par des hommes hostiles, et sans compassion aucune ?

Au début de l'hiver, le nombre de surveillants, ou plutôt de malveillants, fut doublé. On nous retira les couteaux, les ciseaux, enfin tous les objets tranchants, comme on procède avec les criminels. Mon père n'avait donc plus l'heur de se raser. Le lendemain, ma mère tomba malade et ne put de nouveau rien avaler de la journée. Le soir, le fidèle Turgy, qui avait réussi à se faire embaucher dans les cuisines du Temple, lui présenta un bouillon. Apprenant que la femme de Tison était également mal en point, elle demanda qu'il lui en fût également porté. Après quoi on lui refusa le sien. Ce comportement peu vertueux tranchait avec celui de ma mère qui m'obligeait par exemple à faire une révérence devant le gardien. Lorsque mon frère se dispensait de le saluer, elle lui disait d'un ton sévère : « Mon fils, retournez, et saluez monsieur en passant devant lui. » Charles était alors en parfaite santé ; ses saillies et son enjouement annonçaient le plus heureux caractère. À un municipal qui lui disait : « Sais-tu bien que la liberté nous a rendus tous libres, et que nous sommes tous *égal* ? », cet esprit précoce répondit avec cet art de la repartie qu'il tenait de notre père : « Égal tant que vous voudrez ! Mais ce n'est pas ici que vous nous persuaderez que la liberté nous a rendus libres ! »

Un des gardiens, Lepître, raconta son impression la première fois qu'il nous vit, et ses mots apaisent encore aujourd'hui mon cœur. Déplorant que notre « auguste famille » ait été victime des complots les plus affreux, privée de la liberté et exposée à tous les outrages, il considérait mon père comme le meilleur des rois et regardait mon frère, naguère rejeton d'un trône qui paraissait inébranlable, comme n'ayant plus d'autre héritage que l'infortune de ses illustres parents ; enfin, il ne voyait en moi qu'une jeune princesse associée aux malheurs de sa famille.

Ce gardien, qui boitait fortement, et un autre, nommé Toulan, essayèrent de tirer quelques notes du clavecin situé à l'entrée de la chambre de Mme Élisabeth, mais cela se révéla impossible. Ma mère profita alors de cette occasion pour leur dire qu'elle aurait désiré se servir de cet instrument afin de continuer mes leçons, mais qu'on ne pouvait en faire usage dans l'état où il était, n'ayant pu obtenir qu'on le fît accorder. Le soir même, nos vœux étaient exaucés et nous pûmes jouer ce morceau de Haydn qu'elle appréciait beaucoup, *La Reine de France*. Il nous tira des larmes. « Que les temps sont changés ! », s'écria ma mère. Pensait-elle à cet air de Gluck, *Ah ! Si la liberté me doit être ravie*, qu'elle jouait à Trianon et qu'elle affectionnait tant ?

Je voudrais m'attarder un instant sur Toulan. Cet enragé du 10 août, décoré pour avoir attaqué les Tuileries, avait finalement pris notre famille en pitié. Il demanda pardon à mon père et figura ensuite parmi nos plus inconditionnels soutiens. Cet homme juste s'était résolu à adoucir notre triste sort par ses soins attentifs. Il le paya, lui aussi, de sa vie.

Huit jours avant mon anniversaire, nous fûmes inquiets du tambour qui battait, accompagnant la garde qui arrivait au Temple. Le 10 décembre 1792 marqua le début du jugement de mon père par la Convention. On lui signifia le décret qui ordonnait sa comparution à la barre pour un interrogatoire.

Pour l'heure, on lui donnait la permission de voir ses enfants, mais point sa femme : « Voyez dans quelle cruelle alternative ils viennent de me placer ! », s'écria-t-il devant Cléry. Il fit savoir que, quelque plaisir qu'il eût à être en notre compagnie, la situation ne lui permettait pas de s'occuper de son fils. En outre, il jugeait que je ne pouvais quitter ma mère, sentant tout le chagrin que cela lui causerait. Restait à consentir ce nouveau sacrifice – je restitue ici le mot qu'il a lui-même employé.

Jusqu'à la veille de son exécution, il fut totalement isolé. Torture accentuée par le fait que, le Temple étant sonore, il entendait l'écho de nos pas. Je me sentais écartelée, moi aussi, mais je comprends aujourd'hui qu'il devait en priorité préparer son procès. À cet effet, il demanda des avocats, du papier et de l'encre, ainsi que des rasoirs pour se faire la barbe. Ses conseils, MM. de Malesherbes, de Sèze et Tronchet, se rendirent auprès de lui. Il les remercia d'assurer sa défense, leur précisant qu'ils allaient risquer leur vie sans sauver la sienne.

J'appris aussi par Cléry qu'il avait pleuré de ne pas être à mes côtés à l'occasion de mon anniversaire. Ce matin-là, 19 décembre, il dit à ce fidèle, avec un ton faussement détaché afin de mieux enfouir sa déconvenue : « Il y a quatorze ans que vous avez été plus matinal qu'aujourd'hui. » Cléry m'a raconté que mon père avait ajouté, très ému et attendri : « C'était le jour où naquit ma fille ; aujourd'hui, son jour de naissance, et être privé de la voir !... » Puis ses larmes avaient coulé. Quant à moi, je fêtai – compte tenu des circonstances, le mot est impropre – cet anniversaire en prison et pour la première fois en l'absence de mon père, qui m'avait fait passer le seul cadeau dont il pouvait disposer : un almanach républicain.

Mme Élisabeth et moi refusions de quitter ma mère, alors accablée d'une douleur intense. Elle nous força à nous coucher et garda Charles pour la nuit, lui laissant son lit et demeurant debout, incapable de trouver le sommeil. Elle tenta tout auprès des municipaux pour avoir des nouvelles du roi. Bien que ce fût la première fois qu'elle daignât les questionner, on ne voulut pas la renseigner. Quelques hommes charitables de la Commune, par leur sensibilité, adoucissaient nos tourments. Ils assurèrent à ma mère que le roi ne périrait pas, et que son affaire serait renvoyée devant des instances qui le sauveraient certainement. Mais celle-ci tremblait sans cesse, étouffée par le chagrin et l'anxiété.

Un crieur public fut payé pour déclamer les gros titres sous nos croisées ; mais cela ne faisait qu'augmenter notre inquiétude. Ma pauvre mère fut ainsi plongée dans des affres de quarante jours.

Parfois, on la persécutait sans raison, par exemple en s'affalant dans son canapé, au nom de l'égalité, ou bien en se chauffant à la cheminée de sa chambre, ou plutôt au tuyau de poêle qui nous enfumait, la laissant transie de froid. Un jour, au début du repas, un rustre nous insulta tant que nous nous levâmes pour échapper à ses grossièretés. Un autre trouvait intéressant de chanter toute la nuit à gorge déployée pour nous empêcher de dormir. Ces sbires se présentaient avec l'intention prononcée et gratuite d'outrager le malheur. Dans ces circonstances, nous mettions un point d'honneur à afficher de l'indifférence.

Plus aucun de nous ne descendait au jardin. Lepître nous apportait des journaux toutes les semaines, cachés dans sa pelisse. Ma mère et Mme Élisabeth les lisaient avidement et les lui rendaient juste avant son départ. Nous pûmes ainsi consulter *L'Ami des lois*. Cette pièce, qui venait d'être interdite au Théâtre-Français, mettait en scène un homme favorable à la Révolution, mais qui en dénonçait les excès. La fameuse réplique faisant référence au procès du roi – « Comment pouvez-vous être accusateurs et juges tout ensemble ? » – était à chaque fois applaudie avec transport par le public. Un des personnages, figurant

Robespierre, y était peint en Tartuffe, ce qui excita bien des polémiques.

Le 1er janvier, le bon Toulan nous transmit les vœux de mon père pour la nouvelle année et, par ce même intermédiaire, nous lui fîmes parvenir les nôtres. Cet usage apparaît, pour l'année 1793, bien amer.

Quelque temps avant la conclusion des débats était parvenue jusqu'à lui une complainte royaliste à succès qui dut lui apporter un léger réconfort et dont je livre un extrait, car elle ne dit que la vérité :

*Ô mon peuple ! Ai-je donc mérité*
*Tant de tourments et tant de peines ?*
*Quand je vous ai donné la liberté*
*Pourquoi me chargez-vous de chaînes ? (bis)*
*[...]*
*Si ma mort peut faire votre bonheur*
*Prenez mes jours, je vous les donne ;*
*Votre bon roi, déplorant votre erreur,*
*Meurt innocent et vous pardonne (bis).*

Je ne m'étendrai pas sur la conduite de mon père à sa comparution. Tout le monde la connaît : sa fermeté, sa douceur, son calme, son courage au milieu des assassins altérés de son sang forment des traits qui ne peuvent s'oublier, et que la postérité la plus reculée admirera encore.

Je retiens cette réponse qu'il fit, les yeux embués, lorsqu'on l'accusa d'avoir fait couler le sang des Français : « Non, monsieur, ce n'est pas moi. » Il ne cherchait même plus à se défendre. À quoi cela eût-il servi ? Il ne pouvait que protéger ses fidèles au prix de quelques mensonges véniels, lui qui était l'honnêteté même.

Alors que la Convention de Robespierre venait de déclarer « Louis traître à la nation française, criminel contre l'humanité », Danton avait annoncé : « Nous ne voulons pas juger le roi, nous voulons le tuer » ; un autre enragé évoquait une bête qu'il fallait « exterminer au plus tôt ». De Sèze proclama, avec la franchise d'un homme libre, qu'il cherchait des juges mais ne voyait que des accusateurs. Il eut le courage de leur dire qu'ils voulaient se prononcer sur le sort de mon père, mais qu'ils avaient déjà émis leur vœu ! « Louis » serait donc le seul Français pour lequel il n'existerait aucune loi ? Qui n'aurait ni les droits des citoyens ni les prérogatives d'un roi, qui ne pourrait jouir ni de son ancienne condition ni de la nouvelle ? « Quelle étrange et inconcevable destinée ! », conclut-il. Avec la plus grande honnêteté, il entreprit de faire la liste de toutes les concessions voulues par le peuple et données par le roi : « Et cependant c'est au nom de ce même peuple qu'on demande aujourd'hui… » Interrompu par des huées, il reprit : « Citoyens, je n'achève pas… Je m'arrête devant l'Histoire ; songez qu'elle jugera votre jugement, et que le sien sera celui des siècles. » On a parfois estimé froide cette plaidoirie, sans savoir que les appels à la sensibilité en avaient été retranchés à la demande expresse de mon père. Il avait précisé qu'il n'était pas de sa dignité d'apitoyer sur son sort et qu'il souhaitait un simple énoncé des faits.

Comme on lui reprochait d'avoir opposé son veto, il répondit que la Constitution lui en donnait le droit. Ce n'était tout de même pas lui qui l'avait rédigée !

L'injustice était patente. Et que dire de notre cousin, le duc d'Orléans, qui s'était affublé du ridicule sobriquet de Philippe Égalité ? Lorsque mon père apprit qu'il avait cru devoir voter sa mort, sa réaction fut sobre. Il s'en déclara seulement « bien affligé ». Par ce dernier acte abject, ce personnage scella une vie de félonie durant laquelle il mit toute son énergie à ébranler le trône. Quand on sait que la mort sans sursis possible s'est jouée à une – une seule ! – voix près, on peut s'autoriser à penser que ce fut la sienne… Le balancier de l'Histoire ne tarda pas à lui infliger un châtiment proportionnel à son crime.

Lorsque Malesherbes, dont l'héroïque vertu sera récompensée par l'échafaud, vint annoncer au roi la sentence de mort, celui-ci l'accueillit avec un sang-froid inaltérable, ne manifestant sa sensibilité que pour redouter le malheur de ceux qui seraient condamnés à lui survivre. Sa voix demeurait ferme, sauf lorsqu'il était question de nous. Là, seulement, sa tendresse se réveillait et ses larmes coulaient malgré lui.

Puis il passa au dernier sujet qui l'habitait en confessant que depuis deux jours il était occupé à chercher s'il avait, dans le cours de son règne, pu mériter de ses sujets le plus léger reproche. « Eh bien, avait-il conclu, je vous le jure, dans toute la sincérité de mon cœur, comme un homme qui va paraître devant Dieu, j'ai constamment voulu le bonheur du peuple, et n'ai pas formé un seul vœu qui lui fût contraire. » Son défenseur ne pouvant se résoudre à baisser les bras, il argua que les scélérats n'étaient pas encore les maîtres, et que toutes les honnêtes gens viendraient le sauver, ou périr à ses pieds. Mon père répondit que cela compromettrait beaucoup de monde, et provoquerait la guerre civile dans Paris, ajoutant tel un saint martyr qu'il aimait mieux mourir. Puis il le pria de leur ordonner de sa part de ne faire aucun mouvement pour le secourir. Voilà comment meurent les rois !

Enfin, mon père livra sa vision à Cléry : le peuple serait victime des factions, et de longues dissensions déchireraient la France. A-t-il pressenti que ce serait, hélas ! le prix de son sacrifice ?

Le 20 janvier, le ministre de la Justice voulut lui signifier lui-même son arrêt de mort. Debout face à lui, il ne put réprimer un mouvement de vive indignation lorsqu'il se vit décrété de conspiration contre la liberté et d'attentat contre la sûreté générale de la nation. Il lui fut assuré qu'il n'y avait aucune charge contre le reste de sa famille et qu'on nous enverrait hors de France. Au moins a-t-il eu la consolation de nous penser à l'abri du danger.

Il n'eut pas à nous informer de son sort, car nous entendîmes les colporteurs derrière l'enceinte du Temple. Ce qui nous parvint était à glacer le sang : « La Convention nationale décrète que Louis Capet... subira la peine de mort... L'exécution aura lieu dans les vingt-quatre heures à compter de sa notification au prisonnier. » Étions-nous le jouet d'un cauchemar ? Dans le court mémoire rédigé à la fin de ma captivité, j'écrivis : « Nous apprîmes la mort [*sic*] de mon père le 20 janvier. » N'était-il pas terrible de consigner ainsi, par ce *lapsus calami*, le fait avant qu'il se produise ?

Alors qu'il recevait son confesseur, l'abbé Edgeworth de Firmont, mon père lui demanda de se retirer, car il avait obtenu, non sans difficulté, le droit de nous voir seuls une dernière fois.

À sept heures du soir, enfin, nous fûmes autorisés à le rejoindre pour une ultime visite. Ce moment cruel, au cours duquel je donnai pour la première fois libre cours à ma douleur, et dont je ne me suis jamais complètement rétablie, n'eut pas de témoins oculaires. Mais cette scène d'adieux déchirante, qui dura près de deux heures, ne nécessite pas une grande imagination pour mesurer combien elle fut tragique.

Nous nous élançâmes dans l'escalier ; ma mère et mon frère pénétrèrent les premiers dans la pièce. Je me souviens encore avec une précision extrême de la robe de toile brune à petites fleurs de ma mère, du châle à franges de ma tante, de la couleur du nœud de ma robe… Nous trouvâmes mon père bien changé, puis nous nous jetâmes dans ses bras. L'abbé Edgeworth, parce qu'il se trouvait dans un cabinet à proximité, put témoigner de l'intensité des cris de détresse que nous poussâmes pendant près d'une demi-heure, si perçants qu'on les entendait dehors. Mais jamais plume ne pourra rendre ce que cette séance eut de plus poignant. Nos lamentations se confondaient. Puis nos gémissements se muèrent en sanglots ; et, lorsque nous n'eûmes plus la force de répandre nos larmes, nous pûmes prononcer quelques paroles, à voix basse, entrecoupées de longs soupirs.

Mon frère, qui allait devenir roi, se tenait entre les jambes de notre père, tandis que nous étions penchées vers lui en le tenant embrassé. Si les Français avaient vu ce touchant tableau de famille, jamais ils n'eussent accepté le sort qu'on lui réservait. Mon père pleura de notre douleur et non de sa condamnation à mort. Il raconta aussi son procès à ma mère. À chacune de ses phrases nos sanglots redoublaient. Lui demeurait calme comme s'il était déjà parti.

Avant de nous séparer à jamais, il prouva une dernière fois sa bonté en nous faisant promettre de ne jamais penser à venger sa mort. Miséricordieux, il avait déjà pardonné à ceux qui le faisaient mourir, mais il désirait provoquer une impression plus forte encore dans le cœur de son jeune héritier. Il le hissa alors sur ses genoux et lui déclara solennellement : « Mon fils, vous avez entendu ce que je viens de dire ; mais comme le serment est encore quelque chose de plus sacré que les paroles, jurez, en levant la main, que vous accomplirez la dernière volonté de votre père. » Mon frère fondit de nouveau en larmes.

À dix heures un quart, il se leva, indiquant par là que le moment de la séparation était venu. Ma mère, qui le tenait par le bras droit, tandis qu'à sa gauche je l'enlaçais par la taille, émit le désir que nous passions la nuit avec lui, mais il refusa, ayant besoin de tranquillité et de recueillement. Nous parcourûmes les derniers pas sans le lâcher, en poussant les plaintes les plus douloureuses. Ma mère demanda à le revoir le lendemain matin. Il le lui promit. (Mais j'ai su depuis que, pour nous épargner une nouvelle fois cette insoutenable épreuve, il avait changé d'avis et prié les gardes de nous empêcher de redescendre, car cela lui faisait trop de peine. Convaincu par son confesseur – « vous avez raison, ce serait lui donner le coup de la mort ! » –, il s'était résolu à se priver de cette douce consolation et à laisser ma mère vivre d'espérance quelques moments de plus.)

Je tombai sans connaissance à ses pieds. Alors que ma tante et Cléry m'aidaient à me relever, voulant mettre fin à cette scène bouleversante, il nous donna les plus tendres embrassements, trouvant encore la force de s'arracher à nos bras. « Adieu ! Adieu !... »

Ma mère défaillit. En remontant, je dus me tenir au mur pour ne pas tomber. Je ne parvenais plus à garder la tête haute. Sitôt après la séparation, mon frère supplia qu'on le laissât aller « demander pardon aux messieurs des sections de Paris » pour obtenir que son père ne meure pas.

Comment fermer l'œil après une si éprouvante séance ? Celui qui allait mourir a semble-t-il dormi, lui, du sommeil du juste, de deux à cinq heures, jusqu'à l'arrivée des tambours. De son côté, ma mère s'était jetée tout habillée sur son lit et nous l'entendîmes toute la nuit grelotter de froid, percluse de douleur et d'appréhension.

Il avait neigé durant la nuit ; un drap blanc semblait façonner le linceul de la monarchie. À l'aube brumeuse de ce fatal 21 janvier 1793, nous entendîmes une grande agitation. Des pas résonnaient. À six heures, on vint brutalement s'emparer d'un missel de ma tante pour la dernière messe du condamné. Puis les battants se refermèrent lourdement. Le roi mon père, qui venait de lire une dernière fois le récit de la décapitation de Charles Ier, n'avait plus que quelques heures à vivre. Avant d'ôter ses hardes, sa montre et son anneau de mariage, il avait chargé Cléry de les remettre à ma mère, en précisant qu'il s'en séparait avec peine, au même moment que la vie.

Au loin, le martèlement des sabots des chevaux, le bruit des armes, le transport des canons et les roulements de tambour se rapprochaient pour nous l'enlever à jamais. À neuf heures, le bruit augmenta encore ; des portes s'ouvraient avec fracas. Puis le son des trompettes s'éleva. Cette fois mon père s'éloigna dans le brouillard et la boue, sans que nous ayons pu le revoir. Il paraît qu'il a longuement regardé par deux fois dans notre direction avant de disparaître pour toujours. A-t-il encore songé à Charles Ier, qui avait pris la précaution de se prémunir contre le froid afin de ne pas trembler en public sur l'échafaud ?

Les sinistres roulements de tambour se firent de nouveau entendre, puis s'éloignèrent lentement ; le silence, atroce, revint. Charles, qui ne pouvait se résoudre à l'inéluctable, suppliait les gardiens : « Messieurs, laissez-moi passer ! Je veux aller au peuple, le supplier de ne pas faire mourir le roi. Ah ! Laissez-moi passer, au nom de Dieu, ne m'en empêchez pas !… »

Les Français allaient-ils se montrer indifférents ? Les monarchies européennes s'opposer ? Nous ne pouvions croire que, sans même sembler s'émouvoir du danger, tous laisseraient un tel crime se commettre de sang-froid. Hélas ! nous ignorions combien une minorité déterminée peut l'emporter sur une majorité terrorisée. Nous avions pourtant espéré que cet argument repris par plusieurs journaux porterait : un roi chassé n'a plus de partisans, un roi tué se métamorphose en victime expiatoire. Charles Ier d'Angleterre s'est réincarné dans les siens. Avant d'être décapité, il avait crié : « *Remember !* »... Et les Anglais se sont souvenus.

L'impuissance dans laquelle nous étions confinés ajoutait encore à notre lamentable état. Nous étions alors plongés dans une terrible attente. Mais à dix heures et dix minutes le son du canon signa son exécution. Il y eut un instant de consternation. Incrédules, nous ne pouvions nous représenter que le régicide était consommé. Seuls les cris de joie nous le confirmèrent. Notre pauvre tante s'écria douloureusement : « Les monstres, ils sont contents à présent ! » Suivirent les sempiternels : « Vive la nation ! » « Vive la république ! » Ma mère étouffait de douleur, mon frère éclata en sanglots, tandis que je jetai des cris de désespoir d'un accent tel que l'on crut que j'avais également trépassé. On venait d'assassiner le roi, mais aussi le meilleur des pères. C'en était fait. Nous ne le verrions plus.

Ma mère, qui reprit ses esprits la première, se leva et alla s'agenouiller devant mon frère : le roi était mort ? Alors vive le roi ! Les révolutionnaires ignoraient-ils que le roi de France ne meurt jamais ? Bien qu'ayant déclaré la royauté abolie, bien que venant de faire basculer Louis XVI sous la guillotine, ils n'avaient gagné qu'une chose aux yeux de ceux qui, méprisant les coups de force, ne respectaient que l'autorité du droit : le nouveau roi de France s'appelait Louis XVII. Toutes les puissances européennes le reconnurent aussitôt, même la jeune république des États-Unis d'Amérique.

En condamnant le roi pour des crimes qu'il n'avait pas commis, on broyait toute une famille, et on punissait un pays qui n'avait jamais réclamé un parti si extrême. La France en éprouva une douleur muette, beaucoup baissant les yeux dans la crainte que l'apparence d'un regret ne devînt un arrêt de mort. Quatre à cinq cents courageux fidèles se révélèrent toutefois prêts à venir délivrer mon père, mais vingt-cinq seulement d'entre eux purent sortir de leurs maisons tant les mesures entourant son exécution étaient fermes.

Si l'on excepte les assassins qui s'étaient emparés du pouvoir, je suis convaincue que l'immense majorité des Français se sont émus du sort du roi. Beaucoup ont pu l'attester sans être démentis. Le jour où mon père perdit la vie fut un jour de deuil pour le plus grand nombre.

À la Commune, seuls deux volontaires avaient levé le doigt pour le mener à la guillotine. Lorsqu'il voulut leur remettre son testament rédigé un mois plus tôt, le jour de Noël, ce qui prouve son absence d'espoir, on lui répondit froidement : « Nous ne sommes pas venus pour prendre tes commissions, mais pour te conduire à l'échafaud. » Grâce à Dieu cet inestimable document rédigé presque sans ratures a été préservé.

Je désire en reproduire quelques lignes pour que les générations futures puissent juger par elles-mêmes l'ampleur de la perte subie :

« Je pardonne de tout mon cœur à ceux qui se sont faits mes ennemis sans que je leur en aie donné aucun sujet. Je prie ma femme de me pardonner tous les maux qu'elle souffre pour moi. Je recommande bien vivement à mes enfants de rester toujours unis entre eux. Je les prie de regarder ma sœur comme une seconde mère. Je recommande à mon fils, s'il avait le malheur de devenir roi, de songer qu'il se doit tout entier au bonheur de ses concitoyens ; qu'il doit oublier toute haine et tout ressentiment, et nommément tout ce qui a rapport aux malheurs et aux chagrins que j'éprouve ; qu'il ne peut faire le bonheur des peuples qu'en régnant suivant les lois ; mais en même temps qu'un roi ne peut les faire respecter et faire le bien qui est dans son cœur qu'autant qu'il a l'autorité nécessaire, et qu'autrement, lié dans ses opérations et n'inspirant point de respect, il est plus nuisible qu'utile. »

A-t-il *in fine*, dans ces dernières paroles, regretté d'avoir privilégié le dialogue en écartant d'emblée tout recours à la force ?

Afin de pouvoir accueillir les vingt mille spectateurs attendus, la guillotine fut dressée pour la première fois sur la plus grande place de Paris, l'ancienne place Royale, rebaptisée alors place de la Révolution, aujourd'hui place de la Concorde. Pour ma part, elle restera la place Louis-XV de mon enfance, celle où un feu d'artifice avait fêté le mariage de mes parents, et surtout la place Louis-XVI après la chute de l'Empire.

L'abbé Edgeworth de Firmont m'a depuis narré, peu avant mon mariage, comment on était venu le chercher la veille de l'exécution, et combien était abominable la commission dont il se voyait chargé. Après leur tête-à-tête, à la surprise générale, mon père dîna peu et tranquillement. Priant ensuite jusqu'à deux heures du matin, cet homme à la conscience sereine avait dormi profondément, déclarant à son réveil qu'il en avait eu besoin car la journée de la veille l'avait fatigué.

Lorsque Santerre, le responsable du massacre des

Tuileries, était venu le chercher, il lui avait d'abord demandé de l'attendre derrière la porte. Il voulait recevoir une ultime bénédiction de son confesseur avant le départ. Après quoi, d'un ton ferme il s'exclama : « Marchons ! » « Quel homme ! avait poursuivi l'abbé. Non, la nature toute seule ne saurait donner tant de forces ; il y a quelque chose de surhumain. »

Surhumain, sans doute, mais non pas inhumain. Lorsqu'il avait vu son confesseur se jeter à ses pieds en arrivant quelques heures plus tôt, sans pouvoir d'abord parler tant ses sanglots l'étouffaient, mon père n'avait pu réfréner ses larmes : « Pardonnez ce mouvement de faiblesse, si toutefois on peut le nommer ainsi. Depuis longtemps je vis au milieu de mes ennemis, lui confia-t-il. Mais la vue d'un sujet fidèle parle tout autrement à mon cœur ; c'est un spectacle auquel mes yeux ne sont plus accoutumés, et il m'attendrit malgré moi. » Lorsqu'il retrouva l'abbé après nous avoir fait ses adieux, il lui dit : « Quelle entrevue que celle que je viens d'avoir ! Faut-il donc que j'aime et que je sois si tendrement aimé ! » Puis il voulut aussitôt se concentrer sur son salut et ne songea plus qu'à prier pour que Dieu le soutienne jusqu'à la fin.

Prêt à mourir et absolument résigné, il supporta les deux heures de trajet cerné d'hommes armés qui concouraient à un crime qu'ils condamnaient peut-être dans leur cœur. Parvenu place Louis-XV, il dégagea lui-même son cou en défaisant son col, mais refusa avec véhémence de se faire lier les mains, regardant cet affront comme mille fois plus insupportable que la mort. « Que prétendez-vous ? demanda-t-il. Me lier ? Je n'y consentirai jamais. Renoncez à votre projet. »

Mais les bourreaux insistèrent. En désespoir de cause, et parce que son confesseur venait de lui faire remarquer ce dernier trait de ressemblance avec le Christ en croix, il accepta de les faire attacher avec un mouchoir pour éviter la corde : « Faites ce que vous voudrez ; je boirai le calice jusqu'à la lie. »

Au pied de son calvaire, cet échafaud aux marches raides qu'il s'apprêtait à gravir d'un pas assuré, son sang-froid ne se démentit pas. Songea-t-il, à cet instant, qu'il était exécuté sur la place qui portait le nom de son grand-père ? Eut-il une dernière pensée pour nous ? S'adressant aux Français qu'il avait tant aimés, la figure rouge, il s'écria : « Peuple, je meurs innocent de tous les crimes qu'on m'impute ! Je pardonne à ceux qui sont coupables de ma mort et je prie Dieu que le sang que vous allez répandre ne retombe jamais sur la France… » Santerre fit sur-le-champ battre les tambours pour étouffer ses paroles cependant qu'on le sanglait. Après la prière des agonisants, l'abbé Edgeworth de Firmont lui avait délivré son fameux et si inspiré : « Allez, fils de Saint Louis, montez au ciel » qui touche au sublime. Ces mots sont-ils apocryphes, comme on l'a prétendu ? Pour ma part, j'aime à croire qu'ils ont été prononcés.

Son corps bascula soudain sous l'échafaud, nouvel autel sacré de la Terreur devant lequel il fut contraint de se prosterner. Dès après la chute fulgurante du couperet, l'aide du bourreau Sanson fit deux fois le tour de la guillotine pour montrer sa tête au peuple. Le sang gicla si loin qu'il en aspergea les premiers rangs. Il paraît que quelques badauds y ont trempé leur mouchoir et que d'autres s'en sont barbouillé le visage.

Ainsi périt Louis le Seizième, roi de France et de Navarre, âgé de trente-huit ans, cinq mois moins trois jours, après avoir régné dix-huit ans et avoir été emprisonné cinq mois et huit jours.

Il ne se faisait aucune illusion sur son sort, puisqu'il avait déclaré à Malesherbes que son sang coulerait pour le punir de n'en avoir jamais fait verser. En butte à tant d'injustice et à la « passion des hommes », comme il l'indique dans son testament, le roi mon père ne fit montre que de grandeur d'âme, d'élégance, et aussi d'une patience remarquable à supporter les plus horribles calomnies et persécutions.

Il savait que, en ne mettant pas davantage de nerf et de sentiment dans sa défense, il contraindrait ses juges à montrer leur vrai visage : celui d'assassins.

Son sort aussi immérité que cruel me révolte. Toute ma vie je ne cesserai de le regretter, car il était impossible de l'aimer plus que je l'aimais. J'aurais d'ailleurs été bien ingrate de ne pas le chérir, tant il me témoignait de tendresse. Sa mort a été une perte irréparable. Avec lui, une partie de moi-même est morte ce jour-là. Certes j'ai survécu, mais convenons que le mot est juste : je n'ai fait que survivre. Plus d'un demi-siècle s'est écoulé, et cette profonde émotion, restée tapie dans les replis de mon âme, parce que je ne l'ai jamais publiquement évoquée, m'étreint toujours. Sa triste fin me fait encore tant de mal que je ne puis tolérer que quiconque l'évoque en ma présence. Chaque 21 janvier, marqué au fer rouge, a pour moi un parfum de mort. Je m'abandonne alors au recueillement pour honorer la mémoire de mon père bien-aimé.

Le fossoyeur a témoigné que le jour de sa mort il était vêtu d'un gilet de piqué blanc, d'une culotte de soie grise et de bas assortis. Sa figure n'était pas décolorée, ses traits n'étaient point altérés, mais ses yeux ouverts semblaient encore reprocher à ses juges l'attentat inouï dont ils venaient de se rendre coupables. Avant d'ensevelir sa dépouille restée à découvert dans la bière, la tête posée entre les jambes, et alors qu'on n'avait pas même pris la peine de lui fermer les yeux, il fut jeté dans une fosse puis recouvert de terre et de chaux vive.

Les détails de ses dernières heures, donnés par son confesseur après ma libération, provoquèrent un ruissellement de larmes inépuisable. Je suffoquais, au bord du malaise. L'abbé, affolé, avait voulu appeler du secours, mais je l'en avais empêché, le priant de me permettre de pleurer sans autre témoin, car ces larmes versées en sa seule présence me soulageaient de son récit. J'avais souvent dû les ravaler pour ne pas accroître la peine de ma mère, ni offrir ce spectacle à nos geôliers.

Dans ses dernières volontés, mon père avait demandé la libération des siens. Or comment obtenir celle du nouveau roi mon frère ? Ne représentions-nous pas des otages de choix pour la coalition, l'Autriche surtout ? Malgré les pressions de Mercy, notre ambassadeur, et Fersen, fou d'angoisse et d'indignation, le pays de ma mère faisait la sourde oreille. La raison d'État l'emportait alors même que la reine de France redevenait, par son veuvage, archiduchesse d'Autriche. Cet abandon était amèrement ressenti. Ainsi ma famille maternelle ne volait point à notre secours, quand bien même nous étions en danger de mort, tandis que les États-Unis d'Amérique dénonçaient le gouvernement français comme un usurpateur et un violeur de toutes les lois.

Ma mère, comprenant qu'elle n'avait plus d'illusions à se faire, demanda seulement à voir Cléry, qui était resté auprès de mon père jusqu'à son départ. Ce dernier, trop affligé, ne parvint à lui remettre ni l'anneau de mariage de mon père ni les mèches de nos cheveux, qui lui avaient été si chers qu'il les avait gardés sur lui jusqu'au dernier moment. Toulan les ayant envoyés à mon oncle Provence, la Providence a permis que ces précieuses reliques me fussent un jour restituées.

Plus tard, dans cette funeste journée du 21 janvier, submergées par le chagrin, nous sanglotions autour d'un guéridon ; un gardien survint et dit doucement à ma mère : « Madame, vous avez à vous conserver pour votre famille. » Parvenant à interrompre ses larmes, elle lui répondit que nous avions entendu le matin tous les apprêts du drame qui se jouait et que, puisque notre malheur était certain, nous désirions avoir des habits de deuil ; elle précisa qu'elle se contenterait des plus simples, soit un manteau de taffetas, un fichu et un jupon assortis et une paire de gants de soie, tous noirs. Cette requête fut acceptée. En revanche, une paire de draps et une couverture lui furent refusées.

Quelques jours après, Toulan et Lepître la découvrirent endeuillée, plongée dans l'affliction la plus profonde. La lecture des journaux firent redoubler ses pleurs, sa peine immense me tirant aussitôt des larmes intarissables. Nos tourments étaient encore accrus par l'impossibilité de savoir quel nouveau tour allait prendre notre destinée. Rien ne pouvait calmer les angoisses de ma mère, dans le cœur de laquelle on ne pouvait plus faire entrer aucune espérance. Du reste, il lui était devenu indifférent de vivre ou de mourir, et elle nous regardait quelquefois avec une pitié qui me faisait tressaillir.

Les gardes pensant qu'on allait nous renvoyer, l'étau se relâcha un peu. On consentit même à faire venir mon médecin habituel, car j'avais une vilaine plaie en suppuration à la cuisse. Déclarée avant la mort de mon père, cette blessure s'était aggravée depuis, me faisant beaucoup souffrir. Mais du moins occupait-elle mon esprit. Le Dr Brunier, très attendri de nous retrouver, ne put placer une parole tant nous l'abreuvions des nôtres. Après auscultation, il prescrivit du bouillon de vipère. On craignit pour ma vie et il me fallut un mois entier pour guérir.

À la fin de février, les gardiens proposèrent de nouveau des promenades. Ma mère refusa, car il fallait passer devant la porte de la chambre de mon père et que cela lui faisait trop de peine. Mais craignant que nous ne manquions d'air elle demanda à monter sur la plate-forme circulaire de la tour. Comme le commissaire qui nous accompagnait semblait avoir bon esprit, elle se hasarda même à l'interroger sur les mesures que pourrait prendre la Convention quant au sort qui nous attendait. Celui-ci répondit que l'Autriche réclamerait sûrement la famille royale, que tout nouvel excès serait une horreur gratuite. Ma mère sembla rassérénée par cette réponse à laquelle elle avait bien envie de croire.

Nous savions discerner ceux qui respectaient nos malheurs. J'ai eu maintes occasions de remarquer que le peuple n'obéit jamais longtemps aux factions : aussitôt que les « bonnets rouges » – c'est ainsi que Chateaubriand surnommait les Jacobins forcenés – avaient pu voir la reine de près, entendre sa voix, ils devenaient ses plus zélés partisans, à quelques notables exceptions près. Plusieurs périrent même pour avoir tâché de la faire sortir de sa geôle ! L'un d'eux confessera beaucoup plus tard être allé jusqu'à me dérober un gant pour le conserver précieusement.

Mais le mauvais esprit surnageait encore. Alors qu'un municipal occupait le siège de mon frère, et que quelqu'un demandait qu'il laissât la place, le grossier personnage répondit : « Je n'ai jamais vu donner ni table ni chaise à des prisonniers ; la paille est assez bonne pour eux. » À cette époque, ma mère commençait de dépérir, au point de devenir méconnaissable. Il fallait sans cesse reprendre ses corsets. La plupart du temps, elle demeurait confinée dans une sorte d'engourdissement mélancolique, comme mon père après les journées d'octobre ou Varennes. Elle jouait avec ses deux brillants et son anneau de mariage, les ôtait, les remettait en place… Cette douleur muette nous laissait interdits, mon frère et moi, et dans l'incapacité de trouver une quelconque parade.

Outre nos fidèles serviteurs, bien d'autres s'intéressaient à notre détresse. Dans mon journal du Temple, je n'avais osé les nommer de peur de les compromettre, car il en allait de la vie de ces personnes dévouées et vertueuses dont le souvenir est gravé dans mon cœur. Ma mère n'appelait plus Toulan que

« Fidèle ». C'est à lui que nous devons une première tentative d'évasion.

Déguisé en allumeur de réverbères accompagné de ses enfants, il devait me vêtir d'un pantalon sale et de souliers grossiers, et me coiffer d'un chapeau pour dissimuler mes cheveux, tandis que Charles aurait été emporté dans une corbeille recouverte de serviettes. Ma mère et Mme Élisabeth auraient porté un costume d'officier municipal. Ces vêtements d'hommes étaient arrivés un à un, ainsi que les écharpes semblables à celles des commissaires de la Commune, sans oublier les cartes d'entrée conformes. *In fine*, ma mère ne put se résoudre à ce que nous sortions en ordre dispersé. Elle préféra prudemment renoncer : « Nous avons fait un beau rêve, voilà tout… », conclut-elle sans regret apparent. Seul l'intérêt de son enfant-roi la guidait.

N'y avait-il donc plus personne pour nous secourir, ni en France ni en Autriche ? C'était sans compter le baron de Batz, une tête brûlée qui avait déjà tenté de soulever une insurrection de la pitié juste avant l'exécution de mon père. Se dressant sabre au clair, il s'était écrié avec audace : « À nous, mes amis, ceux qui veulent sauver leur roi ! » Bien que ce geste chevaleresque fût acte de pure folie, le baron parvint à disparaître dans la foule sans se faire arrêter. Mais ce financier de haut vol, qui avait compris que la corruption gangrenait le camp adverse, avait jugé utile de donner un million de livres pour se faire engager comme soldat affecté à la garde du Temple. Le jour dit, on nous apporta des manteaux puis, à onze heures du soir, nous fûmes toutes les trois déguisées en gardes, fusil à l'épaule, prêtes à nous fondre dans une patrouille de complices, en cachant le Dauphin au milieu de nous. Hélas ! un incorruptible eut vent d'une tentative d'évasion et vint lui-même monter la garde. Tout était perdu. Le baron et ses complices sortirent, tête haute, par la grande porte, tandis que nous restions seuls.

À la fin de l'hiver, pour les récompenser de leur dévouement et des risques encourus, chacun de nous donna une mèche de ses cheveux à Toulan et Lepître. Toulan y fit mettre la devise *Tutto per loro* – « Tout pour eux ». Quant à Lepître, il les fit monter sur une bague accompagnés d'une devise suggérée par ma mère : *Poco ama ch'il morir teme* – « C'est aimer peu que craindre de mourir ».

Excepté de rares moments de légèreté, des tracasseries de tous ordres nous étaient réservées. Quand, un jour, le feu prit dans la chambre de ma mère, nous dûmes dormir dans celle de ma tante, sur des matelas à même le sol. Et lorsqu'elle se risqua à demander une porte de communication on la lui refusa.

Puis Tison et sa femme, sur qui nous croyions pouvoir compter, nous dénoncèrent, disant que des municipaux suspects nous parlaient bas. C'est en vain que mes parents avaient traité ce Tison avec bonté, car rien ne pouvait conjurer une méchanceté naturelle dans laquelle il avait entraîné sa femme. Celle-ci affirmait avoir vu, un jour, un crayon tomber du mouchoir de ma mère, ce qui à ses yeux constituait une preuve accablante que nous avions une correspondance secrète avec l'extérieur ! Quelque temps après, prise de terribles remords, Mme Tison vint se jeter aux pieds de la reine pour implorer sa miséricorde d'une manière très confuse, presque risible. Elle avait manifestement perdu la raison et mourut peu de temps après à l'Hôtel-Dieu.

S'appuyant sur ses dires, Hébert fit perquisitionner nos appartements. Le pauvre Charles dormait quand des hommes l'arrachèrent de son lit. Ma mère le prit dans ses bras, transi de froid. Leur visite s'acheva à quatre heures du matin, mais ils eurent beau fouiller, ils ne trouvèrent qu'un portefeuille rouge, un porte-crayon, un bâton de cire et, chez Mme Élisabeth, un vieux chapeau de mon père. Furieux de n'avoir rien découvert, ils me confisquèrent un Sacré-Cœur de Jésus et une prière pour la France. Aussi surprenant que cela paraisse, je priais encore pour mon pays, malgré sa folie meurtrière. Puis ils interrogèrent ma tante sur ledit chapeau. Elle répondit qu'il lui avait été donné par son frère et qu'elle l'avait toujours conservé par amour, aussi s'empressèrent-ils de le lui extorquer. Elle eut beau insister pour le reprendre, ils se montrèrent inflexibles et il fut perdu à jamais.

Nos commandes furent dès lors limitées au strict minimum et les mesures de sécurité renforcées. Personne n'était autorisé à converser avec nous. Sans doute Hébert se rendait-il compte que le charme de la reine avait opéré sur ses surveillants, complices, parfois, pour apporter des nouvelles de l'extérieur, pour faire passer des messages rédigés avec du jus de citron – visibles ensuite à l'aide d'une chandelle. Même si nos fournitures étaient contrôlées, on n'empêchera jamais le remplacement d'un bouchon de carafe en papier par un message roulé ou de mettre de la cire à cacheter dans une bobèche.

Mme Élisabeth avait, pour sa part, mis en place un ingénieux système de signes, qui avait en particulier servi en septembre 1792. Voici les instructions qu'elle avait fait parvenir à Turgy, resté plus d'un an au Temple, et que celui-ci m'a communiquées depuis :

« Pour les Anglais sur mer, portez le pouce droit à l'œil droit ; s'ils débarquent du côté de Nantes, portez-le à l'oreille droite ; du côté de Calais, à l'oreille gauche.

« Si les Autrichiens se battent du côté de la Belgique, le second doigt de la main droite sur l'œil droit. S'ils entrent, à l'oreille. Du côté de Mayence, le troisième doigt comme ci-dessus.

« Les Savoyards [les troupes du roi de Sardaigne], le quatrième doigt comme ci-dessus.

« Les Espagnols, le cinquième comme ci-dessous.

« *Nota* : on aura soin de tenir le doigt arrêté plus ou moins longtemps, suivant l'importance des pertes.

« Lorsqu'ils *seront* à quinze lieues de Paris, en suivant le même ordre pour les doigts, on observera seulement de les porter sur la bouche.

« Si les puissances parlaient de la famille royale, on les porterait sur les cheveux en se servant de la main droite.

« Si la Convention y faisait attention, de la gauche ; si elle passait à l'ordre du jour, de la droite.

« Si la Convention se retirait, on passerait toute la main sur la tête.

« Si les troupes avançaient et avaient des avantages, on porterait un doigt de la main droite sur le nez, et toute la main lorsqu'ils *seront* à quinze lieues de Paris. »

Cette conjugaison au futur, par deux fois, montre combien ma tante croyait encore que les puissances européennes allaient venir nous délivrer.

Et comme Toulan puis Lepître venaient d'être remplacés, elle en revint aux signes : « Y a-t-il une trêve ? Relevez votre col. Nous demande-t-on aux frontières ? La main droite dans la poche de l'habit. Approvisionne-t-on Paris ? La main sur le menton… Croit-on que nous serons encore ici au mois d'août ? Tenez la serviette dans la main. » Etc. Nous étions d'autant plus en droit d'espérer des jours meilleurs que la Convention se divisait. Les Montagnards, ces jacobins de l'Assemblée, séides de Danton et Robespierre, avaient soudain mis en accusation les Girondins Brissot et Vergniaud, provoquant le soulèvement des trois quarts du pays contre la tyrannie des sans-culottes. Aussitôt de nombreux Girondins, pourtant républicains, s'allièrent avec les Modérés et les Royalistes.

Depuis quelque temps, mon frère se plaignait d'un point de côté qui l'empêchait de rire. Puis une forte fièvre le prit en mai, accompagnée de maux de tête. Dans les premiers instants, il ne put demeurer couché parce qu'il étouffait. On lui refusa le médecin, assurant ma mère qu'elle s'inquiétait à tort. Mais les accès de fièvre augmentèrent. Il fallut trois jours pour que l'on consentît à nous envoyer le médecin des prisons, qui lui administra des remèdes. Cela ne tranquillisa pas ma mère, car les médications lui donnaient parfois de violentes convulsions. Je vins donc coucher dans la chambre de Charles, mais ne pus dormir de la nuit. Finalement sa fièvre tomba, mais le point de côté demeura. De ce moment, sa santé ne cessa plus de se dégrader, les bouleversements de notre vie lui ayant été fatals.

## 7. Orpheline sans le savoir

## « Rien à présent ne peut me faire mal »

Pour empêcher toute évasion, le Comité de salut public – émanation de cette Convention dont l'intitulé me fait encore tressaillir – résolut de séparer l'enfant-roi de sa mère en le plaçant dans la pièce la plus sûre du Temple, car ils étaient certains qu'elle ne partirait pas sans lui. Nous n'avions jamais imaginé une décision d'une telle cruauté.

Le 3 juillet 1793 au soir, six hommes firent irruption. Charles se réveilla en sursaut. À peine eut-il entendu le décret qu'il se jeta dans les bras de sa mère en poussant les hauts cris. Celle-ci, atterrée par cet ordre inhumain et saisie d'un véhément chagrin, ne voulut pas le livrer et s'empressa de le défendre : « M'enlever mon enfant ? Non, cela n'est pas possible ! Je ne pourrai jamais me résigner à cette séparation. Au nom du ciel, n'exigez pas de moi cette cruelle épreuve ! » Comme ils se préparaient à employer la violence, elle leur dit qu'ils n'avaient qu'à la faire mourir avant de lui arracher son fils. Une heure se passa ainsi en résistance et vives supplications de sa part, en injures de la part des municipaux.

Affolé, Charles s'agrippait désespérément à sa robe en sanglotant : « Maman, maman, ne me quittez pas ! » C'était l'injustice même, la barbarie la plus instinctive. Tout fut tenté pour les apitoyer, mais ils la menacèrent si brutalement de nous tuer, lui et moi, qu'elle en fut réduite à céder encore. Brisée, à bout de force et d'arguments, ma mère rendit finalement les armes et remit son fils entre leurs mains ignobles, le baignant de larmes comme si elle savait qu'elle ne le reverrait plus : « Mon enfant, lui dit-elle en s'efforçant de rester calme, nous allons nous quitter. Souvenez-vous de vos devoirs quand je ne serai plus auprès de vous pour vous les rappeler. N'oubliez jamais le bon Dieu qui vous éprouve, ni votre mère qui vous aime. »

Le pauvre petit nous embrassa tendrement, puis il fut emmené, sans pouvoir lâcher nos regards implorants, encadré par ses bourreaux. Leur rapport disait que la séparation s'était faite avec toute la sensibilité que l'on devait attendre dans cette circonstance, « où les magistrats du peuple ont eu tous les égards compatibles avec la sévérité de leur fonction ». Qui a pu croire ces monstres ? La vérité, c'est que mon frère, dans le désespoir d'une solitude encore inaccoutumée, gémit trois jours durant en réclamant sa mère. De notre tour, nous perçûmes avec douleur les échos de son immense chagrin.

Charles se rebella ensuite avec autorité : « Je veux savoir quelle est la loi qui vous ordonne de me séparer de maman ; montrez-moi cette loi, je veux la voir ! » Assez vite, hélas ! son esprit fut altéré et nous l'entendîmes chanter *La Carmagnole*, qu'on venait de lui apprendre, et l'air des Marseillais. On avait voulu façonner son esprit, dans l'espoir de pervertir son âme en confiant son éducation, prétendument républicaine, à un savetier ivrogne qui savait à peine écrire : l'incorruptible Simon. À cette nouvelle, la douleur de ma mère fut portée à son comble. Cet être brutal et inepte annonça qu'il se ferait fort de briser mon frère : « Je saurai le mater. Tant pis s'il en crève ! Je n'en réponds pas. Après tout, que veut-on ? Le déporter ? Le tuer ? L'empoisonner ? »

Quel plus grand attentat que d'arracher un jeune enfant aux soins maternels dans l'intention de le métamorphoser en ennemi de sa famille ? De plus, il résidait non loin de nous, dans l'ancienne chambre de feu mon père, mais nous avions l'interdiction de l'approcher.

À compter de cette nouvelle séparation, les gardes ne venaient plus que pour apporter les repas et vérifier les barres de fer accrochées aux fenêtres. Nous n'avions plus personne pour nous servir, et nous l'aimions mieux. Ma tante et moi faisions les lits et servions ma pauvre mère, dont les cheveux étaient passés du gris au blanc d'un seul coup. Nous montions sur la plate-forme de la tour où elle demeurait postée de longs moments pour tenter d'apercevoir son enfant. J'ai su depuis qu'il fut souvent coiffé du bonnet rouge des sans-culottes, lui qui aurait dû porter la couronne de ses ancêtres, et qu'on lui avait fait quitter le deuil. Ceux qui, par pitié, donnaient de ses nouvelles à ma mère s'évertuaient à cacher ces abominations : elle en savait ou en soupçonnait bien assez.

Comment survivre quand l'espoir n'est plus qu'un souvenir ? Quand la lassitude submerge tout ? Le silence et la désolation s'installèrent au Temple où Charles avait pu jusque-là, par sa fraîcheur, nous distraire de notre malheur. Ma mère ne marquait pas pour autant davantage d'intérêt à mon endroit, si bien que je résolus de me confier à Mme Élisabeth. Celle-ci me répondit avec délicatesse qu'il était des moments où l'émotion des souvenirs dominait l'âme la plus forte et qu'il fallait pour l'heure demander à Dieu que ces souvenirs fussent moins poignants pour elle.

Ma pauvre mère n'eut pas le temps de s'apaiser car, soudain, un décret de la Convention renvoya « la veuve Capet » au tribunal extraordinaire. Le Comité de salut public espérait-il ainsi menacer l'Autriche pour obtenir la fin des hostilités ? Et cette dernière allait-elle oser livrer sa parente au redoutable procureur de la Terreur Fouquier-Tinville ? Las ! aucune puissance étrangère, ni même Vienne, ne sembla s'émouvoir de ce nouveau danger.

Je me souviens que le temps était lourd, ce 2 août, bien qu'il fût deux heures du matin. En faisant irruption au cœur de la nuit, les bourreaux faisaient montre de raffinement dans la torture. Lorsque des gardes nous réveillèrent pour venir chercher ma mère, ils trouvèrent une femme usée, voilée de noir, une veuve résignée. Sans lui donner la moindre explication, on lui lut le décret ordonnant son transfèrement à la Conciergerie. Elle le reçut sans s'émouvoir ni prononcer une seule parole. Elle qui avait tout perdu, comment pouvait-on encore l'atteindre ? Même la peur n'était plus qu'un souvenir. Mme Élisabeth et moi réclamâmes de la suivre, sans succès.

Les adieux déchirants à mon père ne m'avaient guère préparée à ceux d'avec ma mère. Je la regardai, incrédule, se disposer à partir, contrainte de s'habiller devant les municipaux. Ceux-ci lui demandèrent de vider ses poches ; elle ne put conserver qu'un mouchoir. On lui glissa dans la main un flacon de sels, de peur qu'elle ne se trouvât mal. Elle me tendit la toupie laissée par Pauline avec laquelle nous avions joué, en me recommandant de la lui remettre si je la revoyais. Je ne pus m'empêcher de verser des torrents de larmes. Sobrement, elle me demanda de ne pas me laisser accabler, puis elle ajouta, absente : « Vous avez de la religion, cela vous soutiendra. » Le cœur brisé, je fus incapable de réagir, convaincue que je la voyais pour la dernière fois. Après m'avoir tendrement enlacée, elle me recommanda d'être courageuse, et me pria de prendre soin de Mme Élisabeth et de lui obéir comme à une seconde mère. Puis elle se jeta dans les bras de celle qu'elle appelait sa sœur, et lui confia ses enfants.

Enfin, elle quitta la pièce sans se retourner et s'engouffra dans l'escalier. Aveuglée par les larmes qu'elle s'acharnait à contenir, elle se heurta la tête au guichet et, lorsqu'on lui demanda si elle s'était fait mal, elle répondit : « Oh ! non ! Rien à présent ne peut me faire mal. »

Après mon père, guillotiné, mon frère, enlevé, on m'ôtait ma mère, que je n'avais jamais quittée ! Ma tante et moi, inconsolables, passâmes la nuit dans les lamentations. Le lendemain, Mme Élisabeth demanda de nouveau que nous soyons réunies, mais nous ne pûmes l'obtenir, ni même avoir de ses nouvelles. En outre, on nous retira toutes les commodités, pour nous traiter avec une dureté accrue. Notre nourriture fut encore réduite. Ma tante se contentait de s'exclamer : « Combien d'infortunés en ont moins encore ! »

À la Conciergerie, ancienne résidence des rois de France, les prisonniers – politiques pour la plupart sous la Terreur – se voyaient presque toujours condamnés à mort. Le cachot de ma mère était situé en sous-sol, dans la pénombre, humide et sinistre ; il possédait, près du plafond, deux petites croisées garnies de barreaux de fer au niveau du pavement de la cour. Chacun pouvait donc jeter les yeux sur le moindre de ses mouvements et le bruit y était perpétuel.

Lorsqu'elle y pénétra, ses yeux contemplèrent avec étonnement l'horrible nudité de cette pièce, puis se portèrent avec attention sur sa nouvelle servante. Après quoi, montant sur un tabouret que cette dernière venait de lui apporter, elle suspendit sa montre à un clou rouillé et commença à préparer son coucher. Alors que Rosalie s'approchait respectueusement pour lui offrir ses soins, ma mère la remercia en lui disant que, depuis qu'elle n'avait plus personne, elle se servait elle-même.

Matelas déchiré, couverture élimée et nauséabonde, curieux venant la scruter, gendarmes en faction nuit et jour derrière un simple paravent dans sa cellule : rien ne lui fut épargné. Sans chandelle, elle devait se coucher dès la nuit tombée. Dans ce lieu sordide, elle fut malgré tout bien traitée par quelques bonnes âmes ; l'un lui apportait des fleurs, l'autre faisait la cuisine de son mieux. Beaucoup de monde s'intéressait à elle et, à moins d'être de ces monstres de la plus vile espèce, comme, hélas ! il s'en est trouvé, il était impossible de l'approcher sans être pénétré de respect, tant sa bonté tempérait ce que la dignité de son maintien avait d'imposant.

Au marché, lorsque la femme du concierge voulut lui acheter un melon, la marchande devina à qui il était destiné : « Choisis, prends ce qu'il y a de plus beau ; et dis à notre reine qu'il y en a beaucoup parmi nous qui gémissent. » Je sais que ces paroles lui ont été rapportées.

En revanche, on lui donnait encore à boire de l'eau croupie dans un vase malpropre, elle dont la délicatesse ne supportait pas même celle des rivières, jusqu'à ce que la bonne Rosalie lui donnât la seule eau capable d'étancher sa soif : celle de Ville-d'Avray. Comme a dû lui sembler lointain le cérémonial de Versailles, où rien ne lui était jamais directement présenté ! Les personnes qui rendaient les honneurs du service plaçaient son gobelet couvert sur une soucoupe d'or ou de vermeil, puis le garçon de chambre le présentait à son tour, accompagné d'une petite carafe, à la première femme, qui le passait à la dame d'honneur, cette dernière étant contrainte de le remettre à quelque princesse si elle entrait à ce moment, avant d'échoir dans les mains de la demanderesse. L'eau n'était plus guère fraîche, mais au moins était-elle pure.

Rosalie lui prêta également un miroir bordé de rouge et orné de Chinois peints. Mais ma mère dut attendre dix jours qu'on lui apportât un peu de linge et reconnut la main de Mme Élisabeth dans le paquetage qui comprenait des chemises de batiste, des mouchoirs de poche, des bas de soie noirs, des bonnets de nuit et des rubans. Ayant demandé une boîte pour les ranger à l'abri de la poussière, elle n'obtint qu'un carton. Détail poignant : elle prenait ses repas dans une assiette en étain sur laquelle était écrit en caractères grecs : « Aux mères malheureuses ». Dès les premiers jours elle m'adressa une lettre, naturellement confisquée, dans laquelle elle me disait se porter bien et ne pouvoir être calme et tranquille que si elle me savait sans inquiétude à son sujet.

Lucide, elle avait annoncé à sa servante : « Ils ont immolé le roi ; ils me feront périr malheureuse comme lui. Non, je ne reverrai plus mes enfants », avant de fondre en larmes. Alors qu'elle était privée de la chair de sa chair et claustrée dans un antre aux murs en lambeaux, on lui amena un jour le plus jeune fils du concierge, un enfant blond aux yeux bleus et à la figure charmante. En découvrant ce beau petit garçon, elle tressaillit puis le prit dans ses bras, le couvrit de baisers et de caresses avant de s'émouvoir violemment en parlant du sien ; elle y pensait nuit et jour. Les mouvements de son cœur furent si vifs qu'on se garda de le faire revenir. Comment aurait-elle pu savoir que son propre fils était gravement malade depuis la fin du mois d'août ?

Pendant ce temps, Hébert, qui exerçait les deux métiers inconciliables de journaliste et de procureur, proclamait sans vergogne : « Elle doit être hachée comme chair à pâté pour tout le sang qu'elle a fait répandre… J'ai promis la tête d'Antoinette, j'irai la couper moi-même si on tarde à me la donner. » Celle-ci avait donc bien des raisons de ne plus s'illusionner : on avait décidé de la faire mourir coûte que coûte. Je m'inquiétais tant pour son sort que j'en fus incommodée.

Au même moment, la conspiration dite « de l'œillet » fut mise au jour. Le chevalier de Rougeville, personnage si romanesque qu'il vient d'inspirer un feuilleton à Alexandre Dumas, était parvenu à se faire passer pour un étranger et avait dit innocemment : « Ce doit être un étrange spectacle qu'une reine de France enfermée dans un cachot ! » On lui proposa de la voir et il en profita pour laisser tomber à ses pieds un œillet contenant des instructions. Moyennant finance, les gardiens devaient fermer les yeux sur la fuite de la reine. Hélas ! le plan fut découvert. Le Comité imagina qu'il s'agissait d'un immense complot et prit des dispositions encore plus sévères. On retira dès lors les quelques fleurs apportées par ceux qui avaient du cœur, ses repas ne furent plus constitués que d'un potage et de deux plats par jour, et on lui supprima tout : le matériel pour ouvrages, sa petite montre en or qui lui venait de sa mère et des temps heureux – ainsi n'avait-elle plus de repère temporel –, et jusqu'au médaillon renfermant des mèches de nos cheveux. Par la grâce de Dieu, ses geôliers n'avaient pas remarqué celui qu'elle portait autour du cou, abritant les mèches blondes de Charles. Enfin, on lui confisqua ses diamants et son alliance en précisant qu'ils seraient restitués « quand tout serait fini ».

Tirant quelques fils de la tenture placée derrière son lit par Mme Richard, femme du concierge, afin qu'elle souffrît moins de l'humidité terrible qui régnait dans sa cellule, elle put fabriquer une jarretière à l'aide de deux plumes, seuls instruments de travail laissés par ses misérables persécuteurs. Lorsqu'elle fut achevée, Robespierre la lui retira encore au motif qu'elle pouvait s'en servir pour attenter à ses jours. La concierge la confia à Hüe, qui fut chargé de me la remettre. Je la reçus à ma libération avec un insondable émoi ; ce fut son dernier ouvrage.

Un harcèlement féroce s'ensuivit. Les gardiens, tous remplacés, n'eurent plus le droit de lui adresser la parole. Seul le nouveau concierge possédait la clé de son cachot et répondait de sa surveillance. Soumise à un contrôle constant, elle subissait la présence de gardiens toute la journée, buvant, jouant, fumant, vociférant tout leur saoul. Blasphèmes et jurons ne blessaient même plus ses oreilles. Elle ne parvenait plus à lire et à prier au milieu de ce vacarme furieux. Et que dire du paravent dressé entre elle et ceux qui pénétraient à toute heure dans sa chambre lorsqu'elle était dans la nécessité de soulager des besoins indispensables ? Cette ardente sévérité trahissait manifestement l'inquiétude : des fidèles allaient-ils l'aider à s'évader ? Et à qui faire confiance ?

Alors que j'écris d'un palais de la Sérénissime, j'ai un pincement au cœur en évoquant ses lectures de prisonnière. D'abord un *Voyage à Venise*, puis une histoire des naufragés fameux, les récits du capitaine Cook, des livres d'aventures ou le *Voyage du jeune Anacharsis en Grèce*, l'immense succès de l'abbé Barthélemy.

À force de soupirs, privée d'air et d'exercice, accablée d'ennui, sa santé finit par s'altérer singulièrement : de grandes hémorragies suivirent, entrecoupées de douleurs, et la pauvre reine déchue dut demander secrètement à Rosalie de lui procurer des linges de rechange, dissimulés sous son traversin. Cette servante dressa *a posteriori* un portrait admiratif de la reine, affirmant qu'elle ne l'avait jamais entendue se plaindre ni de son sort ni de ses ennemis. Le calme de ses paroles répondait toujours à celui de son maintien. Il y avait dans cette tranquillité quelque chose de si profond et de si imposant qu'en entrant dans sa chambre elle était toujours saisie de respect, n'osant l'approcher sans y avoir été invitée.

On pouvait lui parler des malheurs de sa position sans qu'elle montrât d'émotion ou d'abattement, mais son cœur saignait lorsqu'elle pensait à ses enfants. Malgré ses maux, elle supplia qu'on ne recourût pas à la médecine, car on ne pouvait rien pour son mal.

Pensa-t-elle, durant sa séquestration, à mes oncles Provence et Artois qui, eux, jouissaient de la félicité que procure la liberté ? À Vienne, qui ne voyait en elle qu'un otage de faible valeur ? Elle a, paraît-il, cru jusqu'à son jugement que le pays de sa mère la ferait délivrer de ses fers. Enfin, pensa-t-elle à son cher ami Fersen qui, oscillant entre rage et désespoir, remuait ciel et terre pour réveiller hautement ces passivités criminelles ?

Déjà submergée d'angoisses, ma mère allait voir les événements se précipiter et sa position s'aggraver encore. À la fin du mois de septembre, Simon, l'instituteur-savetier, écrivit à Hébert pour l'informer de faits suffisamment graves pour condamner la reine. « Le fils Capet » aurait révélé que sa mère et sa tante s'étaient livrées sur lui à des actes malsains et contre nature. L'invraisemblance de cette accusation ne les fit pas douter. Au contraire, galvanisés par les innombrables pamphlets iniques dénonçant Marie-Antoinette la débauchée, Marie-Antoinette l'insatiable, Marie-Antoinette et ses amours saphiques, que sais-je encore, pourquoi n'auraient-ils pas dépassé toutes les limites en prétendant qu'elle s'était attaquée à son fils ? C'est assez dire l'aveuglement de ces terroristes. À cette époque, Billaud-Varennes s'écria même qu'il fallait en finir avec elle, qu'il était inconcevable de laisser sans jugement « la honte de l'humanité et de son sexe ». Mais la « honte de l'humanité » ne revenait-elle pas plutôt à celui qui proférait ces paroles insensées ? Plus tard, Victor Hugo suggérera de ne plus l'appeler que « Billot », puisqu'il voulait y poser toutes les têtes.

Au début de l'automne, après les grosses chaleurs, ma mère commença à souffrir du froid. Puis vinrent les interrogatoires ignobles destinés à établir le procès-verbal relatif à ces agissements supposés à l'endroit de son fils. Charles inaugura ces scabreuses séances, puis Mme Élisabeth et moi fûmes requises. Ledit procès-verbal établissait avec ignominie que, ayant été plusieurs fois surpris dans son lit à commettre sur lui-même des indécences nuisibles à sa santé, l'enfant leur avait assuré avoir été instruit dans ses habitudes pernicieuses par sa mère et sa tante, et qu'à de nombreuses reprises elles s'étaient amusées à lui voir répéter ces pratiques devant elles ; que bien souvent cela avait lieu lorsqu'elles le faisaient coucher entre elles : qu'il avait fait entendre qu'une fois sa mère l'avait approché, qu'« il en avait résulté une copulation », enfin, qu'elle lui avait recommandé de n'en parler jamais.

Le privant d'abord de nourriture, on lui avait promis tout ce qu'il voulait s'il confirmait ces mots impurs, prouvant ainsi les faits allégués par l'inique et malhonnête Hébert – et son acolyte Chaumette. Après quoi ces bourreaux lui avaient glissé une plume dans les mains pour le faire signer. Son écriture malhabile et tremblante laisse à penser qu'il était soit ivre, soit bouleversé. Il en oublia même la dernière lettre de son prénom…

La déposition fut conclue par ces mots immondes : « Il n'y a pas à douter qu'il y ait eu un acte incestueux entre la mère et son fils. » Inceste ! Ce crime horrible était livré au public comme un fait avéré. Mon frère, âgé de huit ans, un nouvel Œdipe ? Comment se défendre contre de si graves accusations, un tel tissu d'absurdités et de calomnies ? Y eut-il une seule personne pour croire à une telle abjection ?

J'étais alors une chaste et innocente jeune fille. Lorsqu'on vint me chercher, je me trouvai seule pour la première fois au milieu de mes geôliers, une douzaine d'hommes, ne sachant pas ce qu'ils me voulaient. Chaumette voulut me faire des politesses dans l'escalier mais je n'y répondis pas. Quand j'aperçus mon frère, que je n'avais pas vu depuis trois mois, je le pris dans mes bras pour l'embrasser tendrement. Ce fut notre dernier geste d'affection. Il ne dura pas, car le procureur m'arracha de lui pour m'installer dans la pièce attenante.

Il me fit asseoir et se plaça devant moi en me regardant droit dans les yeux. Un municipal saisit une plume. L'interrogatoire porta d'abord sur ces mille vilaines choses terriblement embarrassantes dont on accusait ma mère. Chaumette me demanda si mon frère – ce sont ses « propres » mots – ne me touchait pas où il ne fallait pas que je sois touchée lorsque je jouais avec lui, et aussi si ma mère et ma tante le faisaient coucher entre elles. Malgré toute la peur que j'éprouvais, je répondis fermement par la négative, qualifiant ces discours de pure calomnie. J'étais atterrée par ces propos ignobles, éprouvant une tristesse mêlée du dégoût le plus vif et me sentant souillée au plus profond de moi-même. Ils insistèrent beaucoup. Il y eut des choses que je ne comprenais pas, mais ce que je comprenais était si horrible que j'en pleurai d'indignation.

À son tour, cette angélique Élisabeth fut harcelée de questions la contraignant à entendre elle aussi des abominations qui outrageaient la nature. Nous n'en restâmes pas là car ensuite on me confronta à mon frère, qui me contredit effrontément sans saisir la conséquence de ses accusations. Consternée et impuissante, je fondis de nouveau en larmes. Je lui en voulais terriblement. Comment pouvait-il témoigner contre sa propre mère ? Assis sur un fauteuil trop grand pour lui, balançant ses jambes dans le vide, méconnaissable et portant déjà les traces de sa maladie, le thorax déformé, il répétait tout ce qu'on voulait. Mentir n'était pour lui qu'un jeu. L'avait-on fait boire, comme certains l'ont avancé ? Dans tous les cas, il semblait métamorphosé, comme possédé par l'affreux Simon.

Mme Élisabeth ayant admis qu'elle et ma mère l'avaient parfois surpris, puis réprimandé à ce sujet, les accusateurs estimèrent que cela corroborait les dires de l'enfant. Et, lorsqu'on le lui demanda, il réitéra. « Le monstre ! », ne put s'empêcher de s'écrier ma tante, affolée. Quand je songe que ma mère, à Versailles, lui faisait copier des pages entières de « Fuir le mensonge est un devoir »… Je ne pus croire que cette réponse fût la sienne ; comme son air inquiet et son maintien l'annonçaient, elle lui avait été suggérée. J'y vis le résultat de la crainte des châtiments dont on avait pu le menacer s'il ne se montrait pas docile. J'ai pensé que ma tante n'avait pu s'y tromper non plus, mais que sa surprise devant la réponse de Charles lui avait fait jeter son exclamation. Mon malheureux frère s'était ensuite approché de moi, avait pris ma main pour la baiser, mais Simon l'avait emporté sur-le-champ, me laissant dans la sidération de ce dont je venais d'être le témoin forcé.

On me posa ensuite des questions sur Varennes ; je tâchai de répondre sans compromettre personne. J'avais toujours entendu mes parents répéter qu'il valait mieux mourir plutôt que de préjudicier qui que ce soit. L'interrogatoire dura trois heures car les inquisiteurs croyaient pouvoir m'intimider, alors que la vie menée depuis quatre ans m'avait aguerrie.

Avant d'être libérée, encore frémissante, je demandai une nouvelle fois avec chaleur d'être réunie à ma mère. Chaumette me répondit qu'il n'avait aucune autorité pour cela. Je remontai, muette de terreur, et me jetai dans les bras de ma tante qui m'attendait avec une mortelle inquiétude.

Après cette épreuve, nous nous retrouvâmes épouvantées des images qui avaient meurtri mon âme blanche et profané notre chaste imagination. Mme Élisabeth me dit seulement, d'un ton à la fois affectueux et désolé : « Ô mon enfant ! » Puis, nos regards évitant de se croiser, nous tombâmes à genoux éplorées, comme si c'était à nous d'expier tout ce que nous avions rougi d'écouter. Avec des mots choisis, elle tenta ensuite de me rassurer, m'expliquant que Charles avait été avili autant que dévoyé, qu'il était trop jeune pour juger la valeur de ses paroles. Aujourd'hui je ne garde plus de rancune envers mon pauvre frère, et je mesure bien mieux la gravité de ces paroles entrées par effraction dans mon esprit alors en apprentissage. Âgée de seulement quinze ans, je ne pouvais comprendre combien cette scène contenait de perversité.

Deux heures avant son coucher, on fit monter ma mère au tribunal révolutionnaire, situé au premier étage de la Conciergerie, là même où mon père avait tenu ce que l'on appelait jadis ses lits de justice. Tout l'interrogatoire fut à charge, chaque réponse, pourtant habile, se retournant contre elle. Son procès, commencé le 14 octobre, dura de huit heures du matin à onze heures du soir avec une interruption d'une heure. Il y eut une reprise le lendemain jusqu'à quatre heures du matin, soit près de quarante heures de tourment. Chauveau-Lagarde et Tronçon-Ducoudray furent désignés pour sa défense. Le premier précisera par la suite combien il était ardu de se représenter toute la force d'âme qu'il avait fallu à ma mère pour supporter les fatigues d'une aussi longue et aussi horrible session, en spectacle devant tout un peuple, ayant à lutter contre des monstres avides de sang, à se défendre de leurs abjections, en gardant en même temps toutes les convenances et toutes les mesures. Les témoins ont relaté cette instruction, ou plutôt cette scène de perfidie et de scélératesse, insistant sur la dignité de ma mère, sa solennité majestueuse lorsqu'elle avança lentement vers ses bourreaux, son calme, la noblesse des réponses de cette femme aux joues creusées, au teint flétri et qui semblait soudain vieillie. On voyait, paraît-il, d'un côté la tristesse peinte sur les visages des spectateurs honnêtes, de l'autre la fureur d'une foule placée à dessein dans la salle pour lui manifester une vive hostilité, fureur qui, plus d'une fois, céda pourtant à la pitié et à l'admiration. Les accusateurs comme les juges – ils se confondaient – dissimulaient mal la rage qui les animait, ainsi que le trouble éprouvé face à leur ancienne souveraine. Parmi les jurés, soigneusement choisis, ne figuraient que des perruquiers, menuisiers, cafetiers, et ceux-ci n'eurent pas même besoin d'être chapitrés pour être circonvenus tant la peur était maîtresse des esprits.

Ce n'est que l'avant-veille de sa mort que ma mère apprit, interdite, la machination dans laquelle on avait entraîné son fils. Accusée d'inceste ? Elle qui avait tout subi sans rechigner dut recevoir cette mortification suprême comme une ultime torture. Il lui restait deux jours à vivre, empoisonnés par cette affaire absurde. Si elle s'est défendue de se justifier, c'était parce que, selon ses propres termes, la nature se refusait à répondre à une pareille inculpation faite à une mère. « J'en appelle à toutes celles qui peuvent se trouver ici », s'écria-t-elle douloureusement, dans le seul moment où son émotion fut perceptible. Ce cri du cœur impressionna tant que l'assistance s'attendrit, la voyant déjà sauvée : « Elle a répondu comme un ange, on ne fera que la déporter », se murmurait-il dans la salle. À une période où la Terreur réduisait chacun au silence, l'indignation publique ne pouvait, hélas ! aller jusqu'à s'interposer. Aussitôt elle s'enquit auprès de Chauveau-Lagarde : « N'ai-je pas mis trop de dignité dans ma réponse ? » Cette question seule montre qu'elle espérait encore qu'on lui laisserait la vie sauve, car peut-on, lorsqu'on est innocent d'un crime qu'on vous impute aussi grossièrement, se résoudre tout à fait à une injuste condamnation ?

Puis on passa aux autres chapitres : était-elle coupable d'intelligence avec l'ennemi ? Avait-elle participé à un complot pour déclencher une guerre civile ? En bref, avait-on affaire à une traîtresse, un Janus au féminin ? À ses yeux, lutter contre les ennemis de l'État, c'était sauver l'État. Comment aurait-elle pu concevoir autrement la situation ? Chacun n'aurait-il pas agi de même ? En vérité, les prétextes du tribunal ne comptaient guère. D'ailleurs ses procureurs n'avaient aucune preuve – c'est pourquoi ils avaient inventé ce crime d'inceste – et se hâtèrent de la condamner à mort : « La veuve Capet, immorale sous tous les rapports, nouvelle Agrippine, est si perverse et si familière avec tous les crimes qu'oubliant sa qualité de mère et la démarcation prescrite par les lois de la nature, elle n'a pas craint de se livrer avec son fils… » Ses défenseurs griffonnèrent prestement quelques arguments. Cependant, comme ils le confessèrent, même s'ils avaient pu joindre toute l'éloquence de Bossuet et de Fénelon, ils seraient demeurés impuissants à lui venir en aide.

La sentence tomba à quatre heures du matin. Ma mère l'écouta d'un air calme et l'on put s'apercevoir alors qu'il venait de s'opérer dans son âme une sorte de transfiguration. Ne donnant pas le moindre signe de crainte, ni d'indignation, ni même de faiblesse, elle fut comme assommée, paralysée par la surprise. Puis, tel un automate, elle descendit les gradins sans tituber, traversa la salle comme un fantôme, sans rien voir ni rien entendre. Toujours impassible, elle se retira dans son cachot où elle s'affala sur sa misérable couchette, la tête appuyée sur la main, ses larmes coulant silencieusement.

Comme elle était restée à jeun toute la journée et une grande partie de la nuit, Rosalie lui demanda si elle voulait prendre quelque chose. « Ma fille, je n'ai plus besoin de rien, tout est fini pour moi. » La servante insista, les pleurs de ma mère redoublèrent, puis elle se redressa et consentit à avaler quelques cuillerées d'un bouillon aux vermicelles. « J'atteste devant Dieu, a raconté Rosalie, que son corps n'a pas reçu d'autre nourriture, et j'eus lieu de me convaincre qu'elle perdait tout son sang. » Sans Rosalie, retrouvée quarante ans plus tard et que j'ai bien sûr gratifiée d'une pension, j'aurais toujours ignoré avec quelle force héroïque ma mère supporta ce martyre de soixante-quinze jours. Je n'ai jamais rencontré cette femme, mais elle s'est, paraît-il, déclarée prête à renoncer avec joie à tous les avantages dont je l'avais comblée pour me voir une seule fois. Hélas ! j'ai toujours eu le sentiment que cela m'eût fait trop de mal…

N'ayant plus que quelques heures à vivre, ma mère reçut une plume et un peu d'encre, ainsi qu'une chandelle. Elle se releva pour écrire une dernière lettre à

Mme Élisabeth – le hasard a voulu qu'elle soit rédigée le jour de la sainte Thérèse. Connue sous le nom de *Testament de la reine*, cette lettre allait disparaître durant vingt-trois ans avant d'être exhumée pour ne plus jamais me quitter.

Au bord du tombeau, mêlant à ses larmes recommandations, pardon, regrets et adieux, cette martyre de la Révolution s'est présentée à la postérité comme le modèle des mères, des épouses et des reines, délivrant un texte magistral et d'une irréfutable noblesse :

« C'est à vous, ma sœur, que j'écris pour la dernière fois. Je viens d'être condamnée non pas à une mort honteuse, elle ne l'est que pour les criminels, mais à aller rejoindre votre frère. Comme lui innocente, j'espère montrer la même fermeté que lui dans ses derniers moments. Je suis calme comme on l'est quand la conscience ne reproche rien. J'ai un profond regret d'abandonner mes pauvres enfants ; vous savez que je n'existais que pour eux et vous, ma bonne et tendre sœur. Vous qui aviez par votre amitié tout sacrifié pour être avec nous, dans quelle position je vous laisse !

« Je n'ose pas écrire à ma pauvre fille, elle ne recevrait pas ma lettre ; je ne sais même pas si celle-ci vous parviendra. Recevez pour eux deux ici ma bénédiction ; j'espère qu'un jour, quand ils seront plus grands, ils pourront se réunir avec vous et jouir en entier de vos tendres soins. Qu'ils pensent tous deux à ce que je n'ai cessé de leur inspirer : que les principes et l'exécution exacte de ses devoirs sont la première base de la vie, que leur amitié et leur confiance mutuelle en fera le bonheur.

« Que ma fille sente qu'à l'âge qu'elle a, elle doit

toujours aider son frère par les conseils que l'expérience qu'elle aura de plus que lui et son amitié pourront lui inspirer. Que mon fils, à son tour, rende à sa sœur tous les soins, les services, que l'amitié peut inspirer ; qu'ils sentent enfin tous deux que, dans quelque position où ils pourront se trouver, ils ne seront heureux que par leur union ; qu'ils prennent exemple en nous. Combien, dans nos malheurs, notre amitié nous a donné de consolations ! Et, dans le bonheur, on jouit doublement quand on peut le partager avec un ami ; et où en trouver de plus tendre, de plus uni que dans sa propre famille ? Que mon fils n'oublie jamais les derniers mots de son père, que je lui répète expressément : qu'il ne cherche jamais à venger notre mort !

« J'ai à vous parler d'une chose bien pénible à mon cœur. Je sais combien cet enfant doit vous avoir fait de la peine. Pardonnez-lui, ma chère sœur ; pensez à l'âge qu'il a, et combien il est facile de faire dire à un enfant ce qu'on veut, et lui-même ce qu'il ne comprend pas. Un jour viendra, j'espère, où il ne sentira que mieux tout le prix de vos bontés et de votre tendresse pour tous deux.

« Il me reste à vous confier encore mes dernières pensées. J'aurais voulu les écrire dès le commencement du procès ; mais, outre qu'on ne me laissait pas écrire, la marche en a été si rapide que je n'en aurais réellement pas eu le temps.

« Je meurs dans la religion catholique, apostolique et romaine, dans celle de mes pères, dans celle où j'ai été élevée, et que j'ai toujours professée. Je demande sincèrement pardon à Dieu de toutes les fautes que j'ai pu commettre depuis que j'existe.

« Je demande pardon à tous ceux que je connais, et à vous, ma sœur, en particulier, de toutes les peines que, sans le vouloir, j'aurais pu leur causer. Je pardonne à tous mes ennemis le mal qu'ils m'ont fait. J'avais des amis ; l'idée d'en être séparée pour jamais et leurs peines sont un des plus grands regrets que j'emporte en mourant ; qu'ils sachent du moins que, jusqu'à mon dernier moment, j'ai pensé à eux.

« Adieu, ma bonne et tendre sœur ; puisse cette lettre vous arriver ! Pensez toujours à moi ; je vous embrasse de tout mon cœur, ainsi que ces pauvres et chers enfants. Mon Dieu, qu'il est déchirant de les quitter pour toujours ! Adieu, adieu : je ne vais plus m'occuper que de mes devoirs spirituels. Comme je ne suis pas libre dans mes actions, on m'amènera peut-être un prêtre ; mais je proteste ici que je ne lui dirai pas un mot, et que je le traiterai comme un être absolument étranger. »

Ma mère n'eut sans doute pas le temps d'achever son testament, ou bien avait cédé au sommeil, car il n'a pas été signé.

Quand je songe à Marie-Thérèse l'impératrice, qui lui écrivit toute sa vie pour lui faire tant de recommandations, voici qu'elle-même ne nous adressait qu'une seule lettre, mais qui les valait toutes !

Bien avant que je la retrouve lors de mon premier exil, l'ancienne dame du palais Mme de Tarente m'avait remis le dernier souvenir que ma mère souhaitait me faire parvenir : un coffret d'ébène renfermant une tasse de porcelaine bordée d'argent, son ultime bien à la Conciergerie. Cet émouvant legs posthume, d'une inestimable valeur à mes yeux, m'avait jetée dans le trouble, réveillant sur-le-champ mes blessures toujours à vif. Elle m'apprit également que l'abbé Magnin, prêtre réfractaire, avait pu administrer les sacrements dans le réduit obscur de ma mère. J'en avais éprouvé un grand soulagement, car j'étais désormais certaine que son âme avait été apaisée à temps.

Un Conventionnel, mal nommé Courtois, chargé des papiers de Robespierre après sa mort, déroba le testament de la reine. Vingt ans plus tard, il se fit connaître comme le conservateur de ce qu'il appelait « de vrais monuments historiques », osant présenter son forfait pour un sauvetage.

C'est à ce moment seulement qu'on retrouva ce dernier écrit dont je n'avais jamais soupçonné l'existence. La missive, comme d'autres reliques, avait d'abord échoué entre les mains de Fouquier-Tinville, puis de Robespierre, collectionneur sans scrupules : le bibliophile régicide avait caché sous son matelas divers ouvrages classiques portant les armoiries de la famille royale. Le fort mal nommé « Incorruptible » les avait volés au Temple après l'exécution de mon père ! Les dernières volontés d'un mourant ont toujours été considérées comme sacrées, mais ce sentiment était inconnu à l'homme sans cœur qui incarnait la froide « vertu » révolutionnaire et voulait en établir, selon ses propres termes, la dictature.

Qu'on se représente l'émoi avec lequel je pris connaissance, près d'un quart de siècle plus tard, du dernier écrit d'une main si chère et miraculeusement conservé dans deux précieuses pages in-quarto jaunies, émaillées de traces de larmes. Je m'évanouis lorsqu'on me présenta ses ultimes épanchements. Puis, après les avoir parcourus, je les reçus comme une réparation, et j'éprouvai un sentiment de fierté d'avoir suivi ses recommandations sans même les connaître – j'ai pardonné à la France et je l'aime toujours.

Grâce aux confidences de Mme de Tarente, je compris aussi pourquoi ma mère rejetait dans son testament les services d'un prêtre assermenté : « Mais, Madame, s'était étonné ce dernier, que dira-t-on lorsqu'on saura que vous avez refusé les secours de la religion dans ces suprêmes moments ? » Ma mère lui avait alors fait cette simple réponse, d'une finesse qui n'a d'égal que son laconisme : « Vous direz que la miséricorde divine y a pourvu. »

Le 16 octobre 1793, après trois mois passés dans cette insalubre Conciergerie qui sentait déjà la mort, en partie plongée dans l'obscurité, le froid et l'humidité qui, jointes à ses fréquentes hémorragies, l'avaient épuisée, sa fin était proche. À huit heures, le prêtre récusé la trouva transie.

Ne s'étant point déshabillée puisqu'elle était rentrée peu avant l'aube, elle fut contrainte de changer de chemise, car ses saignements étaient incessants. Un geôlier s'approcha pour la regarder dans les yeux. Rougissant fortement, elle remit aussitôt son fichu sur ses épaules : « Au nom de l'honnêteté, monsieur, s'écria-t-elle en joignant ses deux mains, permettez que je change de linge sans témoin. » Comme il se contentait d'arguer qu'il suivait les ordres, Rosalie s'interposa de façon que ma mère puisse, moyennant mille précautions, passer non pas la robe noire qu'elle portait au procès, mais un déshabillé de piqué. On lui avait refusé ses vêtements de deuil « parce que cela pourrait exciter le peuple à l'insulter ». Ne craignait-on pas plutôt qu'elle excitât la pitié ? Après avoir jeté des regards inquiets autour d'elle, elle roula soigneusement sa pauvre chemise ensanglantée qu'elle dissimula dans un espace entre l'ancienne toile à papier et la muraille. Pour finir, elle arrangea une coiffure avec du crêpe noir.

À dix heures, le bourreau Sanson – qui, *a posteriori* horrifié par ses actes, se repentira et fera donner chaque 21 janvier une messe en mémoire du roi – entra et lui demanda de présenter ses mains. « Est-ce qu'on va me les lier ? », interrogea-t-elle, effarée. Les juges, venus lire une seconde fois la sentence, dirent alors à Sanson : « Fais ton devoir. » Celui-ci attacha donc les mains de ma mère dans son dos, ôta le bonnet de dentelles, gracieusement apporté par sa modiste Rose Bertin, afin de lui couper les cheveux. En sortant par la porte noire et rouillée, toute de blanc vêtue, telle une allégorie de sainte martyre, elle aperçut enfin le ciel, avant de le rejoindre pour l'éternité.

Digne à chaque instant, elle s'attacha à ce seul dessein : surtout ne pas faiblir. Sublime dans l'adversité, elle voulait montrer comment meurt une reine. Point de carrosse, comme pour mon père : ce serait pour elle une charrette. Lorsqu'elle demanda pourquoi on ne la traitait pas comme lui, elle s'entendit répondre que si son époux avait été jugé comme roi par la Convention, elle l'avait été par le tribunal révolutionnaire comme simple roturière.

Elle se hissa donc sur la charrette, mains attachées derrière le dos. Malgré la foule qui s'était précipitée, nulle brimade, pas même un murmure ne se fit entendre. Rien que le silence. Rue Saint-Honoré, où jadis on tirait des salves jusqu'aux Invalides pour honorer son passage, cette fois les clameurs s'élevèrent. Elle alla à la mort avec courage au milieu de l'abjection à laquelle on l'avait réduite et des injures qu'un malheureux peuple égaré jetait sur elle. Impassible, tournant le dos au cheval comme on l'y avait contrainte, son regard de noyée s'élevait au-dessus de la tourmente, loin devant, même lorsque le célèbre comédien Grammont – qui allait finir guillotiné, lui aussi – leva son épée et lança, debout sur ses étriers : « La voilà, l'infâme Antoinette ! Elle est foutue, mes amis ! »

Au même moment, mille cinq cents courageux conjurés, armés de pistolets, s'apprêtaient à venir secourir la suppliciée sous la bannière de « vive Louis XVII ! ». À l'instar du jury qui venait de la condamner à mort, il n'y avait pas le moindre chevalier parmi ces partisans, mais des rémouleurs, pâtissiers, décrotteurs, limonadiers et fripiers. Hélas ! dénoncés, ils furent empêchés d'agir.

À midi, parvenue « place de la Révolution », devant la grande allée des Tuileries, elle tourna les yeux vers les jardins et blêmit. Quelques instants plus tard, elle montait précipitamment sur les marches sanglantes de l'échafaud. Pas un instant ma mère n'a faibli, conformément au vœu qu'elle s'était formulé. En franchissant les quelques degrés de ce Golgotha qui la menaient à la délivrance, elle heurta le pied du bourreau : « Je vous demande pardon, monsieur, je ne l'ai pas fait exprès. » Ce sont ses derniers mots, et ils en disent davantage qu'un long discours sur sa noblesse de cœur. Puis elle ferma les yeux pendant qu'on la sanglait.

Ainsi mourut Marie-Antoinette-Josèphe-Jeanne de Lorraine, reine de France, huit mois après son mari, alors âgée de trente-sept ans. La fille de Necker, Mme de Staël, a vu dans son élimination un symbole du sort réservé aux femmes, « immolées toutes dans une mère si tendre ». Seul son petit chien Odin, offert par Mme de Lamballe et qui l'avait suivie du Temple à la Conciergerie, l'a ostensiblement pleurée. Quant à sa chienne Thisbé, n'ayant pu l'accompagner à la Conciergerie, elle l'attendit dehors pour suivre sa charrette jusqu'à l'échafaud, où l'on raconte qu'elle hurla à la mort.

Le lendemain, un Hébert en délire rapportait : « J'ai vu tomber dans le sac la tête du veto femelle ! Je voudrais, f*... (outre), pouvoir vous exprimer la satisfaction des sans-culottes quand l'architigresse a traversé Paris... La garce, au surplus, a été audacieuse et insolente jusqu'au bout. » Dieu merci, pour contrebalancer cette bestialité du camp révolutionnaire, le prophète de la contre-révolution, sir Edmund Burke, un des meilleurs esprits du temps, se lamentait avec une noble justesse. Dans une nation renommée pour son esprit de civilisation et ses mœurs empreintes d'élégance et de galanterie, il pensait que dix mille épées seraient sorties de leurs fourreaux pour venger la mort de ma mère. Mais, déplorait-il amèrement, le siècle de la chevalerie était passé au profit des sophistes et des économistes. Quel parti prendra la postérité quand elle examinera deux déclarations si contradictoires ? Aujourd'hui, au mitan de cet instable

XIX$^{e}$ siècle, alors que les derniers acteurs de cette douloureuse période s'éteignent, la question n'est pas tranchée. Royalistes et républicains forment toujours deux camps, désormais plus modérés. *L'Ami du roi* ne coudoie plus l'infâme *Ami du peuple* de Marat. Toutefois on ne trouve plus à la « Cour » que des bourgeois négociants et financiers. Et le quartier de la Bourse a remplacé le faubourg Saint-Germain.

À ce moment, je ne savais rien de cette issue tragique. Je me souviens seulement que ma respectable mère occupait sans cesse mes pensées. Je voulais encore croire que notre séparation ne serait pas éternelle, alors même que nous avions entendu crier sa condamnation. Seule l'espérance, qui est si naturelle aux malheureux, nous fit croire qu'on la sauverait. Ainsi, cloîtrée dans le silence, j'allais demeurer orpheline sans le savoir durant un an et demi.

Je veux préciser que sa dépouille, jetée dans l'herbe sans égard, y demeura, sans doute en l'absence d'ordres, dans le vent et sous la pluie durant quinze jours, sa tête placée entre ses jambes. Le fossoyeur s'était finalement résolu à l'ensevelir dans un simple trou creusé à la hâte.

La Convention avait cru pouvoir abolir l'Histoire en détruisant « en trois jours l'ouvrage de douze siècles », ainsi que l'a résumé Chateaubriand. En effet, dans sa volonté d'épuration, elle décréta la profanation et l'extraction de tous nos prédécesseurs. Dès août 1793, les Capétiens furent radiés de Saint-Denis, puis on sortit les cendres d'Henri IV. Pendant le procès de ma mère, ce fut le tour de Louis XIII, Louis XIV, Anne d'Autriche, Marie de Médicis… Le jour même de sa mort, on avait troublé le repos des âmes de Louis XV et surtout du premier Dauphin, mon frère Louis-Joseph. Dès la fin du mois d'octobre, c'en fut fini des nécropoles royales, et ce jusqu'en 1815. Hélas ! toujours en exil à l'heure où j'écris, je ne trouverai sans doute pas ma place naturelle entre mes parents dans la mort, prolongeant ainsi notre séparation à jamais.

Après la décapitation de mon père puis de ma mère, on jugea sans doute que Mme Élisabeth et moi n'étions pas assez punies. Dès lors, aucune vexation ne nous fut épargnée. On nous défendait de monter sur la tour et on nous fouillait tous les jours. Ayant appris, je ne sais plus comment, que ma mère était accusée d'avoir entretenu des correspondances interdites avec l'étranger, nous nous empressâmes de faire disparaître les écritoires et crayons que nous avions pu conserver. Une fois, il y eut une perquisition qui dura quatre heures. Les municipaux nous emportèrent plusieurs bagatelles, comme des cartes à jouer parce qu'il y figurait des rois, ainsi que les livres armoriés.

À cette sévère réclusion s'ajoutaient la blessure du froid permanent et, surtout, l'ennui. Pour en amoindrir les effets, ma tante avait arrangé notre vie de manière à en employer toutes les heures. Lever avec le soleil, prière, toilette, habillage, travaux manuels, exercice. Ces occupations nous permettaient de résister. Il fallait aussi veiller à la propreté de la chambre, que nous dûmes apprendre à balayer. Comme nous n'en avions pas l'habitude, cela nous occupait longuement, du moins au commencement.

À partir du mois de novembre 1793, nos conditions

de vie se firent de plus en plus difficiles : contacts interdits, potage ou plat bouilli, et je n'eus plus le jus d'herbes que je buvais le matin pour ma santé. Quand nos repas arrivaient, on fermait brusquement la porte pour que nous ne vissions pas les gens qui nous les apportaient. Mme Élisabeth fit son carême entier, bien qu'on lui refusât des plats maigres au nom de l'égalité, mais m'ordonna d'accepter ce qu'on me présentait, car je n'avais pas l'âge de jeûner. Le fauteuil sur lequel ma tante aimait à s'asseoir fut confisqué ; on nous donna des draps sales et grossiers ; on remplaça les bougies par des chandelles ; puis, au printemps, on nous ôta la chandelle, ce qui nous obligeait à nous coucher lorsqu'on n'y voyait plus. Combien de conversations avons-nous ainsi tenues dans l'obscurité !

Mme Élisabeth, sans même savoir que ma mère lui avait confié mon avenir, tint à la perfection son rôle de tutrice, m'engageant à ne pas confondre la nation avec les monstres qui outrageaient si brutalement la douceur et la loyauté françaises, et m'assurant qu'elle se tournerait bientôt vers nous. Mes tourments s'en trouvaient apaisés ; j'aurais un jour le plaisir de pardonner. Chaque matin, elle me récitait une émouvante prière de sa composition. Elle passait des heures entières dans le ravissement d'une conversation intime avec Dieu, mais elle y joignait également des leçons en commentant les passages consolants de l'Écriture sainte. C'est pourquoi j'écoutais avec tant d'avidité ses recommandations qui m'ont soutenue à chaque déconvenue, lorsque le sort s'est acharné, en particulier au milieu des ténèbres où l'on n'allait plus tarder à me plonger.

À la fin de l'année, nous apprîmes que le duc d'Orléans venait d'être guillotiné à son tour. Ce Caïn avait-il voté la mort de mon père pour prendre sa place ou par lâcheté ? Ce que je sais, c'est que Robespierre lui-même avait jugé ce vote incompréhensible. Le traître ne recevait-il pas là un juste châtiment ? J'ai dû depuis, au prix d'un effort prodigieux, chasser de mon esprit ces pensées peu chrétiennes. Puisque mon père lui avait pardonné cette faute, ne devais-je pas m'y appliquer à mon tour et considérer qu'il avait expié son crime ? Il n'empêche : je n'ai jamais pu éprouver autre chose que de la répulsion pour ce parent indigne.

## 8. Abandonnée

## « La plus malheureuse personne du monde »

Le 9 mai 1794 au soir, alors que nous allions nous coucher, on frappa brutalement à notre porte. Mme Élisabeth répondit qu'elle passait sa robe et pria qu'on attendît un instant, mais les coups redoublèrent.

« Citoyenne, veux-tu bien descendre ?

— Et ma nièce ?

— On s'en occupera après. »

Je ne pus réprimer un brusque mouvement de la tête en direction de ma tante qui, me voyant alarmée, m'embrassa en m'assurant qu'elle allait remonter.

« Non, citoyenne, tu ne remonteras pas, prends ton bonnet et descends. »

Ils l'accablèrent de grossièretés en ricanant sauvagement. Elle les endura avec patience, prit son bonnet, m'embrassa encore, me dit d'avoir du courage et de la fermeté, et d'espérer toujours en Dieu, puis sortit avec ces démons. Je vis disparaître sa robe blanche, couleur prémonitoire du sacrifice, et la porte se referma lourdement, verrous tirés. J'entendis les pas s'éloigner, puis plus rien.

Funeste moment ! Séparée de ma tante, dernier membre de la famille qui me restait, je fus d'abord en proie à la stupeur, puis à l'affolement. Je me retrouvais seule pour la première fois, abandonnée de tous et dans une insondable anxiété.

Précipitée dans un complet désarroi, je demeurai longtemps prostrée, sanglotant dans une grande désolation. La pluie battait les croisées obstruées, accroissant mon sentiment de solitude. Un étau enserrait ma poitrine. Avec qui allais-je échanger de bonnes paroles, dorénavant ? Et pourquoi me laisser croupir ainsi ? Tout cela n'avait point de sens. Plongée dans les affres, je passai une bien cruelle nuit, blottie tout habillée au fond de mon lit, assaillie de terreurs. Cependant, quoique je fusse très inquiète de son sort, j'étais loin de croire que j'allais perdre ma tante quelques heures plus tard. Il m'était impossible d'organiser mes pensées. Je me persuadais qu'on la conduisait hors de France, mais quand je me rappelais la manière dont on l'avait emmenée, toutes mes craintes renaissaient, sans que je puisse toutefois me résoudre au pire. Je me remémorai soudain cette sentinelle qui, au début de notre réclusion, avait un soir entretenu une conversation avec elle par le trou de la serrure. Ce malheureux ne fit que pleurer de pitié tout le temps qu'il fut au Temple. J'ignore ce qu'il est devenu, mais puisse le ciel l'avoir récompensé de son profond attachement au roi.

L'âme de Mme Élisabeth fut séparée de son corps dès le lendemain matin, 10 mai 1794. Comme on eut la cruauté de la supplicier la dernière, elle réconforta avec fougue les nombreuses autres condamnées du jour. Ces dernières, lorsque le bourreau les appelait, faisaient une profonde révérence à ma tante et échangeaient avec elle un regard qui disait : « Nous allons nous revoir dans un monde meilleur. » Quand vint son tour, grâce à quelques féroces paroles, elle comprit, au dernier instant, que la reine avait également péri sur l'échafaud.

Je ne puis dire assez les bontés qu'a eues pour moi celle que mon oncle Artois qualifiait d'éternel printemps. Âgée de trente ans, n'ayant jamais voulu quitter mon père, Marie-Philippine-Élisabeth-Hélène me regardait comme sa fille, quand je la considérais comme une seconde mère. On disait que nous nous ressemblions beaucoup de figure, et je sentais que j'avais son caractère. J'espère avoir eu ses vertus. Car toute ma vie je me suis appliquée à suivre ses préceptes et le bel exemple qu'elle m'a donné avant d'être immolée.

En considérant les événements avec froideur, que pouvait-on lui reprocher ? Elle n'avait eu aucune part au gouvernement ! D'ailleurs, on respectait tant sa vertu qu'un profond silence l'accompagna jusqu'à la barrière de Monceau.

Le matin même de son exécution, après cette terrible première nuit passée seule, je demandai de ses nouvelles aux municipaux. Ceux-ci me répondirent en détournant la tête qu'elle était allée prendre l'air. Puis j'avais renouvelé la demande de retrouver ma mère, puisque j'étais séparée de ma tante, mais je n'avais reçu, comme à l'habitude, que des réponses embarrassées. Comment aurait-on pu prendre la liberté de me faire part de l'horrible vérité, me dire que mes deux mères avaient été guillotinées ?

Après la nuit suivante, marquée par un sommeil douloureux, j'occupai mes mains avec des aiguilles pour ne pas avoir à regarder les municipaux. Avertie par un double tour de clé, je vis des hommes s'effacer aussitôt pour laisser passer un important personnage vêtu d'un habit rayé et d'une cravate en dentelle. C'était Robespierre, cette incarnation du Mal alors à l'apogée de sa puissance, clamant haut et fort que « la clémence envers un ennemi de l'intérieur est un crime contre l'humanité ». Glacial, il ne m'adressa pas la parole, se contentant de me dévisager avec insolence, pensant m'impressionner. Je demeurai impassible et muette. On a murmuré qu'ayant projeté d'épouser Mme Élisabeth, il avait songé à se rabattre sur moi, proie innocente ! Tout « incorruptible » qu'il se prétendît, restait-il par hasard, au plus profond de celui qui parlait naguère de « la voix auguste et touchante de notre roi qui nous offre le bonheur et la liberté », un attrait pour la royauté ? Comme je vivais confinée, j'avais des rougeurs sur les joues : ne me trouva-t-il pas à son goût ? Mystère.

Ne voulant lui parler, je lui tendis un billet sur lequel j'avais griffonné que, mon frère étant malade, j'avais écrit à la Convention pour obtenir de le faire soigner, mais qu'elle ne m'avait pas répondu. Je réitérais donc ma demande. Sans réagir à cette prière, que n'importe quel être humain aurait trouvée touchante, il la prit, jeta un coup d'œil sur mes quelques livres et s'en retourna comme il était venu.

Sur le moment, je n'avais pas été certaine de le

reconnaître, mais *a posteriori* le doute ne fut plus permis. Sous son funeste joug, l'échafaud trônait en permanence, et le tribunal révolutionnaire lui envoyait d'incessantes fournées. Car pendant la Grande Terreur, cette redoutable acmé de la Révolution, crimes et purges formaient à eux seuls un système de gouvernement. Et comme le soupçon tenait lieu de preuve, nul n'était à l'abri. Un Girondin avait pourtant prophétisé cette sombre et sanglante période de notre histoire en disant hautement que la tête de mon père en tombant entraînerait la leur. C'était précisément ce qui allait advenir.

Le Comité de salut public considérant la loi salique comme une superstition, j'étais à ses yeux susceptible de régner au même titre que mon frère. En conséquence, Charles et moi étions maintenus en prison dans une solitude et une indifférence absolues, chacun à son étage. Les murs épais et le plafond élevé augmentaient le sentiment oppressant d'être au fond d'un puits. Quel sort nous réservait-on ? Le Comité et la Convention l'avaient eux-mêmes avoué : ils savaient comment faire tomber la tête des rois, mais ils ignoraient comment on élevait leurs enfants ! Maintien en prison ou déportation ? Notre existence seule était un risque pour la république.

Ma condition se dégrada encore. On m'ôta de quoi écrire et on supprima mon briquet, ainsi je ne pouvais plus allumer de feu pour lutter contre l'humidité de la tour. Je ne demandais pourtant à ces gens que l'absolu nécessaire, qu'ils me refusaient avec dureté. Je n'avais plus ni bas, ni chaussures, ni chemises à ma taille, alors que jusque-là mon linge avait été régulièrement renouvelé. Heureusement, ma mère avait pris soin de m'apprendre à coudre, ce qui me permettait de repriser mes hardes, rangées dans une commode en acajou sur laquelle était posé un miroir. À l'heure du repas, une écuelle était déposée à ma porte. On ne voulut plus me donner de livres, pas même le *Gil Blas* que ma mère avait demandé. Je n'avais plus que des ouvrages de piété et *L'Imitation de Jésus-Christ* que lisait déjà mon père, traduite par Corneille : « Dans quelque excès d'ennuis, songe qu'au printemps l'hiver sert de passage, qu'un profond calme suit l'orage, et que la nuit fait place au jour. » Pour m'occuper, quand j'avais lu et raccommodé mon unique robe, il me restait un tricot laissé par Mme Élisabeth qui m'ennuyait beaucoup. Je tricotais, détricotais, tricotais de nouveau… J'en ai cent fois modifié les motifs.

Un jour chassait l'autre. Je languissais semaine après semaine, me demandant si j'allais sortir, et quand. Désœuvrée, j'inscrivis un jour ces paroles retrouvées sur un mur de ma chambre : « Charlotte est la plus malheureuse personne du monde : elle ne peut obtenir de savoir des nouvelles de sa famille, ni d'être réunie à sa mère, quoiqu'elle l'ait demandé mille fois. Vive ma bonne mère que j'aime bien et dont je ne peux savoir des nouvelles ! » Comment des hommes, qui étaient parfois des pères de famille, pouvaient-ils maltraiter ainsi une innocente orpheline ?

Mme Élisabeth, ne prévoyant que trop le malheur auquel j'étais destinée, m'avait accoutumée à me servir seule et à n'avoir besoin de personne. Elle avait exigé que je marchasse à grande vitesse pendant une heure, la montre à la main, afin de remplacer l'exercice qui me manquait. Si j'étais abandonnée, je ne m'abandonnai pas moi-même un seul instant. Je n'étais jamais dans mon lit, mais toujours assise sur une chaise à m'occuper. Pour ma toilette, j'avais du savon, de l'eau. Je faisais sécher et repasser mon linge de corps entre le drap et le matelas.

Dans ce lieu hostile, véritables oubliettes républicaines où nul ne se préoccupait de mes besoins, j'étais condamnée au mutisme, ignorante de la marche du monde, privée de lumière et de soleil, d'espace, d'éducation, de soins, d'attentions, de tendresse. Craignant de demeurer séquestrée à perpétuité, je connaissais des moments de détresse absolue, mais n'en voulais rien laisser voir. Je savais me dominer et pouvais me ressaisir quand on venait me visiter. Je me rappelais les paroles de mon cher père, qui avait dit qu'il s'abaisserait s'il paraissait sensible à la manière dont on le traitait. Voilà encore un trait que nous partagions.

Et puis je pensais ma mère et ma tante vivantes, espérant toujours que nous finirions par être réunies. En m'embrassant pour la dernière fois, Mme Élisabeth m'avait vivement recommandé de demander, si j'étais seule, que l'on mît une femme à mes côtés. Mais je craignais d'obtenir une vilaine personne, l'équivalent du savetier Simon. Quoique je préférasse infiniment ma solitude à la personne que l'on m'aurait proposée, mon respect pour les conseils de ma tante m'avait décidée à m'en enquérir. En vérité, ma doléance fut rejetée et j'en fus bien aise. Si j'avais, non sans répugnance, réclamé une compagnie féminine, c'était aussi parce que je ne me sentais pas tranquille avec ces gardiens, souvent avinés, qui entraient trois fois par jour pour inspecter mon cachot. Un de mes plus grands supplices résida dans ces rondes nocturnes. Souvenir ô combien pénible. La première fois, je crus qu'on venait me libérer, aussi la déception fut-elle à la hauteur du fol espoir que j'avais conçu. Par la suite, nuit et jour, sans cesse sur le qui-vive, dans l'attente et la crainte, je prêtais l'oreille au moindre son. Le sinistre bruit des verrous m'épouvantait. Les voix menaçantes qui exigeaient qu'au milieu de la nuit la porte de ma chambre fût ouverte m'ont laissé de bien douloureux souvenirs. Puisqu'ils avaient tous les droits, la boisson ne pouvait-elle leur faire franchir les limites de la décence ? Pour me protéger, j'avais décidé de les ignorer. Calme et silencieuse, je me contentais de les toiser, ce qui avait pour effet d'arrêter net leurs injures.

Repliement, peur et souffrance : tels étaient donc les composants de ma pauvre vie de Robinson Crusoé, seul survivant du naufrage et condamné à organiser sa vie sur une île déserte. Bien plus tard, l'expérience de la réclusion me fit compatir aux malheurs des prisonniers, notamment pour dettes. Combien de fois ai-je eu à cœur de régler discrètement leurs créanciers afin qu'ils recouvrassent la liberté ? Je trouvais intolérable que des hommes qui n'étaient pas des assassins fussent enfermés dans des conditions si rudes. Car ce système cellulaire dont les prisonniers se plaignent aujourd'hui avec des cris de désespoir brise les plus forts esprits et éteint des vies pleines de jours.

Si je n'ai pas perdu la raison alors, c'est que l'éducation que l'on m'avait prodiguée, ferme mais tendre et attentive, m'avait donné la force d'âme qui permet de résister aux pires avanies. Le recours à la religion, sur laquelle on avait insisté dans ma jeunesse, fit le reste. En m'exhortant au courage, ma tante m'avait dit que Dieu ne nous envoyait jamais plus de peine que nous n'en pouvions supporter. On le voit, les apprentissages d'une princesse sont soignés dans les moindres détails, et la dignité, le caractère, l'énergie, la patience en sont les points cardinaux.

Comment s'étonner que je sois restée laconique après une telle épreuve, à un âge où le caractère se forme ? Il eût fallu un miracle pour que je pusse m'accomplir dans des conditions aussi draconiennes, commandant une si contraignante retenue qu'elle devint par la suite familière. Un jour, j'ai fourni quelques détails de ma détention au Temple à ma nièce Louise qui me les réclamait. Mais à peine lui en avais-je péniblement livré une poignée que je m'étais retirée pour marcher seule au grand air. À mon retour, je lui avais expressément demandé de bien vouloir ne plus jamais aborder ce triste sujet.

Comme ancien serviteur du roi, Toulan le Fidèle fut décapité au début de l'été. Par bonheur, je n'en sus rien sur le moment. Je n'ai eu de cesse, depuis, qu'il ne fût verser une pension à sa veuve. Mais la Providence se mêla de le venger, car les révolutionnaires commencèrent à s'entretuer. Si l'histoire a retenu la date du 9 Thermidor pour marquer la chute du monstre Robespierre, c'est le lendemain que sa tête – à son tour – tomba dans le panier, en même temps que celle de Simon. Après avoir usé du crime comme moyen de gouvernement et, quoique ses adversaires ne fussent guère plus humains que lui et que leur principal motif pour l'éliminer fût le désir d'échapper eux-mêmes à la guillotine, il fallait bien en revenir à la raison. La Terreur avait trop tendu son ressort ; une réaction était inévitable. Et la Révolution, qui selon la célèbre formule dévorait comme Saturne ses propres enfants, commença enfin à être rassasiée : les grilles des prisons s'entrouvraient, mais pas la mienne.

Dans mon antre, tôt ce matin-là – c'était à la fin du mois de juillet 1794 –, j'entendis un bruit affreux. La garde criait aux armes, le tambour rappelait, les portes se fermaient et s'ouvraient. Je me jetai hors du lit et m'habillai prestement. Tout ce tapage était pour les membres de la Convention. C'est ainsi que je reçus la visite de Barras, le nouveau calife, en grand costume, devant qui je demeurai muette de surprise. Il m'appela par mon nom, s'étonna de me trouver levée de si bonne heure.

Aujourd'hui, je suis convaincue que l'état de mon frère impressionna tant le régicide vicomte de Barras qu'il fit donner des ordres pour améliorer notre confort. Il avait en effet trouvé Charles dans un état épouvantable : replié sur lui-même, tel un chien, dans une sorte de panier sur un matelas sans drap, il n'avait pas daigné tourner la tête vers lui. Terrifié, le pauvre enfant s'était tout d'abord écrié : « Je ne dis pas de mal de mes surveillants ! » Son visiteur lui ayant demandé ensuite pourquoi il n'était pas dans son lit, il avait répondu qu'il souffrait moins sur cette couche. Barras avait ordonné qu'on le mît debout, mais au premier pas il avait paru éprouver des douleurs si vives qu'à l'instant on l'avait fait asseoir.

Un nouveau geôlier me fut présenté, M. Laurent, rejoint au mois de novembre par M. Gomin. Il entra, me salua profondément et se tint devant moi dans un silence respectueux, puis me demanda avec politesse si je n'avais besoin de rien. Cette dérogation aux usages du lieu était de bon augure. J'avais développé une aptitude, en examinant mes gardiens avec attention, à deviner leurs sentiments politiques. Or ces deux-là ne me tutoyaient pas, ne faisaient jamais la visite des barreaux, et je ne pouvais que louer leur conduite. Ils nous prirent en pitié, mon frère et moi. Je crois même pouvoir dire qu'ils s'attachèrent à nous. Avec eux, je n'avais plus peur. Mais lorsque je tentais de leur soutirer des informations sur le sort des miens, ils me répondaient tristement de patienter.

Malgré leurs bons offices, j'étais toujours seule, si seule… Et parfois si découragée que j'aurais souhaité mourir. Plongée dans une quasi-obscurité puisque la fenêtre, fermée par d'énormes grilles, était située plusieurs pieds au-dessus de moi, je me blottissais dans mon fauteuil, croyant ainsi amoindrir la morsure du froid.

Après tant de privations me furent d'abord rendus papier et crayons, livres et chandelles. J'eus de nouveau la possibilité de faire du feu, et Gomin me fit porter, avec la complicité du chef de cuisine, un peu de sirop de guimauve, du chocolat, de la brioche, des confitures, et du poisson le vendredi. Enfin il me fournit en chemises et serviettes, et surtout en chaussures et bas. Il mit d'ailleurs quelque temps à s'apercevoir de mon état car j'avais toujours soin de tenir ma robe baissée de sorte qu'elle cachât mes pieds. Au commencement, je dus communiquer par écrit, parce que j'avais bel et bien perdu l'usage de la parole. Mon élocution étant confuse, mes tentatives de phrases échouaient à coup sûr. Aussi n'étais-je pas comprise.

À la fin de l'automne, un rapport fut demandé pour s'enquérir de mes besoins matériels et alimentaires. L'un des rédacteurs, le baron Hermand, en a fait depuis un récit larmoyant, dans une description à la fois courtisane, partiale et déniant l'évidence. Lorsqu'il avait paru sur le seuil, je m'étais demandé quelles catastrophes, quelles peines nouvelles il venait m'apporter. C'est lui qui me révéla que non seulement mon frère n'avait pas quitté le Temple comme je l'avais cru un moment, mais encore qu'il était tout près de moi – Barras avait d'ailleurs demandé que nous fussions réunis, mais cet ordre n'a jamais été appliqué.

J'avais encore insisté auprès d'Hermand pour savoir ce qu'il était advenu de ma famille : « Quand on est séparée de sa mère depuis deux ans sans avoir de ses nouvelles, m'étais-je résolue à confesser à contrecœur, c'est très triste. » Déroger à ma pudeur naturelle m'obligeait à un réel effort pour mettre ma fierté de côté. Pour tout commentaire, il m'avait demandé si j'étais malade, ce à quoi j'avais répondu : « Non, monsieur, mais c'est la plus cruelle maladie que celle du cœur. » Impitoyable, il m'avait seulement dit qu'il n'y pouvait rien, me conseillant de prendre patience et d'espérer dans la bonté et la justice des Français. Mais étaient-ce vraiment les Français qui me tenaient séquestrée ? N'était-ce pas plutôt une poignée d'exaltés ? Quant à la bonté et la justice, ces grands et beaux mots ne reflétaient en rien la vie que je menais. Enfin, Hermand s'était étonné que je ne désirasse plus être en prison, parce qu'il lui paraissait que j'y étais bien. Oui, bien !

Et qu'écrivit ce lâche individu un quart de siècle après, quand je ne fus plus Marie-Thérèse Capet, mais Dauphine de France ? Reconnaissant avoir été frappé par le froid glacial et l'humidité du Temple, il me décrivit assise sous la seule haute fenêtre bordée d'un abat-jour, placée sous un rayon de lumière « comme dans une auréole de gloire », précisant que cette position lui semblait vraiment digne du pinceau. Devenu fort compatissant, il raconta avoir découvert une jeune fille vêtue d'une toile de coton gris, insuffisamment vêtue et protégée du froid. Comme je tricotais, mes mains violettes lui étaient apparues enflées par le gel et mes doigts gros d'engelures – il a, dit-on, fait quinze degrés au-dessous de zéro cet hiver-là. Or je me souviens parfaitement de cette scène. En vérité, il s'était contenté de me demander pourquoi, par un froid si excessif, je me tenais éloignée de la grande cheminée, qui n'abritait d'ailleurs qu'un bien petit foyer composé de trois morceaux de bois sur un monceau de cendres. Je lui avais répondu que je n'y voyais pas assez clair. Et comme il s'étonnait que je ne fasse pas un plus grand feu, j'avais dû préciser qu'on ne me donnait pas de bois. Voilà comment on récrit l'histoire !

Hermand a été retrouvé mort de misère sur le pavé parisien. Dans sa poche, se trouvait un billet à mon attention : « À Son Altesse royale Madame, duchesse d'Angoulême. Votre Altesse daignera-t-elle pardonner à l'un des membres de l'effroyable Convention nationale ? »

# 9. Louis XVII

## « Qu'est-ce qu'un enfant ? »

Je vois bien que la République, à la suite de l'Empire, voudrait réviser l'histoire de France. Le constat vaut particulièrement pour la Révolution, dont le roman ensevelit savamment d'inexpiables actions dans les profondeurs de l'oubli. Je tiens, moi, à dire les choses telles qu'elles se sont passées, y compris pour mon frère, même si, à plus de soixante-dix ans, j'ai encore la voix qui tremble en évoquant son sort. Non seulement Simon frappait fréquemment Charles au visage, mais encore se jouait-il de son sommeil avec une indicible cruauté, le réveillant à plusieurs reprises pour lui crier en pleine nuit : « Capet ! Tu dors ? Race de vipère, lève-toi ! — Me voilà, citoyen, répondait docilement le pauvre petit, en nage. — Approche, que je te touche ! » Puis d'un coup de pied il étendait sa victime au sol en lui criant : « Va te coucher, louveteau ! » Une autre nuit, en plein hiver, il lui aurait jeté un seau d'eau glacée parce qu'il priait. Par raffinement d'outrage, il se faisait servir par celui que toute l'Europe appelait Louis XVII et manqua de l'éborgner d'un coup de serviette pour le corriger de sa maladresse : « On veut en faire un roi et il n'est même pas bon à être domestique ! »

Simon lui faisait lire des livres obscènes, puis tenir aux fenêtres des jurements affreux contre la religion, sa famille et les aristocrates. Ma mère, heureusement, n'a pas entendu toutes ces horreurs puisqu'elle était déjà partie – mon Dieu, quel mal cela lui aurait fait ! Le dépérissement de mon frère fut l'œuvre de ses tortionnaires. Son assassin, Hébert, écrivit : « Que ce petit serpent et sa sœur soient jetés dans une île déserte… Au surplus, qu'est-ce qu'un enfant, quand il s'agit du salut de la République ? » « Qu'est-ce qu'un enfant ? » L'indignation m'étouffe encore. La fin justifiait donc tous les moyens ? Aveuglés par la haine, ces hommes ne sentaient plus l'injustice, ni même leur barbarie. Un autre Conventionnel avait déjà souhaité envoyer mon père aux galères, puis se défaire du « dernier rejeton de la race impure du tyran » pour en « purger » le sol français de toute trace. À l'instar de Danton, Hébert l'enragé a fini lui aussi, incrédule, sur l'échafaud.

Simon, donc, malmenait mon frère au-delà de tout ce qu'on peut concevoir, et davantage encore s'il manifestait des regrets d'être séparé de nous. Même si ce rustre a parfois cherché à le divertir à sa façon, il le terrorisait tant que le pauvre Charles n'osait plus verser de larmes. De son côté, Hébert le menaça plusieurs fois de lui faire couper la tête, ce qui le faisait s'évanouir d'effroi. Ce chantage monstrueux dut être pour lui une crainte constante. Entre autres méfaits, on lui faisait boire des liqueurs fortes pour mieux corrompre son esprit. Pour défendre sa mémoire, j'ose livrer une anecdote rapportée par un municipal. Un jour, entendant du bruit chez nous, Charles se serait écrié : « Est-ce que ces sacrées p*... (utes)-là ne sont pas encore guillotinées ? » C'était donc cela, les progrès de l'esprit humain issus des Lumières et dont on s'abreuvait ?

Enfin, au mois de janvier 1794, Simon partit, abandonnant malgré lui ses fonctions de « précepteur » – si l'on peut sans indécence employer ce mot, car « persécuteur » conviendrait mieux. Après avoir entendu un grand remue-ménage, nous avions pensé que Charles avait quitté le Temple. Au moment de son départ, mon pauvre frère s'était même montré prêt à tout pour sortir de prison : « Simon, amène-moi dans ta boutique, le supplia-t-il, tu m'apprendras à faire des souliers et je passerai pour ton fils. »

Mais son martyre ne cessa pas. Le Comité de sûreté générale jugeant que « la postérité du tyran » ne nécessitait plus de surveillance, son tortionnaire ne fut pas remplacé. Mme Simon non plus, qui au moins lui avait prodigué les soins les plus élémentaires. Seul lui aussi, livré à lui-même, Charles faisait des châteaux de cartes pour s'occuper, lui l'héritier de soixante-six rois ! Ses ordures étaient laissées dans sa chambre et la fenêtre restait close. Il fut obligé de placer son chapeau au milieu de la pièce avec des restes de pain pour éloigner les rats et il se levait souvent pour échapper aux grosses araignées noires qui couraient sur sa couche. Il portait des guenilles et vivait dans une crasse repoussante, un cloaque pestilentiel dont l'odeur se répandait jusque dans le corridor. Il se négligeait, n'avait plus de force, ne demandait jamais rien, pas même de quoi faire sa toilette. Il occupait un lit qui ne fut pas remué durant six mois car il n'en avait plus la force. Il passait sa journée sans rien faire, et cela brisa et son corps et son âme. Qu'était devenu cet angélique enfant qui enthousiasmait les foules ?

À son arrivée, M. Laurent découvrit combien l'état de mon frère était déplorable. En loques et infesté de parasites, il râlait sourdement, souffrant des articulations et recouvert de plaies purulentes à la tête et au cou, dans lesquelles ses cheveux trop longs s'étaient introduits. Il les écorchait sans cesse, les faisant saigner avec ses ongles devenus ceux d'une bête fauve.

Pour me protéger, mais aussi se protéger puisque les consignes étaient strictes, Laurent décida de ne pas me dévoiler l'entière vérité à son sujet. Lasne remplaça Laurent en mars 1795. Tout comme Gomin, il paraissait se soucier de mon sort et voulait me dissimuler ces pénibles détails. La nuit, alors que Charles était laissé dans une obscurité absolue malgré sa peur, Gomin obtint qu'on lui donnât une chandelle. Puis il le débarrassa de ses haillons et de la vermine en lui donnant des bains et en changeant enfin son lit. Pendant ce temps, sa maladie progressait inexorablement.

À la fin de sa courte vie, tombé dans un marasme effrayant, il avait perdu et l'appétit et le sommeil. Lorsqu'on lui proposait de la nourriture, il disait vouloir mourir. Croupissant au fond de sa geôle, muet et maigre à faire peur, il refusait de sortir dans la cour. On aurait dit que Louis XVII avait été substitué tant il était méconnaissable. On le réprimandait, on le traitait de feignant : « Secoue-toi, bon Dieu ! Non, pas en te balançant, abruti ! Lève-toi et marche jusqu'à la table ! » Mais il eût fallu un miracle…

J'ai d'abord cru que, les deux derniers mois, l'engourdissement et l'abattement avaient remplacé ses tortures. Hélas ! même après avoir été transporté dans l'ancienne chambre de notre père, enfin pansé, il se consuma comme un vieillard. Des témoins pénétrés de la plus juste indignation confirment l'avoir vu mourant, victime de la misère la plus abjecte, de l'abandon le plus complet, dans un état qui faisait mal à voir, et dans les détails duquel je ne me sens pas le courage d'entrer complètement. Barbarie inouïe que de laisser un malheureux orphelin, malade, seul, sous clé, sans aucun secours excepté une mauvaise sonnette qu'il ne tirait jamais, aimant mieux manquer de tout que de demander de l'aide à ses bourreaux.

Puis son mal empira et il sombra dans une absence continuelle, le regard fixe et indifférent, ne manifestant plus aucune émotion, ne s'intéressant plus à rien, pas même à son propre sort, emmuré dans le mutisme depuis qu'il avait compris qu'on l'avait fait témoigner contre sa mère. Il ne pouvait et ne voulait ni se lever ni s'occuper, même quand on lui montrait des jeux pour le distraire. On lui avait offert une tourterelle, mais elle non plus ne put survivre à l'atmosphère malsaine. Pour finir, ses persécuteurs passèrent de nouveau aux menaces, mais plus rien ne pouvait l'atteindre.

Ce ne fut que lorsque ses joues devinrent rouges de fièvre, et en constatant son maintien propre au rachitique – genoux gonflés, membres longs et buste court, épaules hautes et resserrées –, qu'on songea à demander un médecin. Enfin on envoya le chirurgien en chef de l'Hôtel-Dieu, alors rebaptisé « hospice de l'Humanité », mais il était trop tard. Il ne put qu'adoucir la fin de mon pauvre frère. Il fit aérer la pièce, lui prescrivit du chocolat, des légumes frais, au lieu du sempiternel plat de lentilles, sans parvenir à le sauver. Ce Desault – qui mourut quelques jours avant son patient – avait eu beau lui témoigner de l'intérêt, Charles l'avait seulement regardé tristement et avait courbé la tête sans vouloir répondre à ses questions. Des scrofules le rongeaient. Sans doute savait-il son trépas proche et inéluctable. Il se faisait seulement lire les *Nuits* d'Edward Young, un des ouvrages favoris de notre père : « Et la nuit, oui la nuit la plus noire, au moment même où elle s'enveloppe des ténèbres les plus profondes, est encore moins triste que ma destinée, moins sombre que mon âme. » À Gomin qui, ne pouvant masquer la pitié qu'il lui inspirait, déplorait son état, le pauvre petit avait seulement dit : « Consolez-vous, je ne souffrirai pas toujours. » La veille de sa délivrance, il fut pris de douleurs d'entrailles, de dysenterie, de violents vomissements de bile, de sueurs froides et de tremblements. Son ventre était tendu, son pouls faible. Dans un dernier râle, il expira, sans doute victime d'une péritonite avant même que les écrouelles prissent le dessus. Bien plus tard, Gomin m'assura qu'il avait rendu l'âme sans souffrance, sans agonie, mais je mesure aujourd'hui combien il a souhaité me protéger en m'épargnant la vérité.

Les années passées au milieu des larmes, des saisissements, des terreurs continuelles, du manque d'hygiène, de soleil et d'exercice, la solitude, l'air confiné et les mauvais traitements eurent raison de lui, son excellente santé ne faisant que prolonger son révoltant supplice. Ni sa jeunesse, ni sa beauté, ni même son innocence n'ont pu attendrir la dureté de ses bourreaux. Le 8 juin 1795, après un hiver rigoureux, ce roi de dix ans privé de couronne fut emporté par la même maladie que son frère aîné – tout comme le frère aîné de notre père, mort lui aussi à l'âge de dix ans.

Au moins n'a-t-il jamais su que l'on avait exécuté sa « maman-reine », de même que celle-ci n'a pas été confrontée à la mort de son « chou d'amour ». Je bénis le ciel que mon père n'ait pas eu non plus le malheur de subir la mort de son second et dernier fils. Cependant si la méchanceté des hommes ne l'avait enseveli dans le tombeau, je ne suis pas certaine que mon frère eût conservé toute sa raison – même si ce sentiment a pu heurter.

Le cœur de Charles fut, dit-on, conservé après l'autopsie effectuée par le Dr Pelletan, qui tenta de me le faire parvenir après s'être vanté de l'avoir soustrait. Je n'en ai jamais voulu car je n'avais nulle certitude sur son origine, bien que je confirme ici solennellement que Louis XVII est bien mort au Temple. Nul échange, nulle survivance, hélas ! à espérer. Toute ma vie, des faussaires cherchant à se faire passer pour lui ont essayé de m'approcher. Une trentaine ont déjà été recensés, qui commençaient parfois leurs lettres absurdes par « ma sœur ». Fadaises ! Tant de partisans ont espéré un miracle ou un dénouement sensationnel, alors qu'il eût fallu détruire l'illusoire aspiration dans laquelle ces âmes naïves étaient entretenues. Mais le public aime le merveilleux : qu'on lui dise qu'un petit prince a échappé secrètement à une grande catastrophe, aussitôt il s'enflamme.

Pour protéger Gomin, y compris après sa mort survenue il y a dix ans, je n'ai jamais, jusqu'à aujourd'hui, révélé que ce dernier s'était résolu, au péril de sa vie, à me faire comprendre, sans toutefois le dire explicitement, que mon frère avait rendu l'âme. On a cru que je n'avais rien pressenti. Or je vivais un étage au-dessous de lui et Gomin, mais aussi Lasne, qui me donnaient régulièrement de ses nouvelles, avaient affiché, après sa mort, des figures désolées. Ils n'eurent pas besoin de me livrer toute la brutalité de la vérité pour que je comprisse que sa maladie avait fini par l'emporter. Par la suite, comment n'aurais-je pu être alertée par les bruits sinistres de son autopsie, demandée pour vérifier qu'il n'avait pas été empoisonné, les clous enfoncés dans son cercueil, et surtout le grand silence qui suivit ? J'héritai alors du petit chien apporté par Simon, que mon frère avait tant aimé. Parce qu'il brisait ma solitude, j'étais très attachée à ce bâtard d'épagneul à l'oreille cassée, vif et affectueux. Mais si l'on était obligé de trouver un nouveau maître à Coco, n'était-ce pas qu'il était arrivé malheur à l'ancien ?

Voilà pourquoi je puis certifier que mon frère est bien mort au Temple. J'en ai toutes les preuves. Quel meilleur témoin que son gardien pour me raconter sa fin – celle qu'il me livra après ma libération ? En outre, comment peut-on croire que, si j'avais eu le moindre doute sur sa disparition, j'eusse hésité à faire l'impossible pour le retrouver ? Rien ne peut me blesser davantage que la persistance d'un tel mensonge, de ces balivernes dont on encombre mon courrier. Plus personne ne doit encourager des croyances à des révélations faites sans discernement et entretenues par des fripons. J'ai, par sécurité, laissé un testament supplémentaire, à ne décacheter qu'un siècle après ma mort, pour l'attester encore une fois. Je ne reviendrai donc plus sur ce sujet, clos à mes yeux.

Il y a quelques années, on a voulu m'entretenir de la mort récente d'un de ces usurpateurs. C'était comme si la foudre venait de tomber : livide, agitée et tremblante, j'interrompis mon interlocuteur en lui disant sèchement que je ne voulais plus être importunée ni que l'on vînt me rappeler d'aussi douloureux souvenirs, et aussi que je ne savais que trop bien que mon malheureux frère était mort au Temple. Je mis ensuite plusieurs jours à me remettre du choc que j'avais reçu. Ce n'était pas assez d'avoir vu mon frère mourir, confiai-je à une amie, il fallait encore que je fusse accusée de ne pas vouloir le reconnaître. Or j'avais reçu quelque temps auparavant le très émouvant *Louis XVII*, biographie dûe à M. de Beauchesne. Pour le remercier, je lui fis parvenir un coffret en lui précisant qu'il ne saurait contenir toutes les larmes que m'avait fait verser son livre. Cela me rappelle les tout premiers vers du jeune Victor Hugo, dans cette ode consacrée à mon frère : « C'était un bel enfant qui fuyait de la terre… »

Après la visite d'Hermand, j'avais préféré ne plus m'enquérir de ma famille, mais j'y pensais sans cesse. Il eût fallu bien du courage pour me dévoiler la vérité car, si les journaux avaient informé les Français de la mort de mon frère, j'étais la dernière personne

– pourtant concernée au premier chef – à l'ignorer officiellement. Isolée dans ma chambre durant une année entière sans en sortir jamais, j'eus le temps de réfléchir, et je ne soupçonnais que trop le sort de mes infortunés parents. Mais comme les malheureux aiment se flatter, il y eut des moments où j'espérais encore. On m'a volontairement tenue dans la méconnaissance de la mort des miens. Je ne pouvais donc ni porter les deuils de ma mère et de ma tante ni afficher celui de mon frère. Que l'on veuille bien songer à ceci : comment se résoudre à leur disparition sans avoir pu ni les veiller ni les faire porter en terre ? Sans que je le sache, tous se trouvaient déjà dispersés dans les fosses communes de la capitale.

Si, à l'étonnement général, je n'ai pas évoqué mes derniers mois au Temple dans mon écrit de jeunesse, c'est parce que la décence m'en empêchait ; parce que, seule survivante, je ne me sentais pas autorisée à partager le martyrologe. Comme je ne pouvais plus parler que de moi-même, la plume m'était tombée des mains.

Plus d'un demi-siècle a passé et je livre ici un témoignage débarrassé des affectations rencontrées à la lecture de mes contemporains : ma pudeur me l'interdit et mon âme s'y refuse. Déjà à cette époque, quand je ne pouvais plus contenir mes tourments, j'attendais la nuit pour verser des larmes, lorsque j'étais certaine de n'être pas observée. Et longtemps mes nuits ont été assaillies par de mauvais rêves toujours recommencés : des hommes frappaient à ma porte avec des rires sarcastiques, des fantômes me menaçaient, des cloisons se fermaient… J'étais prise au piège. Le plus troublant était celui dans lequel un petit garçon se lamentait, disant qu'il voulait rentrer chez lui car il était roi. Je me réveillais frémissante et éplorée.

Ce long et effroyable hiver aurait pu me faire perdre la raison, car vivre dans cette impitoyable solitude, entre quatre murs, harcelée par les puces et les punaises, est un traitement que l'on n'oserait pas même réserver à un chien.

Au printemps, Gomin et Lasne m'engagèrent à monter sur la plate-forme de la tour. Je n'avais pas respiré à l'air libre depuis l'été précédent. Les créneaux étant toujours bouchés par des planches de chêne, je ne pus voir que le ciel et la ronde des chauves-souris affolées qui, au crépuscule, voletaient au-dessus du donjon. Une sorte de vertige m'avait alors saisie. Quelques jours plus tôt, mon confinement avait été la cause d'un évanouissement. Personne n'étant venu me secourir, j'avais repris seule mes esprits. Mais j'étais à ce point fatiguée de ma solitude, j'avais le cœur si vide et l'énergie si lasse qu'il aurait suffi que l'on mît auprès de moi une personne qui ne fût pas un monstre pour que je ne pusse m'empêcher de l'aimer.

À compter de la mort de mon frère, l'opinion commença à s'inquiéter de mon sort et des murmures osèrent s'élever. Des écrits largement répandus, disant hautement ce que beaucoup pensaient dans leur for intérieur, souhaitaient alerter les Français. Évoquant mes féroces geôliers et les barreaux couverts du sang de ma famille sur lesquels je posais chaque jour les yeux, mes défenseurs interpellaient la Convention, l'accusant de délibérer de la liberté près de ce cachot qui retenait la vertu captive. Les gémissements de l'innocence opprimée ne troublaient-ils pas la froideur de leurs débats ? Puis les journaux réclamèrent ma libération au nom de la pitié et de l'humanité. On craignait maintenant que je ne suivisse mon frère au tombeau si l'on ne se hâtait pas de me faire respirer un air plus salubre, ajoutant que mon seul crime était d'être née d'une race proscrite. Le ton de la presse avait bien changé depuis *Le Père Duchêne*...

À la mi-juin, la Convention reçut une députation réclamant la libération de « Marie-Thérèse de Bourbon », une jeune infortunée condamnée aux larmes et privée de toute consolation, réduite à déplorer ce qu'elle avait de plus cher. On jugeait alors que j'avais bien douloureusement expié le malheur de mon auguste naissance. On se résolut donc à me trouver une dame de compagnie parmi des femmes recommandables, c'est-à-dire connues pour leurs vertus morales et républicaines. Plus d'un an s'était écoulé sans que je visse une âme féminine, du départ de ma tante en mai 1794 au 21 juin 1795. Aussitôt, ma chère Mme de Tourzel se proposa pour être envoyée près de moi, sans succès puisque le choix se porta sur Renée de Chanterenne, qui n'avait de liens ni avec notre famille ni avec les Royalistes, mais présentait d'excellentes références.

Celle-ci découvrit d'abord une chambre au plafond en ogive, aux murs couverts de papier à rayures vertes et bleues. Au fond de la pièce plongée dans la pénombre, une jeune fille de seize ans à la peau blanche, assise sous le seul rayon de lumière et empreinte d'une inexprimable gravité. Mes longs cheveux noués étaient coiffés d'un fichu attaché par un nœud sur le devant, mon corsage était trop petit et ma robe de soie bien trop courte – je la raccommodais sans cesse depuis un an. Les mains rougies par l'humidité, je lisais, assise sur un canapé placé dans une encoignure de la fenêtre. Surprise par la douceur avec laquelle on ouvrait la porte, je tournai la tête. Mes grands yeux bleus à fleur de tête posèrent sur elle un regard tout à la fois ingénu et triste.

Mon premier mouvement fut de me tenir sur mes gardes. Cette dame élégante s'inclina devant moi, les yeux remplis de larmes. Je fus bien étonnée de cette visite inattendue, car on ne m'avait pas prévenue de son arrivée. Qui donc était cette femme tremblante qui prétendait avoir « l'honneur de vivre auprès de Madame » ? Lorsqu'elle m'expliqua les raisons de sa présence, je ressentis un immense soulagement. J'allais peut-être enfin pouvoir me confier, partager mes chagrins, établir un lien véritable. Comment une princesse livrée aux régicides aurait-elle pu ne point s'attacher à une compagne souriante et dévouée apparue soudain, comme par miracle, au milieu de ses peines ?

Je ne pus d'abord que garder le silence. Puis, lorsque j'essayai de parler, je n'y parvins pas. N'ayant plus d'interlocuteur depuis treize mois, je ne savais plus articuler convenablement. Les premiers moments, il me fut impossible d'émettre un son intelligible. Attentive et compatissante, Mme de Chanterenne sut bientôt nouer une relation amicale et sincère, et même gagner ma confiance.

Assez vite, je l'appelai affectueusement Rénète. J'avais tant besoin de chaleur, de bienveillance, de conversations, de mains à caresser ! Les jeunes cœurs s'emportent facilement et le mien, retenu trop longtemps, ne demandait qu'à aimer. Je me pris donc pour elle d'une de ces affections admiratives, tendres et enthousiastes comme il en fleurit à cet âge. Alors que j'étais recluse dans une forteresse vieille de trois siècles depuis maintenant trente-cinq mois – plus de mille jours ! –, elle m'apportait un immense réconfort. C'est elle qui, dès son arrivée, fit demander, pour ma santé, de me laisser promener dans l'enclos du Temple. Je m'y rendis donc pour la première fois depuis l'automne 1792, empruntant l'escalier de pierre que mon père, ma mère et ma tante avaient descendu pour ne jamais revenir.

On ne peut se figurer le ravissement que j'éprouvai, la griserie presque, non seulement à la vue des fleurs et des arbres en ce début d'été, mais aussi en constatant qu'il existait encore des maisons habitées, sans barreaux aux fenêtres, moi qui avais été emmurée si longtemps. Aussi recouvrai-je une joie, une manière d'insouciance, comme si après avoir retenu mon souffle je pouvais enfin respirer librement. Dans un rapport qu'elle fit après un mois d'observation, Mme de Chanterenne écrivit que mes vertus les plus estimables avaient chez moi devancé l'âge, que mes talents ne demandaient qu'à être développés et exercés. Elle jugeait même qu'un peu de gaieté avait parfois pris la place de l'air sérieux trouvé en arrivant.

Ma santé était meilleure. Les exercices ainsi que les occupations variées me détournaient de mes sombres pensées… Une timide renaissance s'opérait grâce à sa présence chaleureuse. Je lui offris alors ces quelques vers, maladroits mais qui traduisaient mon sentiment au cours de ces mois passés en sa compagnie :

« Elle apaise et calme mon âme / L'échauffe de sa douce flamme. » Ou encore :

« De mon cœur elle fait le charme / Il ne voit plus aucune alarme / Depuis qu'il ne voit près de lui / Qu'âmes sensibles pour appui. »

Je n'étais plus cette esseulée languissante tâchant de survivre avec dignité. Je pouvais enfin désarmer, convaincue d'être écoutée, comprise, et placer ma confiance dans cette femme uniquement préoccupée de mon bien-être, de mon éducation, d'une initiation reprise là où elle avait été laissée.

Mais on a bien failli réussir à me briser. Il s'en fallut de peu que je ne devinsse tout à fait farouche. Cependant, ces longs mois d'isolement me marquèrent à jamais. Cette difficulté à être à l'aise en société, cette impossibilité à m'abandonner aux confidences, cette réserve extrême qui est passée, à l'âge mûr, pour de l'austérité ou de la sévérité, quand ce n'était pas du mépris, m'ont valu bien des reproches. Ne pouvait-on considérer mon passé, les douleurs endurées, pour expliquer mon goût pour une vie simple, en retrait, mon profond désir de tranquillité ? Lorsque chaque parole devient blessante comme une lame, le besoin de protection est une absolue nécessité. Et la méfiance s'installe pour toujours.

Lorsque Mme de Chanterenne s'absentait, ce qui était rare, je lui envoyais des billets un peu espiègles pour tromper le manque : « Madame, il est six heures, votre présence est si agréable à tout le monde qu'il faut vous arracher pour jouir du bonheur de vous voir… Je vous donne jusqu'à sept heures. Mais vous reviendrez après, parce que je ne vous ai presque pas vue de la matinée… » À la fin, je précisais : « Pour être lue tout de suite. À Mme de Chanterenne, au jardin du Temple ; par-delà le fatal guichet, sur un banc, n° 2, sous les arbres. »

Chaque jour, je lui demandais si elle savait ce qu'il était advenu des miens. Ayant reçu l'ordre de ne pas m'en instruire, se dérobant à mes nombreuses questions, elle me fit croire qu'elle ignorait tout mais qu'elle pensait que ma mère et ma tante avaient quitté la France.

Mais les révélations éclatèrent malgré les consignes, car c'est bien elle qui mit fin à cette longue et terrible incertitude. Le chagrin déchirant que j'éprouvais ainsi que mon désarroi la déterminèrent à ne plus me taire un secret que son intimité avec moi rendait chaque jour plus difficile à celer.

Malgré les mille précautions prises pour lever le voile, je fus frappée de stupeur en apprenant la mort de ma mère. Sous le coup d'une violente émotion je suffoquai, comme si j'avais reçu un coup de poignard, puis je murmurai, incrédule : « Et ma tante ? » Enfin dessillée sur son sort, je m'effondrai, pantelante, pénétrée de douleur. Mes sanglots furent bientôt remplacés par un déluge de larmes silencieuses coulant sans discontinuer le long de mes joues. Cette scène cruelle et inoubliable, qui vit renaître et déborder toutes les souffrances accumulées, me plongea dans un état de prostration. Peut-être me soulagea-t-elle, à la manière d'une catharsis. Bien que la vérité eût jeté le désespoir dans mon cœur, elle me délivra au moins de l'ignorance où l'on m'avait jusque-là maintenue. Ma famille entière avait disparu et j'étais vivante. Vivante, mais abandonnée. Il ne me restait plus qu'à les pleurer, prier pour eux et honorer leur mémoire jusqu'à mon dernier souffle.

Peut-être parce qu'il subsistait un doute dans son esprit quant à la mort de Louis XVII, elle ne m'en entretint pas. Mais je savais à quoi m'en tenir. Voyant que je ne posais pas de question concernant Charles, elle me confia, au cours de l'été, que sa mort avait été annoncée, mais que beaucoup ne voulaient pas y croire. Naturellement, ces confidences restèrent entre nous.

Grâce à mon sens du devoir, je parvins une fois encore à dominer ma douleur. Afin d'apaiser mes blessures, et jugeant sans doute excessive cette maîtrise de moi-même, elle me suggéra de raconter ce que j'avais traversé en couchant sur le papier les terribles événements vécus depuis notre emprisonnement jusqu'à la mort de mon frère. J'ouvris donc un cahier in-quarto, m'emparai d'une plume et traçai ces premiers mots d'une petite écriture légèrement inclinée : « Le roi mon père arriva au Temple avec sa famille le lundi 13 août 1792 à sept heures du soir… »

Après avoir fait l'impossible pour me consoler avec une délicatesse dont je lui saurai toujours gré, elle me fit porter des vêtements – chemises de toile fine, bas de soie de couleur, souliers, robes de nankin, déshabillés en taffetas, redingotes de bazin blanc et pierrots boue-de-Paris, couleur alors très en vogue. Elle fit demander un lit car je refusais de dormir dans celui de ma mère, dont j'avais si longtemps espéré le retour. Quant à l'apprentissage qu'elle me dispensait, je montrais la meilleure volonté pour tout ce qu'elle proposait. Le dessin et l'étude des langues étaient ce qui me plaisait le plus. J'eus même de l'encre de Chine pour esquisser tout à loisir. Enfin, on me fournit de la lecture : Racine, Boileau, les lettres de Mme de Sévigné à sa fille, la correspondance de Mme de Maintenon, les *Entretiens sur la pluralité des mondes* de Fontenelle et l'*Histoire de France* de l'abbé Velly. Mais c'étaient les voyages de La Harpe qui avaient ma faveur – ce même La Harpe qui, en félicitant par écrit Robespierre, lui avait demandé d'effacer « l'empreinte des tyrans sur tous les livres de la Bibliothèque nationale », avant de devenir, plus tard, un royaliste convaincu. Je l'ai lu mille fois, parfois à haute voix, pour améliorer ma prononciation qui avait tant perdu. J'ânonnais des noms propres tirés de voyages de l'Antiquité ou des Portugais, en Afrique, aux Indes… Pour le Siam, je me souviens par exemple de Taï-Yaï, Oklouang-Mahamontri, Okpra-Chula, etc. Ainsi, mes progrès furent prompts.

À l'extérieur, on commençait à pouvoir faire montre de fidélité à ses idées sans risquer sa tête. Hüe et quelques autres louèrent une mansarde de la Rotonde, dont la vue plongeait sur l'enclos du Temple et d'où ils pouvaient me contempler pendant mes sorties avec Rénète, Coco et même une petite chèvre qui me suivait partout. Un peintre me croqua sur le vif à l'aide de jumelles longue-vue – c'est d'ailleurs le seul portrait composé d'après nature de cette époque. J'étais devenue « la Rose du Temple », « un lys parmi les épines », « Vénus sortant de l'onde » ou alors « une blanche colombe » cernée de corbeaux et persécutée, dans tous les cas belle, pieuse et vertueuse. Par beau temps, je sortais moi aussi mon chevalet pour esquisser au lavis la tour du Temple, mon seul horizon, dont je voulais conserver le souvenir. Mes apparitions ravissaient mes admirateurs qui processionnaient en pèlerinage pour organiser des concerts en mon honneur. Des romances de circonstance, un peu mièvres, étaient alors entonnées pour me faire savoir que ma libération était proche :

*Calme-toi, jeune infortunée,*
*Ces portes vont bientôt s'ouvrir :*
*Bientôt, de tes fers délivrée,*
*D'un ciel pur tu pourras jouir.*
*Mais en quittant ce lieu funeste,*
*Où règnent le deuil et l'effroi,*
*Souviens-toi, du moins, qu'il y reste*
*Des cœurs toujours dignes de toi.*

J'en fus parfois indisposée car, en guise de divertissement, on m'abreuvait de vers indélicats qui me bouleversaient :

*Louis voit couler son sang.*
*Quoi, dit-il, tout m'abandonne ?*
*Amis, je meurs innocent,*
*Et cependant je vous pardonne.*
*Vains regrets, pleurs superflus !*
*Louis le bien-aimé n'est plus.*

Ces condoléances ostentatoires, qui ont hélas accompagné toute ma vie, m'obligeaient à me réfugier aussitôt dans mon donjon.

Dès l'annonce officielle de la mort de Louis XVII, mon oncle Provence déclara de Vérone qu'il devenait le roi légitime, sous le nom de Louis XVIII, et qu'il punirait les rebelles. Comptait-il rétablir la monarchie absolue, voire pourchasser les Royalistes constitutionnels ? C'était insensé et méconnaître absolument la situation. J'en conclus que les émigrés de son entourage saisissaient mal les irrémédiables évolutions de la France et me sentis plus que jamais chargée d'exécuter le testament de mon père, soit écarter toute idée de vengeance.

Un décret de la Convention déclara enfin, le 30 juin 1795, qu'au moment même où les prisonniers de guerre français en Autriche seraient rendus à la France la fille du dernier « roi des Français » – je me considérais comme fille du roi de France, mais au moins n'étais-je plus qualifiée de « fille Capet » – serait remise à l'Autriche. Toutefois, il fallut encore six mois pour faire appliquer ledit décret. Le roi mon oncle réagit en écrivant à François II que rien n'était plus insolent que ce parallèle que les rebelles osaient faire entre sa nièce et des scélérats, mais il priait son correspondant de contenir son indignation et de ne voir dans cette proposition qu'un moyen de m'arracher à mon horrible captivité. Mon cousin autrichien pouvait-il continuer à jouer les Ponce Pilate ?

Au mois d'août, je fus autorisée à recevoir des visites. Une intrigante se déclarant Bourbon-Conti obtint ce droit. Elle prétendit que je m'étais jetée à son cou, alors que je l'avais reçue avec d'autant plus de réserve que Mme de Chanterenne m'avait mise en garde. Mais je dois confesser que j'ai failli croire à cette cousine chimérique. Après dix jours de sollicitude excessive de sa part, je la fis écarter, car elle sous-entendait qu'il y avait un mystère autour de la mort de mon frère. On me fit savoir que cette femme avait perdu la raison, ce qui ne me surprit guère, mais ma confiance en fut une nouvelle fois ébranlée.

Après cette fâcheuse expérience, Mme de Tourzel et Pauline, au bout de nombreuses démarches, obtinrent au début de septembre l'autorisation de venir me rendre visite, ainsi que Mme de Mackau, que je n'avais pas revue depuis les Tuileries. Ces chères et bonnes gouvernantes, témoins de ma vie passée, eurent en arrivant la crainte d'avoir à m'apprendre que j'avais perdu ce qui me restait de plus cher au monde, mais Mme de Chanterenne les rassura en leur disant sobrement que j'étais déjà informée de mes malheurs.

Lorsque Mme de Tourzel et Pauline se présentèrent, je vins à leur rencontre. Je les embrassai d'abord tendrement, puis les conduisis à ma chambre où nous pûmes confondre nos pleurs sur tous les objets de nos regrets. Contraintes trois ans plus tôt de se séparer d'une enfant faible et délicate, alors encore entourée de sa famille, elles me retrouvaient après toutes ces épreuves, étonnées de me voir devenue grande et forte. Toutes furent également frappées de distinguer chez moi des traits du roi, de la reine, et même de Mme Élisabeth.

Je pris la parole la première et ne cessai de parler, leur racontant notamment le moment où j'avais dû me séparer de mon père, dont j'étais si tendrement aimée et auquel j'étais si attachée. Elles furent touchées car à aucun moment je n'affichai de sentiments d'aigreur contre les auteurs de tous nos maux. Or je ne pouvais que plaindre les Français et j'aimais toujours mon pays. Quand elles me dirent qu'elles ne pouvaient s'empêcher de désirer mon départ de France pour me voir délivrée de mon épouvantable captivité, je leur répondis avec l'accent de la douleur que j'éprouvais encore de la consolation en habitant un pays où reposaient les cendres des miens. Puis, en fondant en larmes, j'avais ajouté que j'aurais été beaucoup plus heureuse de partager le sort de mes bien-aimés parents plutôt que d'être condamnée à les pleurer *ad vitam aeternam*.

Toujours bouleversée, je leur parlai ensuite des mauvais traitements que Charles avait essuyés quotidiennement. Enfin, je leur livrai les détails atroces du procès de ma mère. À cette occasion, je n'oubliai pas de remettre à Pauline la toupie que celle-ci m'avait prié de lui rendre – la future comtesse de Béarn l'a conservée telle une relique.

Lorsqu'elles me demandèrent si la solitude ne m'avait pas trop pesé, je leur répondis que je ne faisais que peu de cas de ma personne comme de ma vie, et que j'avais cessé d'y prêter attention. Mme de Tourzel s'enquit aussi de savoir comment, abandonnée ainsi à moi-même, j'avais pu supporter tant de chagrins. Il est certain que sans le secours de la religion c'eût été impossible. Elle fut mon unique ressource, et me procura les seules consolations recevables. J'avais conservé les livres de piété de ma tante Élisabeth. Je les lisais, je repassais ses avis dans mon esprit, je cherchais à ne m'en pas écarter, à les suivre exactement. Je leur racontai comment elle m'avait accoutumée à me servir seule et à n'avoir besoin de personne pour faire mon lit, me coiffer, m'habiller ; le soin de ma chambre, la prière, la lecture... N'avait-elle pas judicieusement exigé que je marchasse en rond chaque jour à vive allure pour empêcher la stagnation des humeurs ? Je crois pouvoir affirmer aujourd'hui que ses sages conseils m'ont sauvé la vie.

Je continuai de m'épancher, narrant cette fois combien je m'étais appliquée, lorsque des commissaires de la Convention venaient me voir, à donner des réponses si laconiques qu'ils s'en retournaient aussitôt. En revanche, quand j'entendais battre la générale, j'éprouvais un rayon d'espérance car, dans ma pénible situation, tout changement, y compris la mort, ne pouvait que m'être favorable. Un jour, je m'étais crue arrivée au terme de mes peines. Me trouvant mal jusqu'à perdre connaissance, je m'étais réveillée comme d'un profond sommeil, sans savoir combien de temps j'étais restée dans ce triste état. J'avouai à mes visiteuses que j'étais alors si fatiguée de mon isolement que je me sentais dorénavant disposée à apprécier quelque compagnie que ce fût.

Comme Mme de Tourzel m'interrogeait à propos de Mme de Chanterenne, qui venait de sortir quelques instants, je lui répondis que, dans ces circonstances, je l'avais vue arriver avec plaisir. Elle ne manquait pas d'esprit et paraissait avoir de l'éducation. Elle savait l'italien, ce qui m'avait été agréable car j'avais naguère commencé à l'apprendre. Néanmoins, mon ancienne gouvernante ne semblait pas porter un jugement aussi tendre sur sa remplaçante. Mais, voyant que je l'avais prise en amitié et qu'elle paraissait s'être attachée à moi, Mme de Tourzel se montra heureuse que cette femme me fût agréable.

Profitant de la courte absence de Mme de Chanterenne, elle me remit, *via* Hüe et avec moult précautions, une lettre du roi mon oncle, Louis XVIII, datée du 8 juillet : si selon lui rien ne pouvait réparer les affreuses pertes que j'avais subies, il me demandait toutefois la permission d'en adoucir l'amertume en me conjurant de le regarder comme un père. Lui qui n'avait point de descendance me considérait désormais comme sa fille et m'adressait les paroles les plus tendres. Je désirais garder cette lettre réconfortante, mais, comme mon ancienne gouvernante risquait sa vie chaque fois qu'elle se chargeait d'une correspondance, je dus me résoudre à la brûler. En revanche, je m'empressai de lui répondre que j'étais très touchée des sentiments qu'il daignait marquer à une pauvre orpheline en voulant l'adopter et que c'était mon premier moment de joie depuis trois ans. Assurée de sa bienveillance, je finissais ma missive en le priant d'être persuadé que, quoi qu'il arrive et jusqu'à mon dernier soupir, je serais française, sujette et bourbon.

Le roi avait également chargé Mme de Tourzel de m'entretenir de son souhait de me voir épouser mon cousin, Mgr le duc d'Angoulême, fils aîné de mon oncle Artois, et donc destiné à régner si les Bourbons étaient un jour rappelés sur le trône, puisque Louis XVIII n'avait pas d'enfant. Il était séduisant d'envisager cette alliance qui permettait de marquer mon attachement à ma famille. Je la souhaitais également car mon père avait, paraît-il, formé pour moi ce vœu, ce qui était à mes yeux un motif puissant.

Pour être exacte, lorsque mes parents eurent des garçons, mon cousin cessa d'être un parti et ils changèrent d'avis. Mais j'avais la certitude que, s'ils vivaient, ils reviendraient à leurs premières intentions. L'idée d'être utile à mon pays produisit une grande impression sur mon esprit. En outre, ma mère disait qu'il valait mieux être fille de roi en France que reine dans un autre pays.

Je fis donc mille questions sur le duc d'Angoulême, auxquelles ma gouvernante ne put répondre. Et lorsque je lui demandai pourquoi mes parents ne m'avaient jamais informée de ce projet, elle m'expliqua que c'était pour ne pas occuper mon imagination de pensées de mariage qui auraient pu nuire à l'application qu'exigeaient mes études.

Lorsque Mme de Mackau arriva, quelques jours après, je dévalai l'escalier et me jetai à son cou, l'embrassant avec effusion, en lui disant combien je ne pourrais jamais lui rendre qu'une faible partie des soins qu'elle avait eus pour moi dans mon enfance. Puis je lui pris le bras, car sa santé semblait altérée par les ans et son long séjour en prison. Elle tenait à la main un grand chapeau blanc pour se préserver du soleil. M'emparant alors de ce chapeau, je l'élevai en l'air et lui fis de l'ombre afin qu'elle ne souffrît pas. Je lui confiai que ces années si dures ne m'avaient pas été inutiles. J'avais eu le temps de faire mes réflexions et j'étais plus forte contre le mal. Je m'empressai aussi de lui dire que j'étais loin de confondre la nation française avec ceux qui m'avaient enlevé les miens.

Après avoir dû si longtemps ne compter que sur moi-même, je me sentais soudain un peu entourée, et très reconnaissante de cette sollicitude à mon endroit. J'écrivis à Pauline que le plaisir de nos retrouvailles avait beaucoup contribué à soulager mes maux. Tout le temps que j'avais été sans la voir, j'avais beaucoup songé à elle. Tant de preuves de fidélité m'ont attachée à cette amie chère, jusqu'à sa mort en France il y a une dizaine d'années.

Lors d'une autre visite, je lui avais proposé, ainsi qu'à sa mère, d'aller dans les anciens appartements de mon père, qu'elles avaient connus durant une semaine en août 1792. Mme de Tourzel n'en eut pas le courage, mais mon amie et moi nous rendîmes dans la bibliothèque où nous passâmes plusieurs heures. Je lui proposai de feuilleter, par curiosité, le compte rendu au jour le jour des commissaires depuis notre entrée au Temple, qui était posé sur une table. Nous regardâmes rapidement ledit registre, surtout ce qui concernait la maladie, la mort et la sépulture de mon frère. Sur ces entrefaites, Gomin entra et se fâcha de nous voir en pleine consultation, car cela pouvait le compromettre. Je m'avouai aussitôt coupable et nous promîmes de ne rien révéler de ce que nous avions eu sous les yeux.

Mme de Tourzel, naturellement dans la confidence, tint également cette promesse, jusqu'à ce que, par la suite, un énième imposteur – ces Richemont ou ces Naundorff dont il me coûte de citer les noms – tentât de se faire passer pour Louis XVII et obligeât mon ancienne gouvernante à dire ce qu'elle savait. Ces mystificateurs qui osèrent se présenter à mes entours ne m'ont valu que fatigues et contrariétés ; ils me harcèlent encore aujourd'hui et gâchent mes vieux jours.

## 10. Libération

## « Pardonnez à ceux qui ont fait mourir mes parents »

Après ces premières visites, qui avaient lieu deux fois par décade, Mme de Chanterenne fit savoir au Comité qu'elle jugeait à propos d'éviter de renouveler ces fâcheuses scènes d'attendrissement qui pourraient nuire à ma santé et détruire peu à peu l'apaisement obtenu par ses soins. Il est vrai que Pauline et sa mère avaient répondu à toutes mes questions sur les personnes que j'avais connues avant la Révolution. La plupart avaient été guillotinées, d'autres massacrées, portées disparues… Mais une fois les larmes, bien légitimes, versées, leur compagnie redevint douce et calme. S'évertuant à me distraire, elles demeuraient toujours avec moi jusqu'à la nuit. Nous nous promenions dans le jardin, puis faisions une partie de reversi.

À la fin de l'été, les journaux transcrivaient par le menu ma vie au jour le jour, mes lectures, mes toilettes. Il était précisé que je ne portais pas de perruque et que la belle couleur de mes cheveux était naturelle.

Les retrouvailles avec Pauline y étaient aussi évoquées dans des termes d'un sentimentalisme un peu ridicule, annonciateur des outrances du romantisme : « Elle a été la première compagne, la plus tendre amie de son enfance. Quel tableau touchant ! Quel attendrissant spectacle ! Aucun de ceux qui furent témoins ne put retenir ses larmes : elles étaient délicieuses ! » Étais-je devenue une héroïne née de l'imagination d'un feuilletoniste ? S'il n'était pas surprenant qu'on reconnût mes souffrances, je ne goûtais guère les arabesques exaltées de ces chroniques. On y décrivait une jeune fille dont la faiblesse faisait tout le portrait, tandis que je me considérais déjà comme investie d'une mission requérant au contraire une force singulière. Issue d'une lignée dont on avait voulu renier la légitimité, je m'apprêtais à faire front avec l'espérance de la réhabiliter.

La Convention finissante incarnait désormais la figure du tortionnaire aux yeux de l'opinion. La Grande Terreur, écœurante jusqu'à la lie, avait fini par retourner tous les esprits contre elle. La Constitution dite de l'an III instaura une république plus modérée, reposant sur deux chambres et un pouvoir exécutif à cinq têtes. Ce curieux assemblage, source d'anarchie, rendait l'espoir à nos partisans, mais le loup jacobin n'entendait pas rentrer dans sa tanière et veilla à préserver ses intérêts en édictant un décret inique qui réservait les deux tiers des sièges aux conventionnels sortants. Ce coup d'État provoqua une révolte des sections royalistes parisiennes le 13 Vendémiaire an IV (5 octobre 1795). Prise de panique à l'idée qu'on marche sur elle, la Convention perdit la raison et remit son sort entre les mains de Barras, qui fit à son tour nommer un militaire impérieux censé mater la rébellion : le général Buonaparte. Cet homme sans scrupule, jadis lié à Robespierre, n'hésita point, contrairement à mon père, à écraser les sectionnaires en faisant mitrailler les vingt-cinq mille insurgés. Plusieurs centaines de cadavres s'entassèrent sur les marches de l'église Saint-Roch, sans compter les dizaines de condamnés à mort. Ce carnage est à mettre au compte du futur empereur Napoléon, dont la fortune a retardé de vingt ans le retour de ma famille sur le trône. Comment oublier que sa « bonne étoile » a commencé par cette mauvaise action ?

Au Temple, j'entendis aussi bien les tirs de canons que les fusillades dirigées contre mes libérateurs en puissance. Gomin me surprit pleurant sur le sang qu'on versait, gagnée par le découragement. En outre, comme j'avais cru quelque temps retrouver les Tuileries, on peut juger de ma déconvenue.

Après lui avoir donné le nom de place de la Révolution, la Convention décida que la place Louis-XV allait prendre celui de la Concorde ; mais où était cette concorde bruyamment affichée ? Le nouveau gouvernement, nommé Directoire, naquit quelques jours après sur les décombres de cette sanglante Convention qui venait enfin de se dissoudre. Établi non plus aux Tuileries, mais au palais du Luxembourg, ancienne résidence du nouveau roi mon oncle, il allait être à son tour chargé de régler mon sort, c'est-à-dire mettre en œuvre le projet d'échange avec des prisonniers français. Si je suis restée aussi longtemps enfermée, c'est parce qu'on ne savait que faire de mon encombrante personne, alors même que je demeurais un enjeu.

Invariablement délaissée, j'ignorais tout de ces tractations, me voyant condamnée à la perpétuité. Un jour, le chef vendéen Charette me fit parvenir un message pour me confier que ses compagnons d'armes et lui-même verseraient jusqu'à la dernière goutte de leur sang pour briser mes fers. Je fus infiniment touchée par cette marque de fidélité et de sentiments généreux. Hélas ! cet homme chevaleresque a été fusillé peu après ma libération.

Au mois de novembre, après l'exécution d'un agent contre-révolutionnaire qui venait d'ourdir une conspiration, Mmes de Tourzel et de Chanterenne furent interrogées et placées quelques jours au secret. Une lettre saisie prouvait prétendument les liens de la première avec cet agent. Elle fut disculpée, mais de nouveau on m'interdit toute visite et tout courrier.

À l'instar de Louis XVIII, Vienne jugeait inconvenant l'échange proposé par la France – une cousine de l'empereur contre des représentants républicains ! Cette fois, François II n'avait plus le choix. Il lui fallait tremper sa plume dans l'encre de la diplomatie. Dans toute autre circonstance, écrivit-il, les conditions desquelles on voulait faire dépendre ma liberté auraient dû être reçues comme inadmissibles. Mais au regard des catastrophes qui se succédaient dans la Révolution française, il ne devait consulter que sa tendre affection pour moi, et ne songer qu'aux dangers dont je n'avais cessé d'être menacée. Il souhaitait que l'on fît connaître au Directoire qu'il voulait finalement accepter la proposition qui lui était faite.

J'allais enfin sortir de prison, bien qu'on ne daignât pas me l'apprendre sur-le-champ.

Vienne désirait que Mme de Tourzel m'accompagnât, mais le gouvernement français l'en empêcha au motif qu'elle était soupçonnée de liens avec « l'ennemi ». Quant à moi, il me trompa en m'affirmant que François II ne voulait pas d'anciennes personnes du Temple. On proposa à la place Mme de Soucy, une de mes anciennes sous-gouvernantes, fille de Mme de Mackau, trop âgée pour me suivre. Et l'on fit croire à l'Autriche que c'était mon vœu !

Charles-François Delacroix, ministre des Relations extérieures et père du célèbre peintre, qui avait voté la mort du roi, ne souhaitait pas me rencontrer – comment aurait-il pu soutenir mon regard ? Il dépêcha à sa place le ministre de l'Intérieur Bénézech, secrètement royaliste modéré et qui avait confié à Hüe que la France ne recouvrerait sa tranquillité que le jour où elle reviendrait à son antique gouvernement.

À défaut de mes plus proches fidèles, je formulai le désir d'emmener avec moi Mme de Chanterenne ; ma requête n'ayant pu aboutir, il ne restait plus qu'à chercher Mme de Sérent, ancienne dame d'atours de ma tante, mais il fut impossible de la retrouver. C'est ainsi que Mme de Mackau proposa sa fille. Ma mère disait autrefois à son propos qu'elle avait mauvais ton et mauvais esprit. Cette décision m'affligea donc beaucoup car je n'avais pas confiance en elle, et je ne la connaissais pas assez pour lui dire tout ce que je ressentais. En bref, il n'y avait qu'une personne à laquelle je tenais, Rénète, et on ne me la donnait pas.

Dans la position où j'étais, j'avais besoin de conseils. Car en sortant de mon cachot je me sentais incapable d'affronter la société, manquant de carapace et de pratique, sans même évoquer ma réserve et ma timidité, incompatibles avec mon sens du devoir et mes obligations à venir. On laissa toutefois Hüe m'accompagner. Puisque mon père me l'avait recommandé, je me devais d'être fidèle à sa mémoire. Quant à Turgy, qui avait quitté le Temple depuis la mort de mes parents, il était souffrant et ne put me rejoindre que quelques mois plus tard pour devenir mon premier valet de chambre.

Enfin, six mois après la mort de mon frère, lorsque toutes les conditions furent réunies et les détails de l'échange réglés, on m'en informa. À cette nouvelle, j'éprouvai aussitôt un vif trouble et mon cœur s'emballa. J'étais tellement habituée à l'ombre que je redoutais la lumière. En outre, j'avais perdu tout sens de ce que pouvait être la liberté. Je ne savais pas non plus où l'on allait me dépêcher. Quelle destination me réservait-on ? Résignée comme je l'étais, je n'aspirais qu'à une vie tranquille et simple en France plutôt qu'aux honneurs à l'étranger. Malgré ma prudence, étais-je prête à affronter le monde ? Cette libération, qui aurait dû me combler de bonheur, avait un parfum d'inconnu qui tempérait cet immense soulagement. Préparant docilement mon maigre bagage, composé de quelques reliques, je réunis les derniers souvenirs ayant appartenu à mes parents. En témoignage de ma gratitude et au nom de notre amitié, je demandai à Pauline de bien vouloir accepter le trictrac de mon frère, ainsi que la montre en or, ambre et émail qui avait appartenu à ma grand-mère maternelle avant ma mère. La veille, j'avais offert le reste au personnel du Temple.

Vêtue d'une robe de soie verte, j'allai ensuite saluer les partisans de la Rotonde en leur faisant une révérence, puis un ample geste d'adieu. Enfin, Gomin et Lasne vinrent me chercher. Le ministre de l'Intérieur m'attendait au pied de la tour. Il était bien déconcertant de passer de ma condition de prisonnière à un traitement empreint de respect, tant j'en avais perdu l'habitude. Avant de quitter les lieux, je regardai encore une fois le lit dans lequel avait dormi ma mère, recouvert de damas émeraude, puis la pendule figurant *La Fortune et sa roue*. J'étais entrée au Temple avec tous les miens. J'en sortais trois ans, quatre mois et cinq jours plus tard, ne laissant derrière moi que des tombeaux.

Par peur que les Parisiens me prissent en pitié, mais aussi parce qu'on redoutait que les émigrés m'enlevassent, on me fit partir dans la plus stricte discrétion, vers onze heures du soir, dans la nuit du 18 au 19 décembre 1795, jour anniversaire de mes dix-sept ans.

Lorsque le dernier verrou s'ouvrit sur ma liberté, je fis un pas en direction de la pauvre Rénète, qui avait comme moi le cœur gros à l'heure de la séparation, et me jetai dans ses bras. Je l'embrassai en lui remettant une lettre d'adieu ainsi que mon pudique récit de dix-huit feuillets in-quarto tacheté d'encre et intitulé « Mémoire écrit par Marie-Thérèse-Charlotte de France sur la captivité des princes et princesses ses parents… ». Animée de sentiments aussi puissants que contradictoires, je descendis en pleurs la centaine de marches de l'escalier jusqu'à la première cour, triste à l'idée de quitter ces murs qui avaient été l'ultime lieu occupé par ma famille réunie. Après avoir franchi les guichets, je m'élançai hors de la tour afin de ne pas prolonger inutilement ce moment, sans pouvoir m'empêcher de me retourner pour lever une dernière fois mes yeux aveuglés par les larmes sur cette haute citadelle, énorme et tragique dans la nuit. Près de mon lit, j'avais laissé cette ultime inscription : « Ô mon Dieu, pardonnez à ceux qui ont fait mourir mes parents ! »

Lacretelle jeune rédigeait au même moment une pièce en vers intitulée *Madame Royale sortant du Temple* : « Adieu, noirs créneaux, voûtes sombres / Où de mes malheureux parents / Tous les soirs, les royales ombres / Poussent de sourds gémissements. » Ce n'était – mais je ne le savais pas encore – que le début d'une litanie qui n'a jamais cessé. Si l'intention était bonne, j'ai tant souffert d'être confrontée à un passé qu'on me jetait à la face, quand précisément je tâchais de le chasser de mon esprit, que je ne fus guère en mesure d'y trouver une quelconque consolation.

Sous l'Empire, la tour du Temple allait devenir un lieu de pèlerinage, si bien que Napoléon la fit détruire afin qu'on oubliât tout à fait les Bourbons dont j'étais le symbole vivant. Peu après, une littérature quasi mystique s'épanouit, dissertant bruyamment sur cette ruine où l'on pouvait « se sanctifier en touchant ces pierres ». On évoqua le Temple disparu comme « un autel qu'on renverse quand on n'a plus de sacrifices à y offrir, ni de victime à y immoler ». Là encore, croyant me complaire, ces plumitifs ne firent que remuer le fer dans la plaie.

Pendant qu'une suite réduite s'apprêtait à partir le lendemain avec le chien Coco, M. Bénézech, plein d'égards pour moi, me donna le bras pour rejoindre à pied son carrosse par la rue Vieille-de-la-Corderie, puis la rue Meslay. Il me conduisit ensuite à une berline de poste. Sur le chemin, mes yeux s'emplirent de nouveau de larmes. À l'heure où je lui devais la liberté, comment ne point penser à ceux qui avaient franchi ce seuil avant moi ? Puis je saluai le ministre avec chaleur et émotion. S'inclinant, il me déclara qu'il espérait que je serais bientôt rendue à la patrie, ainsi que tous ceux qui pouvaient faire son bonheur. Ces paroles réconfortantes m'allèrent droit au cœur et allégèrent quelque peu cet instant mémorable.
Gomin m'escortait. Un capitaine de gendarmerie figurait mon père et Mme de Soucy ma mère. Mon passeport avait été établi au nom de Sophie Méchain. Ce départ de nuit et sous une fausse identité ne pouvait manquer de réveiller le douloureux épisode de Varennes…

C'est seulement à ce moment-là que j'appris que j'allais être livrée à Vienne. Avant l'exécution de ma mère, Mme Élisabeth et moi ne pouvions comprendre l'indigne conduite de François II, qui laissa la reine de France, sa parente, périr sur l'échafaud sans tenter de la sauver. Mais son intérêt s'était éveillé. Me croyant toujours héritière de Saint-Cloud, Rambouillet, de leur mobilier, leurs bijoux, vaisselles précieuses, tableaux, bibliothèques, voitures et chevaux, il m'imaginait déjà reine de France et conjecturait de me marier à son frère l'archiduc Charles.

Ainsi je n'étais plus même une prisonnière ou un otage, mais plutôt une marchandise… Informé de ces manigances, Louis XVIII eut peur que le mariage avec mon cousin fût compromis. Jeu singulier du hasard : François II parviendra à ses fins puisque sa fille, Marie-Louise, allait monter quinze ans plus tard sur le trône de France en épousant Napoléon.

La veille de Noël, j'arrivai à Huningue, près de Bâle, dernière étape avant de traverser la frontière. Dès le lendemain, j'écrivis à Mme de Tourzel pour lui raconter mon voyage. Installée au premier étage de l'Hôtellerie du Corbeau, dans la chambre numéro 10 dont je me souviens que les murs étaient couverts de papier figurant des palmes vertes, je ne ressentais pas de fatigue, mais plutôt une excitation due aux paysages de France qui avaient défilé durant une semaine derrière les vitres de ma berline.

Après un premier relais à Charenton, je fus reconnue dès Provins par un officier de dragons. Ah ! comme cela me fit à la fois du mal et du bien ! On ne peut se représenter l'accueil qu'on m'avait réservé ni comme on courait pour me voir. Les uns m'appelaient leur bonne dame, d'autres leur bonne princesse. D'autres encore pleuraient d'attendrissement. Mon jeune cœur en fut tout agité, regrettant sa patrie qu'il chérissait d'autant plus qu'il savait devoir la quitter pour une durée inconnue. À Nogent-sur-Seine, la maîtresse de l'auberge où j'étais descendue pour me rafraîchir me traita avec beaucoup de respect. La cour et la rue se remplirent de monde qui voulait me voir avec bonne intention. Nous remontâmes en voiture et le peuple me combla de bénédictions touchantes car elles partaient du fond des cœurs. Tous me souhaitaient mille félicités.

Le lendemain matin, nous descendîmes à Chaumont. Je fus également reconnue par les habitants qui accoururent en foule pour me voir et m'acclamer. Un municipal me dit alors : « Cette affluence n'a rien que de satisfaisant pour Votre Altesse royale ; c'est ici à qui pourra voir *ce qui nous reste de Louis XVI.* » On peut juger de la manière avec laquelle je reçus ces paroles qui se voulaient aimables…

À l'hôtel heureusement nommé « La Fleur de lys », tenu par une dame délicieuse qui m'offrit du lait et des fruits avec beaucoup de gentillesse, je me sentis le centre de toutes les attentions. Trente ans plus tard, en 1825, je me rendis encore à Chaumont. Sachant par avance l'accueil qu'on allait me réserver, j'avais demandé expressément de n'avoir ni garde d'honneur ni fête, espérant plus de simplicité qu'à l'accoutumée. C'était sans compter le bal que la municipalité voulut organiser malgré tout pour ses habitants, qui avaient fait de grandes dépenses de toilettes et coiffures. Il pleuvait à verse lorsque j'entrai dans la ville. Devant ma chambre, j'aperçus les demoiselles apprêtées en blanc auxquelles j'avais cru pour une fois échapper. Comme je m'en étonnais à voix haute, approuvant peu que l'on vînt ainsi me rendre des hommages publics, je sentis bien que mes hôtes étaient décontenancés par ma réaction un peu sèche.

Je demandai alors, pour leur rendre le sourire, à revoir l'auberge où j'avais déjeuné trois décennies plus tôt. La bonne Mme Royer, devenue octogénaire depuis mon passage, s'approcha de moi en tremblant : « C'est bien vous, lui dis-je, je vous reconnais ! C'est vous qui m'avez fait un si bon accueil ; je ne l'ai pas oublié. » Et je lui tendis mes mains qu'elle inonda de larmes de joie et de reconnaissance. Cette visite-là me toucha, car il ne s'agissait plus d'une réception officielle, mais d'une rencontre véritable. Elle me montra fièrement le bol et l'assiette dont je m'étais servie et qu'elle avait conservés. La population, d'abord déçue par ce qu'elle avait pris pour du dédain, fut dès lors transportée. Pendant le gala qui suivit à la préfecture, je croisai Mme Royer encore une fois. Je lançai : « Tiens, mais je crois que voilà la bonne mère ! » Et je sentis que cette fois les jeunes filles en blanc, dépitées tout à l'heure, reprenaient des couleurs. Le malentendu étant dissipé, la fête pouvait commencer.

En 1795, j'ai pu mesurer l'écart entre Paris et les provinces, où l'on murmurait tout haut contre le Directoire. Là, on regrettait nettement la monarchie. Chacun s'affligeait de mon départ, ce qui augmentait ma douleur de quitter ces malheureux compatriotes si bienveillants à mon endroit. Il était bien dommage qu'un pareil changement n'eût pas eu lieu plus tôt. Je n'aurais pas vu périr toute ma famille et tant de pauvres innocents…

Le capitaine de gendarmerie qui se faisait passer pour mon père était bon, mais fort peureux. Des émigrés allaient-ils surgir pour m'enlever ? Des terroristes m'assassiner ? Il crut devoir m'appeler sa fille dans les auberges, ou bien Sophie, mais j'y mis bon ordre en ne l'appelant jamais que « monsieur ». Il dut voir que cela me déplaisait car il finit par s'épargner cette peine d'autant plus déplacée que partout on m'appelait « madame » ou « princesse ».

Un peintre me suivait pour faire mon portrait en donnant quelques coups de pinceau à chaque étape du voyage. Passé Vesoul, après mille difficultés dues aux chemins cabossés, nous arrivâmes à Huningue à six heures du soir. Puis les accès de la forteresse furent fermés.

Le lendemain, la voiture de M. Hüe, que je n'avais pas vu depuis septembre 1792, arriva avec le chien Coco, qui faillit mourir de joie en me retrouvant. Comme une personne faisait remarquer que ce chien était fort laid, je murmurai, les yeux embués, que je l'aimais parce qu'il était tout ce qui me restait de mon frère. Puis je m'informai de l'état de Mme de Chanterenne. Comment avait-elle réagi à mon départ ? Il paraît que sa douleur fut effrayante, malgré la lettre glissée dans sa main lors de nos adieux. Je lui recommandais de ne pas s'affliger plus que de raison, au risque d'augmenter mon chagrin par le sien, et aussi de ne pas songer à ma personne, puisque cela lui faisait tant de mal. Enfin, je la remerciais aussi de tout ce qu'elle avait fait pour moi de bon et d'obligeant, et ajoutai que je n'oublierais jamais ce temps-là. Désolée que ma lettre n'ait pu la consoler, je m'empressai d'en rédiger une seconde pour lui demander de prendre mieux soin d'elle, de ne pas tomber malade. La tête brouillée, je terminai par : « Je vous promets de toujours bien penser à vous, je ne peux ni ne veux vous oublier… Adieu, ma chère Rénète, la bien-aimée d'une malheureuse expatriée. Adieu, bonne, charmante, tendre Rénète, ma belle dame. »

M. Hüe me remit ensuite solennellement une paire de gants et une mèche de cheveux, m'expliquant qu'elles avaient appartenu à ma mère qui, de la Conciergerie, avait tenté de me les faire parvenir, précisant qu'il pouvait enfin exaucer son vœu. Je serrai contre moi ces souvenirs en espérant qu'un jour le pape mettrait mon père au nombre des saints. Il y a trente ans, en 1820, j'ai entrepris des démarches qui me semblaient naturelles, puisque moult carmélites et autres martyrs de la foi victimes de la Révolution avaient été béatifiés, mais je n'ai pu obtenir gain de cause, bien que Louis XVI eût été lui aussi « immolé par des impies en haine de la foi ».

En cette veille d'exil, j'avais réclamé une marchande de mode pour compléter ma toilette, car je ne voulais pas ouvrir les malles renfermant le trousseau offert par le Directoire, composé de robes d'organdi brodées d'or, de moire satinée ou encore de velours rose, sans compter les fourrures, dentelles et autres rubans. L'honneur me dictait de refuser l'offre de régicides qui, ne pouvant me laisser arriver sans linge, voulaient aussi faire croire à l'étranger que j'avais toujours été bien traitée. Cette élégance bien tardive n'était donc point recevable, et mon choix se porta donc sur des modèles discrets et peu coûteux.

Dès le lendemain, à la fin du jour, je devais rejoindre Bâle où l'échange aurait lieu. À Vienne, mon mariage avec l'archiduc Charles occupait déjà les conversations. J'estimais que j'étais placée dans une position bien désavantageuse et bien embarrassante, car il me faudrait décliner le plus diplomatiquement possible la proposition autrichienne. Durant le voyage, Mme de Soucy m'avait entretenue de ce projet d'alliance, arguant timidement que je pourrais être l'ange de la paix entre les deux pays. J'avais alors réagi sans ambiguïté, réitérant ma volonté d'épouser le duc d'Angoulême. Je considérais la « chaumière » proposée par un Louis XVIII errant d'exil en exil non moins noble que le trône que l'on me faisait miroiter. L'éclat de ce trône ne m'éblouissait d'ailleurs pas, et je préférais une conscience pure et une vie retirée au sein de ma famille à tous les trésors du monde.

Et puis n'étions-nous pas en guerre avec l'Autriche ? Il était inconcevable que je m'unisse à un ennemi de la France. Certes, des Français avaient guillotiné mes parents, certes, trois de mes grands-parents étaient germaniques, mais je me sentais complètement française. Tout comme ma mère qui, même si elle en avait conservé quelque accent, avait si bien oublié sa langue maternelle qu'elle faisait traduire ses courriers de l'allemand en français. Selon moi, les vrais Français, les seuls qui comptaient à mes yeux, ne pouvaient être confondus ni avec les révolutionnaires, ni avec les émigrés de la première heure, mais avec la foule qui m'avait saluée depuis Paris.

Mes dernières heures passées en France furent occupées avec la ravissante petite fille de l'hôtelière avec qui je partageai dessins et bavardages. Soudain, d'un mouvement irrépressible, et bien inhabituel, je me tournai vers la mère : « Et si je vous priais de me laisser emmener cette enfant ? » Voyant les yeux de cette femme s'embuer, je me repris aussitôt. C'était un vœu que je n'aurais pas dû former, il eût été trop cruel de la séparer de ses parents. En revanche, si elle avait encore une fille, je lui demandai qu'elle lui donnât mon nom. J'ai depuis appris qu'une autre lui était née, prénommée Marie-Thérèse, et qu'elle vit toujours.

Depuis mon départ du Temple, tout m'étreignait, comme si ma force avait rendu les armes après tant de retenue. Je fus bouleversée en apercevant son frère qui, âgé de dix ans et blond aux yeux bleus, m'avait douloureusement rappelé le mien.

Durant la nuit, j'entendis le Rhin qui roulait comme la mer. J'allais franchir ce fleuve pour recouvrer une liberté qui, je le comprendrais bientôt, ne serait que de façade.

Je quittais la France non sans de vifs regrets. Beaucoup se sont étonnés de cette peine éprouvée en m'arrachant au pays du malheur, marqué par les deuils et la réclusion. C'était faire peu de cas de sentiments plus profonds. Il m'était en effet pénible de songer que les cendres de mes parents allaient rester derrière moi. J'avais le sentiment de les abandonner, presque de les trahir, en particulier mon père, qui avait toujours jugé l'émigration avec sévérité. Oui, j'étais déchirée.

Le 26 décembre, il fallut me résoudre au départ. On attendit que la nuit fût tombée pour, encore une fois, privilégier la discrétion. Bien qu'ayant déjà donné beaucoup de preuves du contrôle que j'exerçais sur moi-même, j'avais encore pleuré et mes yeux étaient rouges. Gomin, lui, retenait ses sanglots. Si son zèle méritait une éternelle reconnaissance, à cet instant je pus seulement lui dire que mon cœur sentait fortement ce qu'il devait sentir.

Le maître de l'hôtellerie se prosterna devant moi en demandant ma bénédiction. Puis un jeune garçon m'ouvrit la portière. Je lui tendis mon mouchoir en lui expliquant que c'était tout ce que je pouvais lui donner car je n'avais point d'argent. En route, j'avais d'ailleurs souffert de n'avoir pas seulement une pièce de vingt-quatre sols à donner aux pauvres.

Sitôt assise dans la voiture, je pleurai de nouveau à chaudes larmes, me croyant à l'abri. Je regardai ce renvoi de mon pays comme l'inexorable aboutissement du 6 octobre 1789. Après six longues, très longues années de descente aux enfers, j'étais rescapée, certes, mais orpheline, prisonnière et maintenant exilée… De quoi mon avenir serait-il jalonné ? Un peloton de cavaliers me précédait, me rendant hommage pour la dernière fois avant près de vingt ans.

Les portes de Bâle furent fermées pour empêcher les curieux d'affluer, mais il y eut quand même une centaine de personnes qui crièrent : « Vive la princesse ! » Afin que je ne croisasse pas les otages jacobins, l'échange devait avoir lieu dans la maison de campagne d'un riche commerçant de la ville. Parmi les prisonniers figurait l'infâme Drouet, l'homme de Varennes, cette vile créature par qui tout avait échoué, celui qui avait livré mon père et provoqué sa perte. Lorsque j'en eus connaissance, je ne pus m'empêcher de penser que le destin jouait de bien terribles tours. Quand je songe que ma liberté servit la sienne… Deux décennies plus tard, il devint sous un faux nom secrétaire-lecteur d'un vieux royaliste. Ce gentilhomme s'évanouit d'horreur en apprenant sa véritable identité.

Après avoir longé le Rhin, je jetai un dernier regard sur la plaine d'Alsace plongée dans l'obscurité. Encore un tour de roue et, prisonnière de la raison d'État, je fus hors du royaume de mes ancêtres : « Madame, ici finit la France. »

En traversant le pont de Bâle sous l'éclat de la lune, où je fus encore acclamée, et alors que l'abbé Edgeworth de Firmont venait de me raconter les derniers moments de mon père, ma mélancolie fut accentuée par une haie de grosses lanternes élevées pour accompagner mon passage.

M'apprêtant à suivre en sens inverse la route dite de la Dauphine, en souvenir du chemin emprunté par ma mère un quart de siècle plus tôt pour épouser mon père encore Dauphin de France, j'arrivai dans ce vaste territoire autrichien qu'elle avait elle-même quitté au sortir de l'enfance, promise au plus beau trône du monde.

J'ai longtemps balancé avant de poursuivre ce récit. J'ai voulu rétablir la vérité sur les miens en racontant le crépuscule du règne de mon père et notre calvaire du Temple.

Dois-je continuer, alors même qu'après ma libération ma personne redevint publique et cessa de nouveau de m'appartenir pour se confondre avec les affaires du temps ?

Le devoir semble me l'imposer, bien qu'une telle exhibition me coûte. Mais nombre d'historiens s'échinent à ternir la mémoire de ceux qui me sont chers : mon mari le duc d'Angoulême, ainsi que mes oncles Louis XVIII et Charles X.

M'étant déjà fort étendue sur mes infortunes, je désire maintenant éclairer les événements auxquels j'ai été mêlée durant le demi-siècle qui vient de s'écouler. Je suis aussi mue par l'amour de mon pays et garde l'espoir que la France éternelle recouvrera un jour le bonheur et la stabilité sous le sceptre du meilleur des princes, mon cher neveu Henri V, à qui je dédie ces lignes.

# Livre II

# La Survivante (1795-1851)

## 11. Vingt ans d'exil

## « L'Antigone française »

En arrivant à Vienne, j'espérais échapper aux regards et me réfugier auprès de ma famille maternelle. Mais il me fallut d'abord réapprendre à vivre en société. Tout ce qui me rappelait le Temple me faisait frémir. Le cœur submergé d'affreux souvenirs, j'avais une impression d'horreur à la vue d'une fenêtre grillée. Malgré les apparences de la liberté et les beaux appartements qui m'avaient été réservés, j'étais cette fois séquestrée dans une prison dorée. Or je n'aimais pas être à charge et voulais vivre indépendante.

Au commencement, il m'était interdit d'approcher les Français. J'en conclus que, comme le redoutait le roi mon oncle, on voulait m'*autrichienniser*. Prise en étau, je fis des malheureux en repoussant froidement les offres de ceux qui voulaient me servir afin de protéger mon cousin François II. Ils en furent extrêmement contrits, et de là peut-être est née ma réputation d'insensibilité. De surcroît, pour mieux m'isoler de mes compatriotes, on avait fait croire que je détestais tous les émigrés, alors que je ne pouvais blâmer ceux qui avaient fui la Terreur à partir de 1792.

Après m'être consacrée au recueillement et au repos durant trois mois, je parus enfin à la cour de Vienne. Même si l'étiquette venait d'être alourdie pour me recevoir, je notai combien elle était simple en comparaison de Versailles, et pourquoi ma pauvre mère avait tant souhaité rejeter les rituels français. J'y retrouvai un Fersen troublé, discernant sans nul doute en ma personne de fortes similitudes avec la feue reine. Son impression fut si vive que ses yeux se mouillèrent et que ses genoux semblèrent fléchir sous le poids du souvenir.

Figurait aussi toute l'émigration française réfugiée là, qui frémit en m'apercevant, grave et froide. De mon côté, je ne cherchais nullement à plaire, sans toujours mesurer combien mon comportement pouvait heurter. Rétive à la flatterie, je ne me trompais jamais sur l'estime à accorder aux personnes. Je savais sonder un visage et mon cœur ne s'égarait point. Malgré mon inexpérience de la vie de Cour, ou grâce à elle, mon caractère n'a jamais pu s'accorder avec l'infidélité, le double jeu, les mondanités.

Aussi, lorsque plus tard Louis XVIII m'en pria, je refusai de publier mon journal du Temple. Il jugeait sans doute que ce témoignage pouvait servir notre cause, mais c'était faire peu de cas de ma pudeur. Je considérais alors comme une profanation l'idée de faire de mon malheur un moyen politique. C'est aussi pour cette raison que je ne me suis décidée à prendre la plume qu'à soixante-dix ans révolus. Durant cette période, je voyais très en noir et me tenais sur mes gardes. Seuls Cléry en 1798, puis Hüe en 1806, comme anciens fidèles serviteurs de la maison royale, eurent droit à mon indulgence lorsqu'ils publièrent des mémoires dans lesquels je reconnus l'exactitude des faits et la loyauté des auteurs. Ne voulant paraître me plaindre, j'avais finalement accepté qu'ils y décrivissent les événements à ma place.

Répondant à la curiosité du public, le témoignage de Cléry reçut un immense succès. Dès sa parution, il y eut sept éditions londoniennes en français (la première vendue à six mille exemplaires en trois jours), une italienne et une anglaise. La France allait-elle découvrir ce qu'on lui avait caché et regretter ce roi conciliant qui ne pensait qu'à son bonheur ? À cette époque, les Royalistes étaient toujours traqués : fusillades dans la plaine de Grenelle, déportations dans des cages de fer ou exil à Cayenne furent leur lot plusieurs années durant. Et les insurrections de l'Ouest avaient été férocement réprimées. Ayant toujours privilégié la droiture plutôt que le rang des personnes, je dois confesser que mon cœur saignait davantage pour ces paysans héroïques que pour les émigrés.

À Vienne, je dus aussi lutter pour ne pas épouser l'archiduc Charles. Loin d'ignorer que j'étais devenue un symbole pour la France, malgré la loi salique qui m'a sans doute sauvé la vie, je comprenais déjà combien était politique la question de mon alliance. Était-ce la raison pour laquelle on m'empêchait de rejoindre mon oncle ?

Louis XVIII me demanda d'antidater un courrier du jour où j'avais quitté la France, par lequel je devais affirmer mon désir d'épouser mon cousin français. Il comptait rendre cette lettre publique pour hâter notre réunion en Russie où le tsar Paul Ier avait bien voulu lui offrir l'hospitalité. Bien qu'ayant juré d'obéir en toute occasion au roi mon oncle, je pris la liberté de refuser respectueusement une compromission en me prêtant à cette petite rouerie. Je ne lui dissimulai pas que son artifice pouvait être pratiqué pour des affaires l'exigeant, mais que mon caractère m'inclinait à être simple et exacte comme la vérité. J'espérais qu'il me pardonnerait cette petite résistance. « Je ne connaissais pas encore bien votre âme », me répondit-il, à la fois étonné et mortifié par cette leçon aux limites de la bienséance. La diplomatie n'a jamais été mon fort, car je n'ai jamais pu transiger avec l'honnêteté, jusqu'à parfois manquer de souplesse.

Je ne regrette nullement ma fermeté, car *in fine* le pays de ma mère, ayant fini par admettre que toute idée de contrainte m'effarouchait, renonça de lui-même à l'alliance envisagée. Libérée après trois années passées à Vienne, je pus enfin rejoindre Louis XVIII en Russie, au château de Mitau, dans cette contrée reculée de Courlande située aux confins de la mer Baltique. Au printemps 1799, après un voyage d'un mois passant par Cracovie, je m'apprêtais à retrouver cet oncle qui se proposait de remplacer mon père. Je ne l'avais pas vu depuis huit ans ! J'étais alors une enfant…

Aussi, lorsqu'il eut la grâce de venir à ma rencontre dès que les voitures furent proches, je commandai d'arrêter la mienne et m'élançai dans sa direction à travers des tourbillons de poussière. Les bras tendus, malgré l'étiquette, il s'apprêtait à me serrer contre son cœur. Je ne lui en laissai pas le temps et me jetai à ses pieds. Il me releva et je m'écriai : « Mon père, mon père ! Sire, mon oncle, pardonnez mon désarroi, je suis si heureuse ! » Puis, reprenant mes esprits : « Je vous revois enfin… Enfin, je suis heureuse… Voilà votre enfant… Veillez sur moi ; soyez mon père… »

Très ému, il m'étreignit longuement sans pouvoir prononcer la moindre parole. La ressemblance avec mes parents le frappa tant qu'il confia ensuite à un intime qu'elle lui avait été douce et déchirante à la fois. Il fit ensuite avancer son neveu, le duc d'Angoulême, qui, retenu par le respect, s'était placé en retrait. « Voici votre fiancé, ma fille », dit-il simplement en le tenant par l'épaule. Mon cousin m'avait fait parvenir des lettres charmantes déclarant avec quelle impatience il attendait le moment de se rapprocher de moi et combien il souhaitait se consacrer à mon bonheur. Mais à cet instant il ne put s'exprimer que par quelques larmes qu'il laissa tomber sur ma main avant de la presser contre ses lèvres.

Je découvris non sans surprise un être chétif, d'une stature inférieure à la mienne d'une tête. Pâle et ému, pétrifié par la timidité, il me couvait d'un regard où je crus déceler de l'admiration. Après cette déception inaugurale, j'eus tout le temps de découvrir ses excellents principes, son humilité, sa franchise, sa bravoure, sa simplicité et sa générosité, qualités cardinales à mes yeux et qui allaient contribuer à rendre notre union bienheureuse. C'était un prince éclairé, sage, et par-dessus tout un homme d'honneur. Son cœur était droit et pur, son humeur égale, ses soins étaient délicats. Et il était impossible d'être plus attentionné. Nos relations ont toujours été excellentes, s'approfondissant encore avec les années. Notre peu de goût pour les réceptions nous rapprochait. Nous nous tutoyions et faisions lit commun, ce qui n'était pas l'usage. Malheureux loin de moi, il disait : « Il ne faut pas désunir ce que Dieu a uni. » Me vouant une adorable dévotion, mon mari me nommait affectueusement *mia Gioia* – ma joie.

Le 10 juin 1799, âgée de vingt ans, j'épousai donc un proscrit de vingt-trois ans, mais destiné à régner en cas de restauration des Bourbons – notre oncle appelait d'ailleurs le duc *Speranza*, l'espérance. Mon beau-père le comte d'Artois ne nous honora pas de sa présence car il désirait rester à proximité de la France, mais ma belle-mère, Marie-Thérèse de Savoie, me fit parvenir un nécessaire de voyage qui ne fut guère superflu quand on sait nos errances futures. La cérémonie fut très simple. Au milieu d'un décor jonché de lys et de lilas, je portais une robe en lamé d'argent brodée de perles qui soulignait ma haute stature héritée de mes deux parents. J'étais jolie alors, même si mon attrait reposait d'abord, d'après les témoins, sur mon doux sourire empreint d'une tristesse inexpugnable. Avouons-le sans détour, de ce charme il n'est resté nul vestige. Et mon nez busqué, le célèbre nez bourbon, s'est accentué avec l'âge.

Au cours du repas qui suivit la cérémonie, je me montrai pour une fois très enjouée. J'avais cependant remarqué que mon nouvel époux était, lui, demeuré muet, bien que son premier embarras eût bien vite disparu au profit d'une galanterie pleine de respect. Sans doute s'interrogeait-il déjà sur son aptitude à me donner des enfants.

Dans les mois qui suivirent, mon oncle m'entoura d'une affection toute paternelle. Mais je ne voulais ni songer au passé, trop affreux, ni l'ennuyer avec mes malheurs et mes regrets. « Pouvez-vous imaginer un seul instant que qui que ce soit au monde puisse être ennuyé de vos regrets, ou me croyez-vous ce monstre unique dans l'univers ? », s'était-il exclamé. Traité en roi par notre hôte le tsar, il avait reconstitué à Mitau une petite Cour. Mais comme je n'excitais que la vénération ou la curiosité, je me tenais loin du monde, la solitude étant devenue ma fidèle compagne. Cette vie simple et tranquille me convenait. Pendant que mon nouvel époux, rejetant l'oisiveté, rejoignait l'armée de Condé, je lisais *Le Roman de la Rose* ou *La Princesse de Clèves*. Et puis je retrouvai Mme de Sérent, ancienne dame d'honneur de Mme Élisabeth, ce qui me fit grand plaisir. Seul me désolait le sort des Français, livrés à un gouvernement indigne d'eux. Qui pouvait s'étonner que je ne désirasse pas autre chose que la ruine de cette puissance usurpatrice gangrenée par les factions, discréditée par ses coups de force et qui ne retrouvait une unité de façade qu'en persécutant nos partisans ?

Les insurrections royalistes ayant échoué, Bonaparte crut devoir faire un coup d'État pour mettre fin au chaos. Cette utopie de gouvernement collégial qu'était le Directoire mêlait les artifices de la corruption aux traditions de la Terreur. Enivré par ses victoires militaires, le jeune général décida, avec sa soldatesque, de s'emparer du pouvoir sans la moindre légalité, détruisant la Constitution censée marquer la fin de la Révolution. Le vainqueur d'Italie fit courber sous son épée ces assemblées de la Révolution en supprimant la liberté de la presse. Mais cela ne suffit pas à Bonaparte qui prétendit devenir, il l'a dit lui-même, « un géant à la manière des colosses de la Haute-Égypte ». Il se fit donc consacrer Premier consul le 18 Brumaire, dans les murs mêmes de notre ancienne résidence de Saint-Cloud. Cela ébranla l'Europe ainsi que, pour notre malheur, Paul I^er^. Cet homme fantasque céda au chant des sirènes du prétendu César et nous fûmes soudain jugés indésirables pour complaire au tyran. J'étais d'autant plus surprise de ce retournement brutal que, encore « comte du Nord », le futur tsar avait été très bien accueilli à Versailles quinze ans auparavant – je n'avais alors que quatre ans. Au moment de son départ, je lui avais même dit qu'un jour, j'irais le voir…

Fort éloignés de notre royaume, ce qui contrariait les échanges avec nos partisans, nous nous sentions de plus en plus impuissants. Priés de quitter la Russie sans délai, nous dûmes affronter sans vêtements chauds de mauvaises auberges sentant l'eau-de-vie – quand on ne dormait pas tout simplement dans la voiture –, sous les tempêtes et le froid rigoureux. Un jour, nous finîmes à pied dans dix pouces de neige qu'un vent barbare soulevait en tourbillons. Le roi fut même contraint de se tenir deux heures sur un morceau de glace pour ne pas se mouiller les pieds. Une autre fois, notre voiture versa et l'accident fut si violent que je brisai une vitre avec ma tête.

Une célèbre gravure me représente d'ailleurs en « Antigone française », suivant à travers des steppes sans fin, dans un désert couvert de neige et bordé par les épaisses forêts de Lituanie, les pas d'un monarque dépouillé de ses biens. C'était oublier que mon oncle me tenait lieu de tout ce que j'avais perdu. Une voix provenant du ciel me dictait de lui être fidèle jusqu'à ce que la mort nous sépare. Peu après, Chateaubriand publiait *Atala*, évoquant sans le dire expressément notre déplorable position : « L'habitant de la cabane et celui des palais, tout souffre, tout gémit ici-bas ; les reines ont été vues pleurant comme de simples femmes, et l'on s'est étonné de la quantité de larmes que contiennent les yeux des rois. »

Pour sortir de ce cruel dénuement, je résolus de vendre la rivière de diamants offerte par le tsar en cadeau de mariage, afin de secourir les fidèles qui nous avaient suivis jusque-là et que leur attachement avait réduits à la misère.

Au début de l'année 1801, par mon entremise et après maints atermoiements, le roi de Prusse se déclara enfin prêt à nous accueillir. Il y posait toutefois la condition que nous séjournions chez lui *incognito*. Je devins donc marquise de La Meilleraye. Nous reprîmes notre bâton de pèlerin et, six semaines après notre départ, nous franchissions la Vistule pour entrer dans Varsovie, suivant ainsi les traces de mon aïeul Stanislas, roi de cette ancienne Pologne à qui la France avait jadis donné l'asile après le mariage de sa fille avec Louis XV. Cette fois-ci, c'était l'arrière-petite-fille de Marie Leszczyńska qui demandait l'hospitalité. L'armée de Condé ayant été dissoute, mon mari nous rejoignit au printemps. Sur ces entrefaites, le tsar fut assassiné et son fils Alexandre Ier le remplaça. Il était mieux disposé que son père à notre endroit et nous accueillit de nouveau en janvier 1805 à Mitau.

Même ostracisés par l'Europe, nous représentions encore un danger par le seul fait d'exister. La veille de notre départ de Varsovie, nous essuyâmes une tentative d'empoisonnement à l'arsenic versé dans notre souper, mais on nous avertit heureusement à temps. Dans l'ancien château des ducs de Courlande, nous fûmes cette fois victimes de deux incendies criminels. Si les responsables ne furent jamais identifiés, il est aisé de deviner à qui aurait profité le crime. Peu ébranlé, mon oncle me déclara tranquillement : « Ne craignez rien, je ne marcherai pas toujours dans ce souterrain. Mon destin, comme celui de l'Usurpateur, est déjà arrêté. »

En 1800, Bonaparte s'était risqué à dire à mon oncle que s'il voulait rentrer en France il lui faudrait « marcher sur cent mille cadavres » – lui qui allait en provoquer dix fois plus par son insatiable appétit de conquête ! Son inquiétude le poussa aussi à prétendre faire renoncer Louis XVIII à ses droits au trône, moyennant des compensations financières ou territoriales. Ce dernier répondit par un texte qualifié d'admirable par Chateaubriand :

« Je lui sais gré de plusieurs actes d'administration, car le bien qu'il fera à mon peuple me sera toujours cher. Mais il se trompe s'il croit m'engager à transiger sur mes droits ; loin de là, il les établirait lui-même, s'ils pouvaient être litigieux, par la démarche qu'il fait en ce moment… Je ne crains pas la pauvreté… J'ignore quels sont les desseins de Dieu sur ma race et sur moi ; mais je connais les obligations qu'il m'a imposées par le rang où il lui a plu de me faire naître. Chrétien, je remplirai ces obligations jusqu'à mon dernier soupir ; fils de Saint Louis, je saurai, à son exemple, me respecter jusque dans les fers ; successeur de François Ier, je veux du moins pouvoir dire comme lui : “Nous avons tout perdu fors l’honneur.” »

Se croyant menacé par un complot royaliste, et afin de donner un gage régicide aux Jacobins, l’encore Premier consul fit fusiller en 1804 notre cousin le duc d’Enghien dans les fossés du château de Vincennes. À Vienne, il avait été le premier Français que j’avais eu l’autorisation d’approcher. Comme tant d’autres, j’avais été conquise par sa fière allure et son esprit chevaleresque.

Malgré le chagrin que sa perte nous causa, je puis témoigner que mon oncle ne douta pas plus de sa bonne étoile que Bonaparte sur le pont de Lodi. C’était faire montre d’un optimisme peu ordinaire puisque, le 18 mai précédent, l’Empire avait été proclamé, rétablissant une monarchie au profit de Bonaparte. Dès le 5 juin 1804, Louis XVIII avait officiellement protesté : « En prenant le titre d’empereur et en voulant le rendre héréditaire dans sa famille, Bonaparte vient de mettre le sceau à son usurpation. » Cette vulgaire contrefaçon ira jusqu’au rétablissement des titres, des charges, et même de l’étiquette ! Toutefois, comme le remarqua un jour mon oncle avec humour, il faut du lièvre pour faire un civet, et les courtisans empanachés de Bonaparte manquaient pour beaucoup de la plus élémentaire civilité.

Se sacrant lui-même Napoléon Ier le 2 décembre suivant, il arracha la couronne de Charlemagne des mains du pape pour la poser avec autorité sur sa tête. Comment cet ancien Jacobin osait-il s’asseoir sur le trône de nos ancêtres tout en nous fermant les frontières de notre pays ? Ignorait-il que la France est là où se trouve le roi ? Craignait-il donc déjà notre retour ? Mon oncle nous avisa qu'il pouvait pardonner à un assassin, mais que le tyran de son peuple serait toujours son ennemi. Les Français finiraient bien par regretter ce qu'ils avaient perdu. Et ne pourraient en tout cas pas l'accuser de s'être montré indigne dans l'adversité. Bonaparte, lui, n'avait pas le triomphe élégant. Celui qui se proclamait tout à la fois l'État et la Révolution justifia l'assassinat de notre cousin en ces termes : « J'ai versé du sang. Je le devais… Tout simplement parce que la saignée entre dans la combinaison politique. »

La tendance de tout gouvernement illégitime est de recourir à la guerre pour unir par la peur le peuple autour de lui. Le conflit permanent devint ainsi le sceau de la politique de Napoléon, qui voulut acquérir par la gloire des armes ce que l'histoire lui refusait.

Lors de la sanglante bataille d'Eylau qui se déroula entre la Vistule et le Niémen en février 1807, nous reçûmes une foule de blessés français dans une aile de Mitau. En compagnie de l'abbé Edgeworth, je me rendis au chevet de ces soldats que nous regardions comme nos enfants. Le typhus s'étant déclaré, nous apprîmes que l'abbé l'avait contracté. On me demanda alors de ne plus l'approcher par peur de la contagion mais, dussé-je en tomber malade, jamais je n'aurais abandonné celui pour qui j'avais l'amitié la plus sacrée. Rien ne pouvait m'empêcher, malgré les exhortations, de prendre soin de ce consolateur de mon père qui l'avait assisté jusqu'aux portes du ciel et qui fut même éclaboussé de son sang. Ce confident de choix rendit l'âme dans les bras de la fille de celui dont il avait recueilli le dernier soupir.

Menacé d'invasion par Napoléon, Alexandre Ier se résolut à conclure une alliance forcée avec le vainqueur de Friedland par le traité de Tilsit. Mon oncle, considérant dès lors qu'il ne pouvait demeurer décemment plus longtemps sur le sol russe, demanda l'hospitalité à l'Angleterre. Que n'étais-je déjà dans ce royaume au lieu de mener une vie étroite dans cette rude Courlande qu'on appelle, par antiphrase sans doute, « la petite contrée de Dieu » ? Une amertume commença de m'envahir. Après Vienne, Mitau, Memel, Koenigsberg, Varsovie, Mitau encore, Londres signerait-il le terme de nos errances, en attendant celui de notre bannissement ? Allais-je enfin pouvoir goûter à l'apaisement, déchargée des difficultés pécuniaires qui ne nous avaient guère épargnés ?

J'y retrouvai d'abord le plus jeune frère de mon père, le comte d'Artois mon beau-père, portant toujours beau, ainsi que son fils cadet, le duc de Berry, que je n'avais pas vus depuis près de vingt ans. Malgré la coterie qui leur tenait lieu de Cour, une vision commune de la royauté forte et sacrée me rapprocha de mon beau-frère. Cependant l'entourage de « Monsieur, frère du roi » m'indisposait car, retiré en Angleterre dès les débuts de la Révolution, ses intrigues et sa morgue s'exerçaient à loisir à défaut d'occupations plus nobles. Cette engeance courtisanière ne jurant que potences et gibets aux hommes de 1789, loin d'avoir été corrigée par les événements survenus en France, enchérissait sur la sottise des conseils peu judicieux qu'ils donnaient à l'envi.

Après un séjour à Golsfield Hall, splendide demeure du marquis de Buckingham, je pus enfin, au printemps 1809, prendre un peu de repos au modeste château d'Hartwell, situé à seize lieues de Londres. Ma maison était composée d'intimes, dont ma dame d'honneur Henriette de Choisy, devenue vicomtesse d'Agoult, connue à Vienne. Je fis aussi une rencontre à laquelle je ne m'attendais pas le moins du monde : lorsque j'aperçus notre cousin Louis-Philippe d'Orléans, le fils du régicide qui portait la tunique de Nessus, je crus recevoir la foudre. Je pâlis, mes jambes se dérobèrent et la parole expira sur mes lèvres. On dut me faire asseoir car je me trouvais mal, et fus conduite dans mes appartements. Toute ma vie, malgré mon désir de dissimuler mes faiblesses, je n'ai pu masquer mes défaillances lorsque j'étais brutalement confrontée au passé. On y a parfois vu une incapacité au pardon et à l'oubli…

Plus tard, mes relations avec Louis-Philippe, qui épousa ma vertueuse cousine Marie-Amélie de Bourbon-Siciles, s'apaisèrent, et je pris l'habitude de donner des étrennes à ses enfants chaque année, même si ma méfiance persistante à son endroit rejoignait celle de mon oncle qui disait volontiers à son propos : « Il n'avance pas, mais je sens qu'il chemine. »

Pendant que la branche régicide pouvait se vanter d'une nombreuse progéniture, je n'avais toujours pas d'enfant. On avançait que le duc était empêché, quand on ne colportait pas que notre mariage n'avait pas été consommé. Ma belle-mère, qui détestait déjà ma mère et me jalousait, me conseilla même de demander le divorce à Rome. Je puis affirmer ici que j'ai plusieurs fois cru porter un héritier, mais que Dieu me refusa toutes les consolations espérées. Cela fut une tragédie de plus dans mon existence. Et j'ai dû, comme ma mère, subir les regards inquisiteurs durant de nombreuses années. Ce mariage, unissant l'amour et la politique, ne fut donc que l'un de ces rameaux desséchés des Bourbons, puisque mes frères étaient morts et que le roi n'avait pas de descendance. Seul mon beau-frère, le duc de Berry, pouvait encore prétendre perpétuer notre race. À la génération de mon père, la fratrie étant composée de quatre héritiers, on aurait pourtant été en droit de croire la dynastie vigoureuse et assurée. Or, brisée par la Révolution et la maladie, elle n'était plus qu'en sursis.

À Mme de Chanterenne qui me la demandait, j'avais donné l'autorisation de devenir lectrice de Laetitia, la mère de Bonaparte. Ce dernier pensait-il pouvoir gagner en légitimité en employant nos anciens fidèles ? Pour contrebalancer cette déconvenue, je reçus une longue missive de ma chère Pauline, accompagnée d'une fleur séchée cueillie sur la tombe présumée de ma mère au cimetière de la Madeleine. C'est alors que je décidai de relire mon court mémoire du Temple et, aidée par mon oncle, d'y apporter quelques corrections. Toutefois, trop bouleversée, je dus cette fois m'interrompre avant d'évoquer la mort de mon père.

Joséphine n'ayant pu lui donner d'héritier, Napoléon la répudia sans ménagements pour épouser en 1810 ma nièce autrichienne Marie-Louise, côtoyée lors de mon exil viennois. Était-il concevable que ce fils de la Révolution, que nous regardions comme un authentique tyran, fondât une nouvelle dynastie ? Espérait-il changer la couleur de son sang en le mêlant au nôtre ? Pour moi qui n'étais toujours pas mère, moi vers qui tous les espoirs se tournaient, cela se pouvait-il ? Cette perspective m'était insupportable, mais paraissait, hélas !, inéluctable. L'année suivante naissait donc son fils, qu'il n'hésita pas à titrer roi de Rome.

Sitôt la nouvelle connue, je me jetai dans mon lit et gardai la chambre. Là, à l'abri des regards, en proie au plus vif désespoir, je me rappelle avoir versé toutes les larmes de mon corps. Je me remémorais la petite Marie-Louise, encore enfant, jouant à Vienne avec sa poupée, nommée *Buonaparte* ! Par cette mésalliance, elle allait faire de ce Corse sans scrupule mon prétendu cousin. Lui-même ne se privera pas de s'introniser petit-neveu de mes parents, déplorant *senza vergogna* les malheurs survenus à son pauvre « oncle Louis XVI » et à sa « tante Marie-Antoinette » !

Heureusement, le prince de Galles prit la régence de son père George III, malade, et par sa voix l'Angleterre reconnut Louis XVIII comme roi de France. Cette compensation tomba à point nommé.

## 12. Vingt ans après

## « La divine Providence »

Mon oncle montrait un courage impassible à supporter son long exil, alors que personne ne croyait plus guère notre retour concevable. Des Royalistes en venaient à rêver d'une abdication du roi en faveur de mon mari et de moi-même. « Pas encore, répliqua Louis XVIII. Si ma couronne était de roses, je la donnerais à ma nièce. Elle est d'épines, je la garde ! »

En France, on commençait pourtant à se lasser du caractère belliqueux de Napoléon. Aussi, quand il perdit son armée dans les neiges russes en 1812, mon oncle ne put s'empêcher de s'écrier : « Bonaparte est perdu ! » Dès lors, les événements se précipitèrent. Les journaux nous apprirent, à l'automne 1813, la première défaite personnelle de l'Empereur à Leipzig. L'Empire fut condamné en un an, obligeant Napoléon à combattre sur le sol même de la patrie pour espérer conserver le pouvoir.

Sous son joug, la liberté n'était plus qu'un vain mot. Dans les écoles, la royauté s'arrêtait à Louis XIV, les auteurs classiques étaient censurés…

…es avaient voulu une république
… n'avait abouti qu'à la dictature.
…nfié peu de temps auparavant à
…é que je jugeais la maison de
…, puisque tout tendait depuis vingt-cinq
…on anéantissement, voilà que soudain sa résur-
…ection n'était plus exclue.

Mon mari s'élança aussitôt vers la France à la suite de Wellington. Il entra dans Saint-Jean-de-Luz au début du mois de février 1814, adressant une proclamation à l'armée : « J'arrive, je suis en France ! Je viens briser vos fers… Je viens déployer le drapeau blanc… Marchons tous ensemble au renversement de la tyrannie. Je suis fils de vos rois et vous êtes français… » Son ardeur, hélas ! ne sut se propager. En vérité, après plus d'un quart de siècle d'absence, presque personne ne savait qui était ce « nommé Angoulême ». Wellington, craignant que sa fougue ne fît échouer les négociations avec Napoléon, le relégua à l'arrière de son armée en lui interdisant de porter ses décorations.

Cette humiliation me fit pleurer. L'espoir à peine entrevu se dérobait de nouveau. Mais un mois plus tard, le 12 mars, il entrait cette fois triomphalement dans Bordeaux pavoisé de drapeaux blancs par son maire. Chacun voulait toucher le cheval du neveu de Louis XVI, de l'époux de l'orpheline du Temple… « Plus d'impôts odieux ! Plus de conscription ! Plus de guerres ! », promit-il avec enthousiasme.

Les alliés, constatant l'accueil enthousiaste réservé par une des plus grandes villes de France, préférèrent traiter avec nous plutôt qu'avec Napoléon. Ils jugèrent que la restauration des Bourbons constituait la meilleure garantie possible, même si cela nous valut par la suite d'être accusés de rentrer « dans les fourgons de l'étranger ». Pourtant, ce fut le Sénat qui prononça la déchéance de Bonaparte, suivi de toutes les autorités administratives qui multiplièrent les pétitions en notre faveur. Enfin, le même Sénat s'arrogea le droit d'appeler *librement* au trône de France son légitime possesseur – qui ne devait pourtant régner que par droit de naissance.

Comment ne pas voir que la France exsangue n'aspirait plus qu'à la tranquillité ? À Fontainebleau, prié par son entourage d'abdiquer, Napoléon finit par se rendre à l'évidence et prit le large avec la vaisselle d'or et les bijoux de la Couronne. Mon oncle reçut en pleine nuit une dépêche de félicitations du régent d'Angleterre et n'hésita pas à me réveiller pour me la montrer. Coup de théâtre ! On nous annonçait tout à la fois la fin de l'exil, la restauration de notre famille et le retour dans notre royaume ! À cette nouvelle, l'émotion m'étreignit et les battements de mon cœur s'emballèrent. Joie et appréhension se mêlaient. Tout à mon bonheur, presque incrédule, je me remémorai les paroles prophétiques de mon père affirmant que les Français, comprenant où était leur véritable intérêt, finiraient par ouvrir les yeux.

Ma pensée se porta également sur mon frère, qui eût été si beau dans un tel moment en recevant une couronne dont les épines brûlantes étaient encore teintes du sang de mon père. Ce dénouement tardif, si imprévu et si soudain, représentait à mes yeux la réparation d'une violente injustice, d'un tragique malentendu. N'était-il pas grand temps de rétablir la confiance, de parier sur l'apaisement, pour enfin tourner la page d'un quart de siècle sanglant ? Il faut toutefois reconnaître humblement que les Français avaient oublié que Louis XVI avait des frères. Quant à ma personne, elle était déjà regardée comme un personnage historique ! Mais que m'importait ? J'allais enfin revoir la terre de France, me rapprocher de mes parents. Cette promesse me transfigurait et je n'avais qu'une devise en tête : pardon et oubli. Il fallait faire la paix.

Oui, c'était celle dont on avait massacré la famille qui avait par avance demandé à genoux la grâce des coupables à Louis XVIII. Jamais celui-ci n'aurait pu remonter sur le trône autrement que par la douceur. La France n'a été ni aussi condamnable ni aussi méprisable que ce que les Royalistes exaltés ont laissé entendre. Certes, elle fut séduite par des scélérats, mais elle était noble et généreuse, et je savais qu'elle reviendrait d'elle-même à ses devoirs et à la fidélité. Broyé par la Convention puis par Bonaparte jusqu'à la plus servile poussière, le peuple opprimé ne demandait qu'à recouvrer, comme l'Angleterre après Cromwell, ses vieilles institutions purgées de quelques abus. Tel Henri IV après les guerres de Religion, le roi mon oncle apportait la paix et la véritable liberté à un pays exténué.

Quelques jours plus tard, le 25 mars, à Hartwell, le roi et moi assistions à la messe le jour de l'Annonciation – j'y vis un signe du ciel –, lorsque j'aperçus soudain une voiture dont le postillon et les chevaux étaient parés de cocardes en soie blanche brodée d'or. Je ne puis dire combien ces emblèmes m'impressionnèrent.

Dès la fin de la messe, le roi et moi reçûmes les honneurs de cette délégation bordelaise menée par le duc de Blacas. Émigré parmi les émigrés, celui-ci incarnait, selon le vicomte de Chateaubriand dont la complaisance à la douleur m'a toujours indisposée, « ces compagnons du malheur, qui ont dormi dans l'exil, la tête appuyée sur des fleurs de lys presque effacées par le sang et les larmes ». Accompagné entre autres des ducs de Damas et de Castries, il nous conta, ému, les détails du ralliement de Bordeaux par mon désormais illustre époux. Saisissant sa chance, la forçant même, avec courage et détermination, il avait fait tourner la roue de la fortune en notre faveur, et je ne me lassais pas d'entendre les détails de son action.

En ce 24 avril 1814, debout sur le pont du *Royal Sovereign* entouré d'une flotte d'honneur, j'aperçus de loin les côtes françaises. La France ! Un long frisson me parcourut. Alors que je venais de souffrir du mal de mer, voilà que mon cœur se mit à battre la chamade. Quelque temps plus tard, le roi et moi débarquions à Calais, où une foule immense nous attendait sur le rivage. Vêtue d'une robe blanche très simple et d'un chapeau à l'anglaise, je soutenais mon oncle qui souffrait des séquelles d'une crise de goutte, ce qui avait retardé notre retour. Les cloches du beffroi sonnant à toute volée me parurent bien différentes de celles de Londres. Il me semblait qu'elles parlaient français ! Sous un soleil de printemps resplendissant, les étendards blancs claquaient dans le vent. Bouleversée par l'exultation des Français sur la jetée, presque ivre d'une joie qui jaillissait telle une source, je crus un instant être le jouet d'un songe enchanteur et m'appuyai cette fois sur le bras du roi mon oncle.

Là, au moment même où je posai le pied sur la terre ferme, pour la première et la dernière fois de mon existence, je voulus croire que mes malheurs allaient prendre fin, qu'un avenir plein de promesses s'ouvrait. J'étais enfin chez moi ! Fouler le sol de mes ancêtres fut un moment vertigineux. Un inexprimable émoi m'envahit, mélange d'excitation et d'anxiété, d'allégresse et de noirs souvenirs.

« La voilà !… C'est elle !… Vive Madame !… Vive la fille de Louis XVI !… » Les mouchoirs blancs s'agitaient de toute part. Partout où nous passions, rendue sotte par mon trouble, je ne pouvais que répéter, mêlant rires et larmes : « Que je suis heureuse d'être au milieu des bons Français ! » Comment oublier Calais ? C'est là que j'ai versé mes premières larmes de joie…

Enveloppé dans un ample habit bleu à boutons dorés, les guêtres relâchées autour de ses mollets endoloris, le roi reconnaissait avec sa lucidité coutumière qu'il était comme les femmes pas très jolies, que l'on s'efforce d'aimer par raison. « Après tout, ajoutait-il fort justement, c'est encore la nécessité qui fait les meilleurs mariages. » Embarrassé par son embonpoint, il n'en imposait que davantage par sa majestueuse noblesse. Je lui demandai conseil car il avait un don naturel pour s'exprimer en public, joignant aisance, grandeur et simplicité, quand je pouvais seulement afficher, par saisissement ou par cette timidité héritée de mon père, une dignité peu expansive qui allait bientôt être qualifiée de revêche.

Après toutes les vicissitudes que j'avais subies, les regards ne pouvaient se fixer ailleurs que sur moi qui craignais tant la foule, synonyme à mes yeux de danger imminent. Les roulements de tambours comme les salves d'artillerie ou les clameurs faisaient palpiter mon cœur, puisqu'ils avaient toujours accompagné de pénibles événements. Ce peuple de France qui m'acclamait maintenant à Compiègne ne pouvait-il pas devenir soudainement menaçant ? Saisie d'un léger vertige, je le parcourus des yeux afin de sonder ses intentions, lorsque soudain je m'écriai : « Ah ! C'est Pauline ! » Je ne sais comment je me retrouvai dans ses bras, la tête appuyée sur son épaule, incapable de prononcer une parole. Je ne pus consacrer que quelques instants à ma compagne d'autrefois, contrainte d'endosser ma lourde charge et de remplir mon devoir.

Le 3 mai 1814, pour rentrer dans la capitale dont les fenêtres étaient tendues de draps immaculés et où apparaissait partout, comme par enchantement, la cocarde blanche, je pris place avec appréhension à la gauche du roi, à l'intérieur d'une calèche tirée par huit chevaux blancs. En ce moment si solennel, j'avais accepté de céder aux demandes pressantes et revêtu une robe en lamé d'argent surmontée d'une fraise, ainsi qu'une large toque adornée de plumes d'autruche. N'ayant guère l'habitude des belles toilettes, j'avais le sentiment d'être costumée, ce qui ajoutait sans doute à ma raideur. Comprenant combien ma popularité formait son meilleur étendard, le roi me désignait à l'admiration de la foule avec un geste un peu théâtral qui me mettait mal à l'aise. Je tremblais, mais, impassible, j'eus recours à une ombrelle afin de me dissimuler. Dans la foule, les plus âgés se souvenaient m'avoir vue, enfant, jouer aux Tuileries avec mon frère. J'avais désormais trente-cinq ans.

À Notre-Dame, je m'effondrai avec le plus de grâce possible sur un prie-Dieu en assistant au *Te Deum*, la tête dans les mains. Bien que scrutée par mille yeux, je profitai de ce court recueillement pour me ressaisir et reprendre mes esprits. Mais cela ne dura pas, car on nous fit ensuite passer devant la Conciergerie où je crus recevoir un coup de poignard.

Enfin, parvenue aux Tuileries, je tressaillis. L'œil fixe, marmoréenne, je pénétrai, hagarde, dans ce château quitté vingt-deux ans plus tôt et dont chaque détail me rappelait de si terribles souvenirs. Absente, je passai sans les voir devant les demoiselles en blanc qui voulaient m'honorer. Je me dirigeai tel un automate vers l'ancien appartement de ma mère, situé au rez-de-chaussée, où le grossier décor de l'Empire me souleva le cœur. Soudain, alors que je regardais par la fenêtre, le passé me revint de plein fouet. La terrasse où je jouais avec mon frère, l'allée empruntée le 10 août lorsque nous fûmes contraints de nous réfugier au Manège, et aussi l'ancienne place Louis-XV, où mes parents avaient été exécutés. Les cris de joie se mêlèrent alors aux cris de haine et de mort surgis sous la Révolution. C'en était trop. Je perdis connaissance et me réveillai dans l'ancienne chambre de Mme Élisabeth, au Pavillon de Flore, où je m'établis par la suite.

Le soir de cet éprouvant retour, lorsque je fus remise de mon étourdissement et parus au balcon, mon oncle posa une couronne de fleurs sur ma tête ; les acclamations redoublèrent. Suffoquant, je n'avais qu'un désir : m'enfuir pour me décharger de sanglots difficiles à réprimer et que je laissai ensuite éclater, donnant cette fois libre cours aux flots de larmes retenus depuis le matin. Je ne pouvais plus soutenir cet enthousiasme mâtiné d'attendrissement tout entier fixé sur ma personne. Et je voyais des fantômes partout.

Dès le lendemain, je demandai à Pauline de me conduire au cimetière de la Madeleine, où se trouvaient les dépouilles de mes parents. Une croix de bois noir marquait la sépulture. Je m'en approchai vivement, le corps agité d'un irrépressible tremblement, me jetai à genoux sur ces cendres sans tombeau et me prosternai pour enfouir ma tête dans l'herbe qui les recouvrait, restant quelque temps absorbée dans ma douleur. Puis, silencieuse, je remontai en voiture, passant mes bras autour du cou de mon amie et pleurant doucement jusqu'aux Tuileries. Peu après, je me rendis sur les ruines du Temple pour y planter un saule pleureur.

Le 21 janvier suivant, les corps de mes parents furent exhumés du cimetière de la Madeleine où l'on posa la première pierre d'une chapelle expiatoire. Ma pauvre mère fut identifiée grâce à la jarretière retrouvée sur elle et qui, lorsqu'elle fut confrontée à celle recueillie à la Conciergerie, ne laissa pas de doute. J'appris que sa tête avait été conservée entière, et qu'il ne manquait que quelques os au corps. On retrouva également les restes de mon père, mais en si mauvais état qu'il était à craindre qu'une fouille antérieure eût été pratiquée. Les deux cercueils furent ensuite, vingt-deux ans jour pour jour après l'exécution de mon père, transférés à la nécropole royale de Saint-Denis, dernière demeure des rois de France depuis plus de deux siècles.

Chacun voulait me voir, me procurer des marques de vénération et de dévouement, et partout les acclamations redoublaient avec une vivacité dont il est malaisé de se faire une idée. Des femmes se pâmaient sur mon passage.

En Vendée, où j'avais fini par me rendre, dans chaque bourg on expliquait aux paysans : « C'est la fille de Louis XVI, la sœur du petit Louis XVII pour lequel tu t'es battu contre la république ! » Ces braves gens en tombaient à genoux. Et que dire des enfants de Caen qui psalmodièrent une romance sur « la noble orpheline du Temple », « dès sa plus tendre aurore plongée au fond des noirs cachots et vouée au culte du malheur » ? Vouée au culte du malheur… C'est la position que l'on m'assigna bien malgré moi. Certes, je me recueille à chaque date anniversaire de la mort des miens. Certes, je conserve le portrait de mes parents auprès de moi. Certes, je ne transige pas sur leur mémoire. Mais j'en étais assez préoccupée en privé pour n'être pas confrontée en public à la reviviscence de mes souffrances.

Partout, les sempiternelles jeunes filles en blanc, les bras chargés de couronnes de lys, symbole ressuscité de la royauté. Autour de moi, ce n'étaient que messes basses, regards compatissants, tristes sourires, figures inondées de larmes. Inspirer sans cesse la pitié, être regardée comme le fantôme vivant des tragédies révolutionnaires devenait insoutenable. Par-dessus tout, je redoutais l'indélicatesse des gens bien intentionnés qui n'avaient de cesse de placer le Temple ou mes quatre deuils dans la conversation, alors que je m'évertuais à y penser le moins possible… Chaque fois, j'avais la sensation qu'on profanait mon sanctuaire. Si je me montrais peu loquace, je voyais bien que chacun voulait savoir les détails de ma ténébreuse expérience, mais elle était beaucoup trop douloureuse et j'avais résolu de me cuirasser l'âme d'airain, de garder secrets ces soupirs qui faisaient gonfler ma poitrine.

Un jour que j'interrogeais une dame pour m'enquérir du sort de son père, elle me répondit qu'il avait, hélas ! péri sur l'échafaud pendant la Terreur. Je fis un bond en arrière, comme si j'avais marché sur un aspic et ne lui adressai plus jamais la parole. Franche et ayant la brusquerie des timides, je n'ai jamais su feindre quelque sentiment que ce soit.

Quelle contenance adopter alors, sinon tâcher de maintenir une distance afin de ne pas me laisser envahir par le trouble ? Si je m'appliquais à conserver en toute occasion mon *self control*, comme disent les Anglais, je n'y parvenais pas toujours. J'aurais tant voulu fuir les tourments suscités par ces drames passés, que cette défaillance n'existât pas. J'étais hantée par de pénibles reviviscences, réveillées en toute occasion ; mes fantômes étaient mon talon d'Achille.

Je ne puis concéder que quelques fautes vénielles, souvent involontaires. Souffrant de myopie, je ne voyais pas toujours ceux qui m'avaient connue enfant ; ils pensaient alors que je les méprisais. Retrouvant Mme Ney, que j'aurais pu bouder puisqu'elle avait épousé un maréchal d'Empire, je l'appelai par son prénom en la saluant, croyant l'honorer par cette marque d'intimité. À ma décharge, cette Aglaé avec qui j'avais joué enfant n'était autre que la fille de cette bonne Mme Auguié, femme de chambre de ma mère. Or elle en conçut une humiliation que je n'avais pas soupçonnée. Cette pauvre Aglaé, qu'on appelait désormais princesse de la Moskova, prit cela pour une brimade. Comme il était ardu de satisfaire toutes les attentes ! Quant à Mme de Chanterenne, je la reçus une fois dans mes appartements, puis allai la visiter, lui faisant verser une pension confortable.

Il y eut aussi une scène avec Mme Campan, ancienne première femme de chambre de la reine. Lorsque je lui demandai ce qu'elle avait fait sous Bonaparte et qu'elle m'eut répondu qu'elle avait créé un pensionnat pour y accueillir les sœurs de l'Empereur, je la coupai sèchement pour lui dire qu'elle aurait mieux fait de rester chez elle, ce qui la laissa stupéfaite. Ma franchise m'a parfois joué des tours. Ma simplicité aussi. Je n'avais jamais eu la moindre coquetterie, et mes vêtements furent jugés « un peu étrangers », car la mode de Londres n'était pas celle de Paris, où les nouvelles couleurs alors en vogue – arbre-de-Judée, flamme-du-Vésuve ou queue-de-paon – m'étaient parfaitement inconnues. À mon retour j'avais arboré – mal m'en prit – un petit chapeau et une simple robe blanche. À la vérité, plutôt que de me préoccuper de complaire aux habitants de la capitale, j'éprouvais plutôt à cet instant, je le confesse, de la difficulté à avoir de l'estime pour cette récente noblesse d'Empire que d'aucuns avaient la cruauté de qualifier de « noblesse-vilaine »…

Ma réserve déçut. On crut à de l'ingratitude ou, pire, à de la dureté. On m'a quelquefois dépeinte comme une femme austère, aigrie et maussade, voire bigote. Mais si j'ai été sévère, je l'ai d'abord été envers moi-même. Et puis comment conserver fraîcheur, enthousiasme et légèreté quand on a survécu à sa famille, quand on a connu l'exil et un mariage stérile ? On prit mon sens du devoir pour de la froideur, alors que seul m'animait le désir de me protéger de ma redoutable timidité et de la trop vive sensibilité que je m'efforçais de garder en mon for intérieur. Étant donné la rudesse des épreuves traversées, n'était-il point naturel que j'en conservasse des stigmates ?

Je redevenais donc Fille de France. Aussitôt, les gentilshommes et nobles dames crurent pouvoir considérer comme un titre assuré à la reconnaissance des Bourbons l'empressement qu'ils avaient mis à abandonner la royauté en péril. La plupart se voyaient déjà admis dans mon cercle pour faire renaître les beaux jours tant regrettés de la cour de Versailles. N'avaient-ils point compris que les temps étaient changés ? J'étais déçue : j'attendais de plus vastes pensées, de plus nobles préoccupations. Et que voyais-je ? Des ultraroyalistes ou des traîtres bonapartistes, de misérables intrigues, de sordides ambitions…

Par loyauté envers mon oncle, je m'abstins de livrer mes impressions et me bornai à décorer mon appartement du Pavillon de Flore à mon goût : une tapisserie de velours blanc au semis de marguerites lilas, brodée par ma mère, prit place dans le petit salon. Je fis aussi disparaître les ridicules *N* couronnés que l'on trouvait jusque sur les baignoires !

Quelques mois après notre retour, lorsque je me sentis prête à revoir Versailles seule, je constatai avec amertume que le château n'était plus qu'une carcasse vide. Après tant d'années à l'abandon, le roi entreprit sa sauvegarde, envisageant même d'y établir notre résidence d'été. J'avais choisi un très petit appartement dont les boiseries furent repeintes à mon goût : havane dans le salon, bleu ciel et blanc dans le cabinet de toilette, agrémenté de moulures au chiffre de *MA* – Marie-Antoinette. Mon oncle ayant finalement décidé de demeurer toute l'année aux Tuileries, je ne logeai jamais à Versailles. À Trianon – transformé en auberge –, il me sembla entendre la voix de ma mère, en robe de coton rose, et le son de sa harpe.

## 13. Les Cent-Jours

### « Le seul homme de la famille »

Aux débuts de la Restauration, les cœurs volaient au-devant de nous. Ces ardentes démonstrations de joie étaient sincères, car « Louis le Désiré » était regardé comme le libérateur du joug impérial et le restaurateur de la paix.

Mon oncle disait avoir embrassé le système de modération pour empêcher le pays de se déchirer de ses propres mains : « Marchons entre la droite et la gauche en leur tendant la main. » S'inspirant du modèle anglais pour conjuguer monarchie traditionnelle et monarchie parlementaire, Louis XVIII entendait rassurer les nouvelles élites autant que les anciennes, sans toutefois céder sur les droits imprescriptibles de la Couronne. Par l'octroi d'une Charte constitutionnelle, qu'il data de la dix-neuvième année de son règne – soit depuis la mort de mon frère –, le roi garantissait les libertés fondamentales, rétablissant au passage la liberté de la presse, tout en maintenant la Légion d'honneur et la noblesse d'Empire.

À l'instar de mon père, il fut jugé trop indulgent,

notamment par mon oncle Artois et son clan. Même si désormais ceux-ci n'évoquaient plus la monarchie absolue, ils lui reprochaient de faire la part trop belle aux anciens serviteurs de l'Empire, souvent sortis de la Révolution. S'il faut rendre grâce à la sagesse de ce roi, à ses principes judicieux réconciliant naissance et valeur, son pardon très politique n'allait-il pas en effet déjà trop avant ? Quoi qu'il en soit, la fusion des deux France peinait à s'accomplir.

Un an après notre retour, Napoléon fit un pari fou, mais qui réussit. Débarqué en Provence le 1er mars 1815, « l'Aigle » arriva dans la capitale trois semaines plus tard. Le 5 mars, nous assistions à un bal à Bordeaux après avoir été acclamés à Orléans, Bourges et Issoudun, lorsque nous apprîmes son évasion de l'île d'Elbe. Mes premières pensées allèrent vers les Français. Je priai pour que cette lutte ne fasse pas encore couler des flots de sang… Le Congrès de Vienne, qui réunissait alors les monarchies européennes, s'insurgea contre cette « dernière tentative d'un délire criminel » par « l'ennemi et perturbateur du repos du monde ».

Durant l'inexorable progression de cet « Ogre » qui venait rallumer les torches de la guerre civile, je me démenai seule dans l'espoir d'entraîner des régiments à notre suite, le roi s'étant contenté d'ordonner d'abord de « courir sus au traître et rebelle » avant de renoncer à la lutte. Ce n'était pas mon opinion, ni mon caractère. Je décidai alors d'organiser la résistance avec détermination. Rédigeant dépêche sur dépêche, je demandai à mon mari de maintenir le Languedoc et la Provence dans le devoir, me chargeant de Bordeaux et des départements voisins.

Pour commencer, je fis placarder le 10 mars un manifeste du président de la Chambre des députés enjoignant les habitants de la Gironde à la fidélité. Puis j'invitai ceux-ci à ne pas payer l'impôt à « l'Usurpateur » qui venait remettre la France sous son joug de fer. Je savais pertinemment que, sans l'union des soldats et des habitants, nous n'obtiendrions rien.

Je passai en revue le régiment d'Angoulême, à cheval. Il m'acclama et me réaffirma son attachement. Puis je recrutai des volontaires, envoyai des renforts à mon mari. Je me souvenais de ma mère qui s'était, elle aussi, déclarée prête à agir et à monter à cheval s'il le fallait. Pour la première fois de ma vie, je me comportais en chef, et en homme ! Je tâchai d'entretenir la flamme avec les autres troupes, sans succès. Jamais je n'ai reçu autant de serments de fidélité, jamais je n'y ai aussi peu cru. L'année précédente, tous avaient juré avec élan allégeance au Bambin de Rome, fils de Napoléon, et deux jours plus tard ils lui tournaient le dos. Aussi, malgré mes allocutions énergiques, il fallut se rendre à l'évidence : nombre de soldats passaient dans l'autre camp. Je les regardai quelque temps en silence, la gorge nouée, puis m'écriai : « Je suis française, moi, et vous n'êtes plus français. Allez, retirez-vous ! »

J'avais appris que mon oncle Artois s'était replié à Paris sans même avoir combattu, ce qui m'avait hautement contrariée. Je ne pus d'ailleurs le lui cacher et ne cessai de lui écrire avec quelle peine mon cœur le voyait se retrancher dans l'inaction. Pourquoi n'était-il pas avec les maréchaux Oudinot et Ney, désormais au service du roi ? Il aurait rallié là tous les esprits ! Or il semblait accablé de petites affaires, cependant que celles plus importantes n'avançaient pas. Je le lui dis sans détour et, au nom du ciel, l'exhortai à agir, car selon moi le roi n'avait pas besoin de lui, surtout au Conseil où l'on ne faisait que des bêtises.

Pendant ce temps, dans la capitale, des caricatures circulaient, montrant des aigles entrant par les fenêtres, tandis que des dindons sortaient par les portes... Mon dernier espoir résidait donc dans la personne du maréchal Ney, seul capable de combattre l'invasion de Napoléon, puisqu'il avait solennellement juré au roi de ramener « ce fou qu'il fallait enfermer à Charenton » dans une cage de fer.

Je ne savais pas encore que, le 17 mars, à Auxerre, n'ayant pu résister aux sirènes de son ancien maître, il nous avait déjà trahis. La simple apparition de Bonaparte métamorphosait les « vive le roi » en « vive l'Empereur » ! Face à l'avancée de cette milice reconstituée que personne n'avait appelée, flanquée de milliers de paysans, le roi avait dû fuir. En vérité, depuis notre retour et la fin de la guerre, beaucoup de soldats avaient été renvoyés chez eux, et beaucoup regrettaient leur solde et leur prestige. Quant à mon mari, je n'avais pas la moindre nouvelle de sa résistance dans le Midi, et pour cause : le tyran avait fait intercepter les lettres qu'il m'avait adressées.

Si mes tentatives se sont révélées infructueuses, du moins m'ont-elles valu d'être qualifiée par Napoléon de « seul homme de la famille des Bourbons ». En son temps, Mirabeau avait d'ailleurs eu un mot comparable à l'endroit de ma mère : « Le roi n'a qu'un homme, c'est sa femme. »

Après m'être débattue seule, accablée et très amère, je fus contrainte à l'exil le 2 avril 1815, soit un an après mon retour. Il était bien cruel de devoir de nouveau quitter mon pays. Quel âcre calice ! Sur le quai qui borde la Garonne, la rive droite était déjà occupée par la cocarde tricolore, tandis que les maisons arboraient encore le drapeau blanc. J'embarquai d'abord pour l'Espagne sur une petite frégate anglaise bien nommée *The Wanderer* – « le vagabond » –, faisant mes adieux à la France sous une averse glacée. Derrière moi, la mer était houleuse.

Le congé des bons Bordelais fut des plus touchants. En m'escortant malgré la pluie battante, ils avaient pleuré comme des enfants, s'étaient jetés sur mes mains, les inondant de larmes, mais sans doute les miennes se mêlaient-elles aux leurs. Ils poussèrent de vibrants « Vive Marie-Thérèse ! Vive Madame ! » jusqu'à la chaloupe. Là, entourée de petites embarcations, je voyais des jeunes gens chercher encore mon regard, guetter une parole… Lorsque je fus sur le pont, leurs cris d'amour redoublèrent et ils me demandèrent quelque chose qui m'eût appartenu. Incapable de répondre tant l'émotion m'étreignait, je détachai d'une main tremblante les rubans blancs qui me faisaient office de ceinture ainsi que les plumes de mon chapeau qu'ils se partagèrent avec ferveur.

Après une pénible traversée, je dus reprendre aussitôt la mer, car le roi d'Espagne, s'il acceptait de me donner asile, me refusait toute forme d'aide. Brisée, je mis donc le cap sur l'Angleterre, sur une mer toujours très agitée, mais sans souffrir de nausées, cette fois. Pendant ce temps, nos adversaires m'accusaient de fanatisme et de haine. Une caricature me représentait prononçant des paroles naturellement apocryphes : « J'en veux aux ennemis de ma famille et prétends les massacrer tous. » Un journal, qui se nommait pourtant *L'Indépendant*, prétendit que je me délectais de lectures relatant les souffrances de nos adversaires pendant la Révolution, et que mon système nerveux ne pouvait plus s'en passer…

La presse n'avait assurément pas peur du ridicule. La veille de l'arrivée de Napoléon à Paris, le libéral Benjamin Constant le comparait, dans le *Journal des débats*, à Attila et Gengis Khan, « en plus terrible et en plus odieux ». Or la même feuille informa dès le lendemain que depuis notre départ la capitale offrait « l'aspect de la sécurité et de la joie ». L'Empereur, sous sa plume, venait de traverser le pays avec la rapidité de l'éclair, au milieu d'une population « saisie d'admiration et de respect ». Il n'avait fallu que quelques heures à cet organe pour changer d'avis ! Et quelques jours à Benjamin Constant pour passer au service d'« Attila » en rédigeant une Constitution inspirée de la Charte de Louis XVIII.

Arrivée à Londres, j'appris que mon mari avait été fait prisonnier. Comment ne pas m'inquiéter après le sort réservé en son temps au duc d'Enghien ? En revanche, à Gand où se trouvait le roi, chacun s'accordait à dire que le gouvernement du « brigand corse » marchait à grands pas vers la dégringolade. Mon oncle répétait d'ailleurs à ses fidèles qu'il remonterait bientôt sur le trône. Alors que je venais à peine de le rejoindre, celui-ci me renvoya aussitôt à Londres pour négocier une aide. Je n'eus pas même le temps d'honorer ma mission, car Napoléon, ne pouvant gouverner que par la guerre, fut défait à Waterloo trois mois seulement après sa reprise du pouvoir. On me fit savoir que les drapeaux tricolores avaient été lacérés à Marseille. Notre victoire avait le goût amer d'une guerre civile, encouragée cette fois par nos partisans les plus exaltés qui sévirent durant plusieurs semaines dans le Midi.

Nous rentrâmes sans attendre en ordre dispersé, accueillis par les mêmes triomphales acclamations que celles qui avaient ramené l'Empereur dans la capitale. Étrange peuple, tout de même, d'une versatilité qui ne laisse pas de m'étonner… Et la presse, donc ! Elle n'hésita pas un instant à remettre ses pas dans ceux du vainqueur. Le *Journal des débats*, encore lui, décrivait avec une indécente courtisanerie « la physionomie céleste » de Louis XVIII en même temps que « le Corse au teint de plomb et à l'œil de tigre dont la bouche n'a jamais souri qu'au carnage ». Ces girouettes n'avaient-elles pas le vertige à force de faire volte-face ? Je n'aime pas les journalistes, ai-je un jour confié à un correspondant, car ils sont libres de publier n'importe quelle fantaisie et conditionnent l'opinion au lieu de l'éclairer. Le duc de Richelieu, notre président du Conseil de 1815 à 1818, disait que la liberté de la presse avait rendu le métier de gouvernement impossible. Homme de liberté, il précisait qu'il y avait des moments où il fallait donner la préférence à l'ordre, dans l'intérêt même de la liberté.

Très vite, hélas ! je dus déchanter, car mon oncle prit une décision irrecevable, et pas seulement pour moi qui n'entendais rien aux compromis et aux habiletés politiques. Fouché le régicide, « le mitrailleur de Lyon », se vit nommé ministre de la Police ! Je crus me trouver mal lorsque j'appris cette transaction que je regardais comme un sacrilège – j'ai d'ailleurs toujours refusé de le voir. Un assassin de Louis XVI dans le Conseil de Louis XVIII ? Mon oncle avait beau me baiser la main à chaque fois que j'entrais ou sortais d'une pièce, j'estimais que, compte tenu de mon aversion marquée pour tout ce qui touchait à la Convention, j'avais déjà immensément pardonné, et voilà qu'on me demandait que j'oubliasse !

Pensant endiguer son pouvoir de nuisance, le roi fut également contraint de nommer Talleyrand, évêque apostat et ancien ministre de Napoléon, président du Conseil des ministres – c'était la première fois que ce titre apparaissait. Ces deux défroqués – « le vice appuyé sur le bras du crime », résuma Chateaubriand – consommaient là leur dernière trahison, puisqu'ils avaient successivement servi l'ancienne monarchie (du moins pour Talleyrand), la Révolution, le Directoire, l'Empire, la Restauration, les Cent-Jours… Avais-je atteint l'âge de trente-six ans pour assister à pareille infamie ? Si fautes il y eut sous la première Restauration, ce ne furent pas celles des Blacas ou du Pavillon de Marsan, repaire où mon beau-père était entouré d'ultraroyalistes grand teint dont l'étroitesse de la pensée jugeait que l'avenir était dans le passé. Non, la grande illusion avait été de se rapprocher des révolutionnaires et des bonapartistes – et voilà que l'on persévérait dans cette voie funeste…

Renâclant à ratifier ces choix par ma présence, je décidai de ne pas rentrer en France sur-le-champ pour marquer mon désaccord. Complaire à l'opinion m'apparaissait comme une entreprise risquée. En la devançant, vous la dirigez par la confiance ; en vous laissant devancer par elle, vous en devenez esclave.

Finalement, je débarquai à Dieppe au mois de juillet, au milieu d'un peuple ivre de joie, enthousiaste comme jamais. Les femmes des marins insistèrent pour dételer mes chevaux et traîner elles-mêmes ma voiture. Je constatais une nouvelle fois combien les cœurs humbles se donnent sans retour, leur pureté contrastant avec la versatilité des élites.

Mon oncle envisageait déjà de renvoyer Fouché, jugeant que ce serait un beau bouquet à m'offrir pour mon retour. Mais après les élections législatives de la fin de l'été 1815, ce misérable fut poussé à la démission, entraînant Talleyrand dans sa chute. Divine surprise : une vague de députés plus royalistes que le roi composaient ce qu'on a appelé la « Chambre introuvable ». Or celle-ci n'allait pas tarder à se muer en « Chambre rebelle » en faisant obstacle à la politique d'union et d'oubli voulue par mon oncle. Ainsi, lorsque le duc de Richelieu, nouveau président du Conseil, proposa une loi d'amnistie pour réconcilier et apaiser les Français, la majorité arrêta que les régicides ayant servi Napoléon pendant les Cent-Jours seraient bannis. Quelques jours auparavant, le maréchal Ney avait été fusillé pour haute trahison.

Quand bien même sa mère s'était tuée de chagrin après la mort de la mienne en se jetant par la fenêtre à la veille du 9 Thermidor, je refusai de recevoir la maréchale Ney, la petite Aglaé. Bouleversée par une décision de justice que je croyais toutefois nécessaire à l'honneur et à la conservation de la royauté, je me garantissais contre un attendrissement que je jugeais malvenu. Et ne fallait-il pas aussi défendre le souverain contre sa propre mansuétude ? Alors même que l'opinion était opposée à sa grâce, devait-on encore, comme en 1814, amnistier tout le monde sans exception ? Par honnêteté, je dois confesser que dans notre exil nous ne savions pas bien la réputation héroïque du « brave des braves », sans quoi la vie du maréchal eût sans doute été sauvée.

J'ai toujours justifié mon refus d'intervenir en rappelant qu'à chaque fois que la famille royale s'était montrée clémente elle l'avait chèrement payé, ne recueillant que de l'ingratitude. Très éloignée du sentiment de vengeance, contrairement à ce que l'on a cru parfois, j'avais pu constater le résultat tragique des tergiversations de mon père, quand ma mère et ma tante elles-mêmes déploraient ses indulgences excessives.

## 14. Reine de France

### « Je ne veux pas monter sur une charrette »

Après tant de tempêtes, le navire de la royauté allait-il enfin naviguer sur des flots apaisés ? Le calme fut, hélas ! une nouvelle fois de courte durée. Le roi mon oncle commit l'erreur de persister à chercher une popularité illusoire en confiant les rênes du pouvoir à cet Élie Decazes qui le décida à dissoudre la Chambre introuvable, acte qui signifiait à mes yeux le retour des périls. Le drame survint le 13 février 1820. À la fin d'une représentation à l'Opéra, un ouvrier fanatique se jeta sur le duc de Berry et le poignarda. Il déclarera froidement avoir voulu « tuer la race des Bourbons » ! Accourue à son chevet, je vois encore mon cousin agoniser au son de la musique de ballet et des applaudissements qui nous parvenaient étouffés. Puis le roi nous rejoignit pour fermer les yeux de son neveu, qui avait encore eu la force de demander la grâce de son assassin. Louis XVIII ne put que constater, impuissant, l'extinction annoncée de sa dynastie, faute d'héritier. La Couronne reviendrait infailliblement à Louis-Philippe, dont les nombreux rejetons garantiraient la lignée. J'étais pénétrée d'une si profonde douleur que je ne pus verser une larme. À ses funérailles, je défaillis lorsqu'on le descendit dans la crypte, puis me retirai, incapable de supporter ce tableau plus longtemps.

C'est alors que ma belle-sœur, Marie-Caroline, qui avait déjà une petite Louise, révéla qu'elle attendait un enfant : Henri V, dont je suis la marraine et sur qui je fonde tous mes espoirs. C'est à son invitation que je séjourne à Venise, où je me rends chaque année à la mauvaise saison.

Henri-Charles-Ferdinand-Dieudonné, fils posthume du duc de Berry, titré duc de Bordeaux en souvenir de la fidélité de cette ville, fut accueilli tel un don de Dieu, comme en témoigne son dernier prénom. Je présentai moi-même à la foule, par une fenêtre du Pavillon de Marsan, celui qui venait d'essuyer trente ans de larmes et que j'allais chérir comme mon propre fils. Il est difficile de se figurer la grâce de ce moment de bonheur… Il fallait me voir, radieuse, tenant « l'enfant du miracle » sur mes genoux, le montrant à chacun, semblant dire à tous : vous le voyez, la coupe de l'adversité est enfin tarie ! Il est de ces moments dans la vie dont il est permis de jouir puisqu'ils sont un bienfait du ciel.

Peu après cet heureux événement, une rumeur courut. Mon sein s'arrondissant, prenant « une forme charmante », on pouvait espérer une autre naissance. Il fallut ignorer ces babils et attendre que la Cour découvre que je m'épaississais seulement en vieillissant. Ce fut une nouvelle meurtrissure.

Poussé par mes supplications et celles de mon beau-père, le roi avait fort heureusement sacrifié son cher Decazes pour rappeler le duc de Richelieu, puis M. de Villèle en 1821, apportant une salutaire stabilité. Cette année-là, j'échappai à un odieux attentat sous ma salle de bains. Un baril de poudre avait explosé dans l'escalier desservant mon appartement, avec une telle violence que mes vitres et celles du roi avaient volé en éclats. Cette fois-ci, le nouveau ministère était entièrement composé de serviteurs éprouvés de la Couronne et allait rester en place plus de six ans.

J'obtins mieux encore. Pour éteindre une révolution en Espagne qui menaçait de s'étendre, je me montrai favorable à une action militaire, et même à une croisade, s'il le fallait ! Ne devait-on se porter au secours de nos cousins bourbons ? Alors que mon oncle préférait la paix, il confia finalement à mon mari la tête d'une expédition de cent mille hommes afin de délivrer le souverain captif. Or non seulement le duc d'Angoulême, secondé par le maréchal d'Empire Oudinot, conforta Ferdinand VII sur son trône grâce à la prise du Trocadéro, mais il veilla aussi à modérer les ardeurs des Royalistes espagnols les plus exaltés. Cela lui valut, enfin, la considération des libéraux.

L'ayant accompagné jusqu'à Bayonne, je ployais sous le bonheur. Ma physionomie même en était transformée. Réussissant là où Bonaparte avait échoué, il couvrit les lys de gloire, et me remplit de nouveau de fierté. La monarchie renouait avec la victoire, et il était maintenant prouvé que l'on pouvait sauver un roi malheureux…

À son retour, le « vainqueur du Trocadéro » fut accueilli en héros, mais cet excès de flatterie lui fit s'écrier : « On me fait faire de la don-quichotterie ! »

Quelques mois plus tard, Louis XVIII mourut rongé par la gangrène, à l'issue d'une pénible agonie durant laquelle il ne se départit pas un instant de sa dignité. Grâce à lui, depuis 1815, la France rayonnait de nouveau. Il laissait un royaume en paix et en ordre, doté d'une industrie et d'une agriculture prospères, de comptes en excédent. Ses dernières paroles furent : « Ai-je donc fait quelque bien ? » Lorsque les râles commencèrent, je ne pus contenir mes pleurs. Nous avions partagé tant d'épreuves ensemble… Ma mélancolie fut interrompue par le médecin qui fit retomber le rideau du lit, signifiant que le roi avait rendu son âme à Dieu. Comme mon beau-père ne semblait pas comprendre, il lui dit alors : « Sire, le roi est mort. » Défaite en sortant de la chambre mortuaire, j'eus cependant la présence d'esprit de dire fermement à mon mari : « Passez devant, M. le Dauphin. » Car, si jusque-là j'avais été regardée comme la « reine », Louis XVIII et Charles X s'étant trouvés veufs avant leur règne, à cet instant même l'étiquette exigeait que je lui cédasse la préséance.

Mon beau-père prit alors le nom de Charles X. Ce dernier oncle était le troisième de la fratrie à régner, ce qui ne s'était pas produit depuis les Valois au XVIe siècle. Il fit son entrée dans la capitale juché sur un magnifique cheval arabe, image saisissante pour la foule qui n'avait jamais vu Louis XVIII que dans un carrosse. Des « Vive le roi ! » retentirent. Il descendit les Champs-Élysées sous des hallebardes, sans gardes du corps, déclarant que cette pluie ne l'importunait pas plus qu'elle ne gênait les Parisiens venus l'acclamer. Parmi eux, mon cher neveu et filleul Henri ne put s'empêcher de crier : « Bon papa ! »

Malgré sa belle tournure et son affabilité, et bien qu'il fût convaincu que les gouvernements constitutionnels feraient le tour du monde, le nouveau roi dit qu'il aimerait mieux scier du bois que de régner à la façon du roi d'Angleterre. Rêvant de réconcilier la grande propriété foncière et la paysannerie, il avait compris qu'on ne pouvait s'appuyer sur la bourgeoisie, ennemie héréditaire de la royauté, car fourrier historique des révolutions par son appétence inassouvie pour l'argent et le pouvoir. Afin de rendre à la royauté tout son lustre d'antan, il décida de renouer avec la cérémonie du sacre à Reims, en 1825, à mon grand effarement. Nous n'étions plus au temps de la monarchie de droit divin ! Allait-on au moins privilégier une cérémonie dépouillée ? Las ! un carrosse rouge et or fut fabriqué pour le conduire à la cathédrale, où le roi reçut les onctions étendu sur le sol en simple camisole blanche. Je crains que ces liturgies n'aient été regardées par le peuple comme de trop antiques coutumes.

Il ne fallut pas trois ans pour qu'affleurât son impopularité. Un jour, au passage de notre famille, la garde cria : « Tous à la guillotine ! » Blêmissant d'abord, je ne pus m'empêcher d'éclater en sanglots. Quarante ans après les prémices de la Révolution, je sentais couver un nouveau drame. Impressionnée par un rapport sur les signes croissants d'irritation contre les ministres, je pris la liberté de venir supplier le roi de ne pas multiplier les provocations. Mais mon beau-père semblait assuré des bonnes dispositions dont il était témoin. N'osant insister, je me retirai, inquiète et silencieuse.

S'obstinant, il décida de privilégier la force sur la faiblesse, sans saisir que le pouvoir nécessite, pour se maintenir, un équilibre entre ces deux extrêmes qui, pris isolément, condamnent à la chute. Mais il jugeait que la première reculade de mon père avait été le signal de sa perte et répétait toujours : « Je ne veux pas monter sur une charrette comme mon frère. » À ses yeux, un roi menacé n'avait que cette alternative : le trône ou l'échafaud. En 1827, une dissolution précipitée scella la défaite des Royalistes au profit d'une chambre ingouvernable.

Ayant pressenti les conséquences du renvoi de Villèle, j'avais, telle Cassandre, pris le parti de mettre mon beau-père en garde, en lui indiquant qu'il s'apprêtait à descendre la première marche de son trône. Autant j'avais été parfois réticente quant au libéralisme politique de Louis XVIII, autant il y avait des raisons de se plaindre de l'excès inverse chez Charles X, notamment lorsqu'il nomma président du Conseil Polignac, le fils de Gabrielle, que j'estimais comme homme en privé mais qui, en politique, était des plus présomptueux et faisait figure d'épouvantail pour tous les Modérés.

En juillet 1830, alors que j'étais en cure à Vichy, mon beau-père, qui m'avait promis de ne prendre aucune mesure extrême sans me consulter, profita de mon absence pour promulguer des ordonnances incluant une suspension de la liberté de la presse, une dissolution de la Chambre à peine élue et une nouvelle loi électorale favorable à la grande propriété. Jamais Charles X ne s'y serait résolu en ma présence, sachant pertinemment que je l'en eusse blâmé. Je ne prévoyais que trop la réaction des libéraux. La charte est violée, le règne de l'arbitraire et du bon plaisir du roi est de retour ! À juste titre, ils ne pouvaient cette fois ni laisser faire ni laisser passer ! Aussitôt, Paris se hérissa de barricades ; les alarmes légitimes d'une pauvre Cassandre étaient donc avérées...

Comprenant qu'une nouvelle révolution se tramait, je décidai de rentrer aussitôt à Paris. L'homme conduisant ma berline portait ostensiblement un flot de rubans blancs à sa boutonnière. À Mâcon, mes craintes furent confirmées par le préfet. Jusqu'à Dijon, je fus bien accueillie mais, au théâtre où j'assistais à une représentation, je faillis essuyer quelques insolences. Je fis alors cet air qu'on me connaît et personne n'osa s'y risquer. Par sécurité, je décidai de reprendre la route avant l'aube. Je passai la robe d'une femme de chambre et attachai un fichu autour de ma tête, puis tâchai de trouver la voiture, à ce moment invisible.

Je me vis donc condamnée à revivre, comme quatre décennies plus tôt, le voyage *incognito*. Comment ne pas penser à la nuit du 20 au 21 juin 1791, lorsque, à la barrière Saint-Martin, mon père et Fersen cherchaient notre berline ? Ce cauchemar devait-il me hanter jusqu'à mon dernier souffle ? Étais-je née seulement pour vivre dans l'agitation et la peur ? Je souffris mille morts car j'attendis deux très longues heures, assise sur un banc, sans lâcher mon grand sac de voyage vert rempli de journaux, seuls à même de m'informer des événements. Finalement, après quelques péripéties, on retrouva la voiture. Dieu merci, ma petite suite et moi avions encore de l'avance lorsque nous quittâmes Dijon.

Sur le chemin, j'appris avec douleur que le sang coulait dans la capitale. Le pire était donc advenu. Les malheureux ! Les insensés ! Ils avaient tout perdu... Que n'étais-je auprès du roi ? Je me lamentais, ne sachant s'il serait sauvé ni où était mon mari.

Après Joigny, je fus obligée de changer de voiture par discrétion. Le cocher d'une berline anonyme et sans armoiries me proposa à voix basse de m'emmener au château de Saint-Cloud, où le roi s'était retiré. J'acceptai, déguisée cette fois en paysanne. À peine étais-je installée que d'autres personnes demandèrent à monter. Il était impossible de refuser, si bien que je me retrouvai avec des gens du peuple qui auraient été bien surpris de savoir avec qui ils voyageaient.

Lorsque nous atteignîmes Fontainebleau, j'appris que la royauté était tombée et que mon oncle était désormais réfugié au château de Rambouillet. Il avait retiré ses ordonnances, mais c'était trop tard. Je me sentis faiblir. Un abîme s'ouvrait sous mes pieds. Contrainte de partager les souffrances de Louis XVI, d'accompagner Louis XVIII en exil, j'allais devoir suivre de nouveau un roi déchu ! Étrange destinée...

Peu avant mon arrivée, je retrouvai d'abord mon mari, puis Pauline. Comme dernier souvenir, j'offris à celle-ci le cachet de ma mère, qu'elle avait toujours porté sur elle et qu'elle m'avait donné en quittant le Temple. Je n'avais rien de plus cher ni de plus précieux, mais Pauline avait compté pour moi plus que quiconque. « Adieu, lui dis-je. Quelles que soient les épreuves, nos cœurs se retrouveront toujours !... »

Sur la route, les drapeaux tricolores se multipliaient. Je fermai les yeux.

Arrivée au pied du perron, je gravis les marches en hâte, me dirigeai vers le grand salon et me jetai dans les bras du roi : « Ah ! Mon père, qu'avez-vous fait ? » Comprenant, hélas ! trop tard, ses erreurs, il me tendit ses mains en disant, pour toute justification : « Ma fille, ma fille ! Me pardonnerez-vous ? » Son regret d'avoir agi sans mon consentement était manifeste, ses remords étaient sincères et touchants.

Le pouvoir, on le sait, se trouve isolé par un entourage acquis par essence, trop enclin à la flatterie. La presse étant jugée soit aux ordres du pouvoir, soit dans une opposition de mauvais aloi, on ne peut compter que sur soi. Comment, alors, bien sentir les désirs, les réactions des Français ? Étant la seule à me rendre fréquemment dans les provinces, je pouvais prétendre mieux connaître les aspirations du peuple que les conseillers de la Cour. D'ailleurs, dès 1814, j'avais deviné la nécessité que les princes se présentassent dans les départements, où pour ma part je ne rencontrais que de bons sentiments. En visite dans l'Ouest, j'avais trouvé cette fidèle contrée en effervescence. On rêvait de toucher ma main, comme si j'avais le pouvoir de guérir des écrouelles... Mais l'heure n'était plus aux regrets. Il fallait se résigner, une fois encore, et se laisser guider par la Providence. « Laissons le passé », dis-je seulement à mon beau-père.

Le soir, le dernier roi de France à ce jour, tenant par la main son unique et précieux petit-fils, passa en revue les gardes du corps. Je suivis à mon tour, tenant un mouchoir à la main pour tamponner mes larmes : « Croyez bien, mes amis, que je n'y suis pour rien ! Les ordonnances étaient une entreprise, et les entreprises ne nous réussissent guère… »

Le duc d'Orléans s'apprêtait donc à ramasser la Couronne dans le ruisseau où nous l'avions laissée tomber. Il s'était jeté dans la révolution en brandissant le drapeau tricolore, accueilli d'ailleurs aux cris de « vive la République ! ». Quand je songe que Charles X lui avait rendu son titre d'altesse royale, il en fut bien mal récompensé. Tel son père, il a ainsi consommé sa trahison. Mon mari délivra peu de temps après une prédiction : certes, notre cousin était habile, il pourrait faire aller quelque temps la machine, mais le *culbutis* ne manquerait pas d'arriver.

Écoutant enfin les plus modérés, mon beau-père fit preuve d'une immense abnégation et se résolut à abdiquer le 3 août. Il a été le premier monarque français à s'y déterminer. Il le fit toutefois en faveur de mon mari puisque, selon la tradition, il ne pouvait se retirer qu'au bénéfice de son successeur. Mais il demanda à son fils de se désister à son tour au profit de son petit-fils. Par cette ironie du sort, je fus donc la dernière reine de France et de Navarre pendant quelques minutes. Certes, je n'ai pas régné officiellement, mais n'étais-je pas déjà reine sans le titre depuis quinze ans ?

Louis XIX, la conscience prise dans un étau, hésita. Si l'obéissance à son père était requise, avait-il dans le même temps le droit de se décharger des devoirs de la monarchie ? Finalement, il opta, comme il l'avait toujours fait, pour l'allégeance et abdiqua à son tour en maugréant : « Puisqu'ils ne veulent pas de moi, qu'ils s'arrangent ! » Mon mari transmit ainsi la Couronne à notre neveu, qui prit le nom d'Henri V pour honorer la mémoire du bon roi Henri. Afin de tendre une main aux rebelles, et tentant de sauver ce qui pouvait l'être, mon oncle nomma le duc d'Orléans lieutenant général du royaume. Il désirait même lui confier la régence dans l'attente de la majorité de son petit-fils, ce dont notre si peu loyal cousin, déjà adoubé par La Fayette dans les plis du drapeau tricolore, ne tint pas compte un seul instant.

Aujourd'hui, mon cher neveu est un jeune marié de trente ans, et je ne puis m'empêcher de m'attendrir en me souvenant qu'il avait dix ans à cette époque, soit mon âge en 1789... Lorsque nous allâmes lui rendre compte de sa nouvelle situation, il s'exclama, charmant : « C'est impossible ce que vous me dites là ! » Puis il recommença à jouer – au cocher ! – avec sa sœur Louise. Pour remonter le moral des troupes, nous le présentâmes en petit uniforme de colonel de cuirassiers. Pour la première et, à l'heure où j'écris, la dernière fois, il vit les drapeaux blancs s'incliner devant lui aux cris de « vive le roi ! ». Il se le rappelle parfaitement et, lorsqu'il évoque cette scène marquante, il en est encore tout ému.

## 15. Dernières retraites

## « Adieu, ma bien chère et tendrement aimée *Gioia* de mon cœur »

Pour nous faire quitter la France sans attendre, des envoyés de Louis-Philippe nous firent croire que la fureur du peuple s'était soulevée et que cent mille hommes suivaient leurs pas. Fallait-il une nouvelle fois se préparer au pire ?

Le temps du troisième et dernier exil était venu. Il paraît que j'avais les yeux hagards en montant dans la voiture, que je ressemblais à ces personnes tombées d'une grande hauteur et qui, tout étourdies, ne peuvent se relever. Troublée au plus profond, je dois avouer que je n'en ai pas un souvenir précis. Je me rappelle seulement les roulements de tambours sonnant la retraite lorsque notre cortège s'ébranla, ainsi que l'indifférence empreinte de respect qui nous accompagnait. M'évertuant à demeurer digne et droite, je sentais des larmes irrépressibles rouler le long de mes joues. Je compris soudain que la statue de Louis XVI voulue par Charles X place de la Concorde ne serait sans doute jamais achevée. J'étais vêtue d'une robe noire chiffonnée, et notre cortège paraissait si funèbre qu'on a parlé à son propos de convoi de la monarchie ; j'éprouvais la pénible sensation d'être ramenée quatre décennies en arrière.

Dreux, Argentan, Vire, Saint-Lô : mon beau-père ralentissait à dessein, reculant autant que possible le moment de devoir quitter le sol français. Le 9 août 1830, sans même avoir l'élégance d'attendre que nous ayons quitté le territoire, le duc d'Orléans, prêt à tous les compromis, se fit proclamer Louis-Philippe Ier roi des Français, et non plus de France. En l'apprenant le lendemain, je pleurai à fendre le cœur quand on ne me regardait pas. J'avais beau faire, il m'était impossible de me contrôler, de surmonter mon émotion. Mes pensées se fixaient malgré moi sur les occasions manquées, sur ce rejet injuste que j'éprouvais si douloureusement. Cette fois, mes ressorts étaient brisés. La « fée obstacle » évoquée si souvent par mes contemporains avait encore frappé notre destin de sa baguette maléfique. Oui, j'étais bien la princesse du malheur. Mon chagrin se mua en humeur bilieuse. Devant un commissaire qui voulait m'adresser la parole, je lançai à la cantonade : « Serai-je donc toujours condamnée à avoir devant moi la figure de cet homme ? » Le soir, je le croisai encore dans l'escalier de l'auberge où nous faisions halte en direction du Nord : « Vous ? Toujours vous ! J'étouffe ! » J'ai bien rarement perdu mon sang-froid, mais dans cette circonstance particulière il semble que j'aie vu en cet homme l'incarnation même du geôlier…

Sur la route, les villageois ôtaient leur chapeau, comme pour des funérailles. Parfois, je parcourais deux ou trois lieues à pied à côté de la voiture, sous l'éclatant soleil d'un été radieux et au milieu des moissons dorées de la Normandie. J'ai toujours goûté la marche, qui apaise mon esprit. Troublée, l'âme confuse, je descendais, remontais brusquement, descendais de nouveau. J'échangeais quelques paroles tantôt avec les gardes du corps, tantôt avec les paysans à qui je demandais un verre d'eau. Ils ne me reconnaissaient pas et ne pouvaient soupçonner ce qu'il y avait de misère et d'oppression dans cette « reine » déchue qui s'adressait à eux avec simplicité. Ma robe était-elle poussiéreuse ? Peu m'importait… On me trouvait fébrile, agitée, convulsive même ? C'est que j'étais sur le point de quitter la terre de mes ancêtres pour la troisième fois. Qui avait déjà vécu cela ? Trois rois, trois frères : trois révolutions, trois exils !

Sur le quai du port de Cherbourg, là même où mon père s'était déclaré le roi le plus heureux du monde presque un demi-siècle plus tôt, je sentis mon visage défait et mon corps amaigri dans ma robe émeraude. J'étais en proie à l'épuisement le plus complet. Nos fidèles gardes venaient de rendre leurs étendards à Valognes où, pour quitter son pays, mon oncle avait fait cette fois son apparition en frac bleu, dépouillé de ses décorations et de ses épaulettes d'or, tenant Henri par la main.

Ce moment fut immense. Chacun retenait sa respiration. Tout à coup, des sanglots éclatèrent parmi les gardes du corps. « Allons, mes amis, dit mon oncle, calmez-vous, faudra-t-il que ce soit moi qui vous console ? » Puis, un à un, les porte-étendards lui remirent solennellement le drapeau de leur compagnie. Il les remercia d'avoir su les conserver sans tache avant de conclure, d'une voix étouffée par l'émotion : « Je les prends à regret, mais je vous les garde ; j'espère qu'un jour mon petit-fils aura le bonheur de vous les rendre. » Pour la première fois, mon mari, qui avait lui aussi quitté son costume militaire, était vêtu de noir.

M. de Balzac, qui vient de disparaître, a écrit dans *Le Départ* que Napoléon a péri au milieu d'une mer de sang en laissant la France plus petite que les Bourbons l'avaient faite, et que nous la laissions agrandie et florissante. Mais l'auteur de *La Comédie humaine* a surtout composé à cette occasion une oraison funèbre de la monarchie digne de Bossuet :

« Sont-ce les trônes au rabais, les rois à bon marché qui pourront semer l'or pour faire éclore des chefs-d'œuvre ? Sont-ce cinq cents bourgeois assis sur des banquettes ?… Quand Charles X aura pris pied sur ce vaisseau… la souveraineté du peuple sera traduite par la classe intermédiaire… Et aussitôt, plus de luxe, plus de gloire, plus de travaux ! Ce combat n'aura pour chefs que des gens médiocres… Il n'y aura qu'une seule chose dont on ne doutera pas : la misère !… Qui a tort ? La France ou les Bourbons ? Je ne sais, mais quand ils revinrent, ils apportèrent les olives de la paix, la prospérité de la paix… Ils payèrent les dettes de l'exil, de l'Empire, de la République. Ils versèrent si peu de sang, ces tyrans pacifiques… Un roi, c'est la patrie incarnée… Un roi est la clé de voûte sociale… Un moment viendra que, secrètement ou publiquement, la moitié des Français regrettera le départ de ce vieillard que nous déportons. »

Mon beau-père s'étant finalement résolu à demander l'asile à l'Angleterre, nous embarquâmes sur le *Great-Britain*, commandé par le capitaine Dumont d'Urville, qui avait découvert la Vénus de Milo et fait le tour du monde. Tandis que les voiles se déployaient, je tenais mon neveu serré contre moi. Je le vois encore dans son pantalon blanc, sa veste bleu ciel et son petit chapeau gris. En grande détresse, je regardai le rivage français s'éloigner, sans chercher cette fois à cacher mon affliction. Trente-cinq ans après mon premier exil, et âgée d'un peu plus de cinquante ans, j'étais encore chassée de mon pays. J'avais autant de rancune envers la noblesse de Cour qu'envers ces notables empressés qui arpentaient les antichambres de Louis-Philippe. Les régimes passent, mais l'esprit de Cour est éternel.

Le vent était favorable. Alors qu'une houle se formait, je m'enfonçai dans la mélancolie en fixant l'horizon. Je fus brusquement tirée de mes noires pensées par la gouvernante des enfants. S'étant enquise de la destination du navire, elle s'était vu répondre : « Sainte-Hélène ! » Je levai les yeux au ciel. Plus rien ne pouvait me surprendre ni m'atteindre. Mais Sainte-Hélène était aussi le nom du port de l'île de Wight. Pour dire toute la vérité, je n'avais pas voulu alarmer mon entourage, mais je jugeais plausible que l'on fît couler notre navire pour supprimer définitivement tout ce qui restait des Bourbons. L'ordre en avait d'ailleurs été donné, dit-on, si nous avions tenté de nous écarter du cap fixé. Napoléon, aujourd'hui mort depuis trente ans, n'avait-il pas déjà déclaré que la France n'aurait de paix – la paix, avec Bonaparte ? – qu'au « moment où le dernier individu de la race des Bourbons serait exterminé » ?

Après la traversée, je dus encore une fois changer d'identité, car nous étions accueillis à condition que ce fût comme de simples particuliers. Mais voilà qu'on m'appelait « la reine » ! À Chateaubriand, venu plus tard me visiter et dont la fidélité déclamatoire masquait mal une féroce ambition, j'avais pourtant indiqué que cette désignation me gênait, tout comme mon mari qui ne voulait pas porter le nom de Louis XIX. Henri devint, lui, comte de Chambord, titre qu'il a souhaité garder depuis, tandis que nous choisissions ceux de comte et comtesse de Marnes, du nom d'une demeure que j'ai beaucoup aimée.

En 1821, j'avais en effet acheté à Marnes-lès-Saint-Cloud le château de Villeneuve-l'Étang, où j'aimais me réfugier lorsque le besoin de solitude se faisait par trop sentir. Là, loin des combinaisons de la Cour, j'appréciais cette propriété entourée d'arbres, d'eau et de prairies vallonnées. J'y lisais Dante, la collection des *Mémoires sur la Révolution française* ou encore le *Mémorial de Sainte-Hélène*. Me sentant enfin libre, comme ma mère au Hameau de la reine, je me promenais, seule de préférence, en toilette presque négligée – une robe grise surmontée d'un châle usé. Chateaubriand a écrit dans ses récents mémoires que j'avais l'air d'avoir raccommodé mes vêtements, comme ma mère à la Conciergerie.

Le soir, je recevais parfois quelques amis dans le salon bleu, entièrement tapissé de ma main et agrémenté de deux bustes de mes parents offerts par le baron Pasquier. Ce préfet de police de Paris sous l'Empire et ancien ministre de Louis XVIII avait toujours gardé l'espoir de pouvoir me les remettre. Je suis aussi dépositaire d'autres reliques provenant de ma famille, dont le célèbre portrait de ma mère, peint par Mme Vigée-Lebrun, balafré par un coup de pique le 6 octobre 1789, ainsi que le soulier qu'elle perdit en montant à l'échafaud et la chemise tachée de sang portée par mon père le jour de son exécution. J'ai aussi en ma possession sa montre, le gilet blanc de mon frère au Temple, la tête de la statue équestre d'Henri IV, qui fut jadis au Pont-Neuf avant d'être jetée à la Seine sous la Révolution. D'autres pièces encore, dont un collier de perles ayant appartenu à ma mère – je raffole des perles ; j'en ai toujours dans mon sac, ainsi que quelques diamants en cas de fuite imprévue. Conservé à l'abri des regards dans mon cabinet, ce reliquaire possède étrangement un pouvoir de consolation. Je m'y complais comme si je trouvais dans ce sanctuaire je ne sais quelle amère volupté.

Nous demeurâmes d'abord en Écosse au château royal de Holyrood, propriété des Stuarts. Cette lugubre et austère bâtisse aux salles immenses et aux arcades désertes était noyée dans le brouillard. Nos appartements donnaient sur les pierres à demi brisées d'un cimetière. Comme les Bourbons, les Stuarts ont connu le régicide avec Charles I$^{er}$ d'Angleterre, décapité au XVII$^{e}$ siècle ; et comme les Bourbons, ils ont subi l'exil avant d'être restaurés sur le trône, puis d'en être de nouveau chassés au profit d'une branche cadette.

En relisant les *Oraisons funèbres* de Bossuet, j'ai

été frappée par un chapitre consacré à Henriette de France, épouse de Charles Ier. Car comment, là aussi, ne pas remarquer les similitudes de nos destins dans ces lignes où chaque mot semble raconter ma propre histoire ?

« Vous verrez, dans une seule vie, toutes les extrémités des choses humaines : la félicité sans bornes aussi bien que les misères, tout ce que peuvent donner de plus glorieux la naissance et la grandeur accumulées sur une tête, qui ensuite est exposée à tous les outrages de la fortune… Des changements inouïs ; la rébellion longtemps retenue, à la fin tout à fait maîtresse ; nul frein à la licence ; les lois abolies, la majesté violée par des attentats jusqu'alors inconnus ; l'usurpation et la tyrannie sous le nom de liberté… »

Je me plongeai également dans Walter Scott, lui aussi venu nous visiter. Il avait déjà connu le succès avec *Ivanohé*, et *Waverley* venait d'être traduit en français. C'était le premier roman dit historique, et il fut salué pour avoir montré l'histoire faite par des hommes de chair et de sang. Cet ouvrage ne pouvait que me passionner, tout autant que les lecteurs, d'ailleurs, qui aiment à comprendre ceux qui les gouvernent.

Holyrood, imposant, mais humide et vétuste, meublé de quelques sièges gothiques et de tapisseries lépreuses, traversé de courants d'air, était réputé hanté. Ayant pourtant connu le Temple, ce qui était censé me rendre plus familière des sinistres murailles, je ne parvenais pas à m'accoutumer à ce lieu bordé de montagnes. Et puis ce château était aussi un musée, ce qui signifiait des visites régulières. Comme autrefois aux Tuileries, on nous regardait comme des bêtes de foire, ce qui m'était insupportable, car j'ai toujours souffert d'être l'objet de la curiosité publique.

Mon mari et moi nous installâmes donc dans les faubourgs d'Édimbourg, où nous pouvions secourir les pauvres à loisir. Nous menions une vie bien triste, ne vivant que de souvenirs. Il ne me restait que Dieu à prier, la France à regretter, Henri à élever. Rien ne pouvait contribuer à ma consolation, au contraire, tout augmentait ma profonde souffrance. Et puis des crises de rhumatismes me faisaient parfois garder la chambre.

La dernière révolution, plus forte que mon courage, l'avait emporté. Désormais, je n'étais plus de ces chênes battus par l'orage et qui se fortifient dans la tempête, mais plutôt un arbre déraciné qui languissait loin de sa terre natale. Toutes nos peines étaient ailleurs et nos yeux, comme notre cœur, continuellement fixés sur elle. Pourtant ma foi en mon pays était, et demeure encore, presque vingt ans après, inébranlable. Je n'ai jamais cessé, et ne cesserai jamais, de former des vœux pour la France. Ce sentiment surprend invariablement mes visiteurs, car eux jugent que l'on m'y a pourtant bien éprouvée.

En 1832, ma belle-sœur la duchesse de Berry, qui se faisait appeler la régente *senza vergogna*, se lança dans une folle équipée avec l'espoir insensé de soulever la Vendée et de renverser la monarchie de Juillet. Son dessein était d'offrir une réplique au vol de l'Aigle et de reconquérir le trône de son fils. Ayant vingt ans de moins que moi, elle représentait, il est vrai, l'avenir et la joie, tandis que je personnifiais le passé et la tristesse. Le soulèvement ayant échoué, elle dut quitter la France après avoir, elle aussi, passé quelque temps en prison. Mais par ses enfantillages elle nous plaça dans une position bien délicate sur laquelle je ne souhaite pas m'étendre. Après son second mariage, union quelque peu extravagante, ses enfants refusèrent d'ailleurs de la voir et c'est ainsi que, pour mon plus grand bonheur, je me suis chargée de leur éducation. Sa conduite n'a pas toujours été digne d'une mère de futur roi, mais nous entretenons aujourd'hui des relations apaisées, malgré le contraste de nos caractères.

Peu après, l'entente trop cordiale entre l'Angleterre et Louis-Philippe nous empêchant de demeurer en Écosse, je me tournai naturellement vers l'Autriche. Ce dernier exil se plaçait sous de meilleurs auspices. Il n'y avait plus d'épée de Damoclès au-dessus de nos têtes. En octobre 1832, nous entrâmes à Hradschin, dominant Prague, par un chemin coupé de ponts-levis ; la cour carrée était cernée de bâtiments uniformes, tenant à la fois de la citadelle et de la caserne. Tout cela était bien convenable, voire un peu solennel. Des centaines d'appartements jouxtaient de grandes salles vides, où Charles Quint avait présidé les États de Bohême.

J'allais aussi retrouver mes amies les comtesses Zichy-Ferraris et Esterházy, rencontrées jadis. Avec ma dame de compagnie Henriette, vicomtesse d'Agoult, nous formions un quatuor enfin rassemblé après plus de trente ans de correspondance ininterrompue. Dieu soit loué, il me restait surtout mon jeune Henri ! Dois-je confesser que j'avais parfois la faiblesse de tolérer ses caprices ? Je l'aime comme aime une mère, et il me le rend bien. Il a de l'esprit, de la sensibilité et du cœur. Si je suis à Venise en ce moment, c'est, je l'ai dit, parce qu'il m'y convie gracieusement chaque hiver. Je fonde tant d'espoirs en lui…

Nous étions de plus en plus isolés. Isolés, mais toujours cernés de demandes d'aide émanant d'anciens serviteurs de ma famille, de nobles ruinés et même de guichetiers du Temple. J'étais effrayée par l'avalanche de courriers. Mon secrétaire, le baron Charlet, devait me protéger, car je ne savais pas refuser quand on en appelait à ma légendaire générosité. Enfin, je dois avouer que je n'entendais rien aux monnaies : ducat, florin ou kreutzer, pour moi ces pièces avaient la même valeur.

Excepté les eaux que je prenais chaque année à Carlsbad, notre vie morne incitait aux noirs souvenirs, mais je m'évertuais à lutter contre ce penchant : « Assez de tristesse comme cela, dis-je un jour en me tournant vers mon mari. C'est bon quand nous sommes seuls. » Ce roi sans royaume et taciturne s'abîmait dans un lancinant sentiment d'inutilité, frottant sans cesse ses genoux avec ses mains : « Il n'y a pas de trou de souris assez petit pour me cacher, répétait-il. Je ne suis rien. Je ne veux rien. » Il considérait sa vie comme un livre clos et celle de notre neveu comme une page blanche mise à la disposition de la Providence pour qu'elle y puisse inscrire ses décrets.

En 1836, nous dûmes entamer une nouvelle transhumance. L'empereur d'Autriche François I$^{er}$ venait de mourir et son successeur devait se faire couronner au château de Hradschin. Nous partîmes sans savoir où aller. Mon beau-père nous comparait aux patriarches qui ignoraient où ils planteraient leurs tentes. Ce fut finalement Goritz, petite ville située près de Trieste au bord de la mer Adriatique, et environnée de collines couvertes de cèdres du Liban, de palmiers, d'amandiers… Du modeste palais Strassoldo, je me rendais à pied à la cathédrale tôt le matin, même dans le froid. J'écoutais parfois les ouvrages historiques que mon mari lisait à voix haute. Pour ma part, je dévorais Victor Hugo.

Hélas ! tandis que nous avions cru mon beau-père à l'abri de l'épidémie, il contracta le choléra qui ravageait la région. Il fut emporté en quelques heures, puis inhumé dans la crypte du monastère de Castagnavizza. Un roi de France ne pleure jamais en public, mais mon pauvre mari eut toutes les peines du monde à contenir son chagrin. Il aimait tant son père… S'il était désormais le chef de la maison de Bourbon, Louis XIX était bien résolu à n'en faire usage que pendant la durée des malheurs de la France. Il souhaitait remettre la couronne à notre neveu le jour où, par la grâce de Dieu, la monarchie légitime serait rétablie. Je devins donc reine une seconde fois. Mais qu'est-ce qu'une reine en exil ?

Notre vie tranquille et monotone fut interrompue à l'hiver 1844. Atteint d'une tumeur maligne, mon mari réclamait l'extrême-onction, tant ses souffrances étaient aiguës. Après plusieurs mois de tortures, au cours desquels je ne quittai pas son chevet, notre union toujours plus intime et profonde fut rompue. Il expira dans mes bras au printemps. Je baisai alors avec respect et douleur les mains de celui qui m'avait aidée, par sa constante sollicitude, à supporter presque un demi-siècle d'amertume et de calamités. L'attachement que je lui portais était aussi fort que sincère.

Chaque deuil me ravine davantage et cette épreuve suprême me brisa. Je relis parfois les lettres de celui qui m'a si ardemment soutenue, aimée, admirée même. Elles se terminaient souvent par : « Adieu, ma bien chère et tendrement aimée *Gioia* de mon cœur. Je t'embrasse comme je t'aime avec la plus vive tendresse. » Ou bien : « Je souhaite le bonsoir à ce que j'ai de plus cher au monde. » Nos rares désaccords – toujours politiques – restaient courtois. Lorsqu'il ne partageait pas mon point de vue, ce dont nos liens puissants n'ont jamais pâti, il me disait seulement : « Ma chère princesse, ne parlons pas des choses sur lesquelles nous ne pouvons nous entendre, ni nous persuader mutuellement. » Tout d'abord plus libéral que moi, il ne voyait, en 1814, de repos pour la France que dans une monarchie tempérée. Mais lorsque je fus à mon tour convaincue que de nouvelles réformes s'imposaient, ce que Stendhal salua, il n'osa plus ouvrir son cœur publiquement, par loyauté envers son père. Par principe, mon cher mari était strictement discipliné quand le roi avait parlé, ce qui l'a sans nul doute fait souffrir. Comment aurais-je pu lui reprocher cette probité que j'ai tant appréciée chez ce prince qui, en outre, détestait les passe-droits ?

Avec cette perte, une page intime autant qu'une page d'histoire se tourna, puisqu'il était avec moi le dernier membre de la famille à avoir vécu la Révolution. J'en suis dorénavant l'ultime témoin : « Marie-Thérèse domine toutes les ruines », a résumé Chateaubriand dans une formule un peu retentissante.

Je me souvenais des obstacles surmontés ensemble, des occasions manquées, des fils que nous n'avions pas eus… Croyant toujours y voir et entendre mon cher défunt amaigri dans son habit râpé, je me résolus à quitter Goritz. Il y a quelques années, je me suis donc établie au château de Frohsdorf, à une dizaine de lieues de Vienne. Ce nom signifie « village de la joie ». Cela ne me déplaît pas. Et puis il y a une gare de chemin de fer, à Frohsdorf. Cette ancienne propriété de Caroline Murat, la plus jeune sœur de Napoléon, possède neuf fenêtres en façade ouvrant sur un jardin à la française. Elle est bordée de monts enneigés et de sapins formant un panorama grandiose que je contemple en méditant, assise dans l'embrasure de la fenêtre. Je réside à l'étage de cette bâtisse ocre jaune, dans des pièces exemptes de luxe, côté parc, où les quinconces me rappellent les Tuileries. À moins qu'un événement ne bouleverse de nouveau le cours des choses, j'exhalerai mon dernier soupir dans cette maison dont la bibliothèque renferme quinze mille volumes. J'y mène une vie modeste : messe, promenades, dîner frugal et expéditif – je n'ai jamais su apprécier la bonne chère –, jeux, lecture donnée par un ami de passage.

Mon cher neveu peut même à l'occasion me faire sourire. Se moquant des profondes révérences que se doivent d'exécuter les femmes qui me visitent, obligeant la jambe gauche à être complètement ramenée sous le corps, il nomme cela « la révérence à cul ouvert » ! Pour le principe, je fronce les sourcils, mais ce genre de saillie ne prouve-t-elle pas sa filiation avec Henri IV, dont la verdeur de langage est restée fameuse ? Il ne se prive pas non plus de donner aux courtisans des conseils qui ne laissent pas de les étonner : « Il faut que je vous apprenne l'adage de la Cour : s'asseoir quand on peut, pisser quand on peut… et demander toutes les places vacantes ! » Malgré sa jeunesse, il a été le témoin de bien des avanies, bien des bassesses, ce qui l'a rendu sage avant l'âge, lui aussi.

Il y a peu, j'ai reçu ma nièce, l'ex-impératrice Marie-Louise, à Frohsdorf. N'ayant fait qu'obéir à son père en épousant Napoléon, elle avait refusé de suivre son mari déchu à Sainte-Hélène. En conséquence, nos relations étaient devenues plus étroites. Aussi, je suppose que les historiens seront bien curieux de cette entrevue entre la veuve de Bonaparte et la fille de Louis XVI, mais ce serait oublier que nous avions le sang des Habsbourg en partage. Ce jour-là, Marie-Louise m'affirma aimablement qu'elle n'avait jamais perdu de vue ni mon sort ni, auparavant, celui de ma noble mère. Son père lui avait certes réclamé un pénible sacrifice dans l'intérêt de ses peuples, mais son mari l'avait toujours traitée avec égards et même avec respect. Lors de notre dernière rencontre, elle m'a confié qu'elle priait Dieu chaque jour de lui accorder la grâce de vivre assez longtemps pour voir la chute de Louis-Philippe, et surtout l'établissement d'Henri V. Il est vrai que son fils, « l'Aiglon », était mort depuis quinze ans… Hélas ! ayant rendu l'âme peu après, elle n'a pu assister au naufrage qu'elle appelait de ses vœux.

En février 1848, en effet, l'écho alarmant des événements de Paris nous parvint. On parlait de barricades. J'étais préoccupée par mon pays et ne pouvais que prier le Ciel de le détourner du malheur que je prévoyais. Peu après, je sus que le régime de Juillet était tombé en quelques heures, avec plus de facilité que la Restauration. La prophétie de mon mari, ce *culbutis* qu'il avait évoqué, s'était donc réalisée. Louis-Philippe a dû, dit-on, fuir à pied sous un déguisement, à peine suivi d'un serviteur, et sans faire d'adieux. Quelqu'un me demanda alors si j'y avais vu le doigt de Dieu. À peine avais-je répondu qu'Il était dans tout qu'une visiteuse s'écria : « Comment, le doigt de Dieu ? Il y a mis les quatre doigts et le pouce ! »

Pour l'heure, mes vives inquiétudes renaissaient. Qu'allait donc enfanter cette troisième révolution ? Même vue de loin, cette atmosphère imprégnée de violence m'a impitoyablement rappelé la première. Et pourtant soixante ans s'étaient écoulés.

Je vivais au jour le jour, me désolant de l'état de mon pays et de l'extrême misère qui y régnait : chômage et crime endeuillaient son quotidien. Socialistes et républicains se déchiraient. En juin éclata une quasi-guerre civile. Attendu par nos partisans, mon neveu se décida à publier une déclaration, élégante, certes, mais insuffisante. Henri IV, modèle dont il se réclamait si souvent, aurait sauté sur son cheval, lui ! Le nouveau parti de l'ordre l'aurait peut-être soutenu.

Fort éloigné des visées contre-révolutionnaires, il avait avancé que le bonheur de la France ne pouvait être assuré que par l'alliance des principes monarchiques avec les libertés publiques. On lui demanda davantage encore. Était-il prêt à endosser le drapeau tricolore ? Par égard pour moi, à qui cet étendard rappelait de si cruelles épreuves, le pouvait-il ? Tous mes sinistres souvenirs y étaient associés. Déployé à toutes les époques tragiques de ma vie, il n'incarne que la violence et la mort, représente un Paris barbare et meurtrier. Et il aurait fallu que je soutienne sans ciller la vue de ce drapeau ? De surcroît, que gagne-t-on à adopter les principes de ses adversaires ? Le mépris des siens, sans pour autant parvenir à entamer l'animosité de ses ennemis…

Il y a presque trois ans, en décembre 1848, la première élection présidentielle a été organisée au suffrage… universel ! Le prince Louis-Napoléon Bonaparte, neveu de Marie-Louise, est devenu président de la République – désignation un brin déclamatoire, à mon sens – avec 75 % des suffrages. Personne ne l'attendait et il semble qu'il ait été élu sur son seul nom, qui impressionnait encore dans les campagnes. Nombreux sont ceux qui ont cru que le « vrai » Napoléon était de retour ! On m'a également raconté que dans les contrées reculées le poète-candidat républicain Lamartine, ancien royaliste qui avait jadis célébré la naissance de mon neveu par une ode, n'était que « la Martine ». Voilà à quels malentendus conduit ce suffrage de tous qui ne profite pourtant qu'à quelques-uns… Le *Journal des débats* s'est interrogé, lui aussi : « Serions-nous plus près du despotisme avec le suffrage universel ? La France va voter au hasard… » Car, quand le suffrage n'est pas soumis à des conditions qui garantissent d'un entraînement aveugle, les hommes sont faciles à séduire.

Lorsque je songe que je suis née dans les temps du droit divin, cette élection me plonge dans des abîmes de perplexité. Le vieux démon révolutionnaire semble enfanter un régime qui, au nom de la souveraineté du peuple, se dote d'un quasi-souverain – en principe pour quatre ans seulement. Quelle stabilité notre pays peut-il en retirer ? Un nouveau monde semble émerger, mais est-ce celui que désirent les Français au plus profond d'eux-mêmes ? On m'a conté que la femme d'un ministre issu de 1848 s'était exclamée : « Maintenant, c'est nous qui *sont* les princesses ! » Dans le même esprit, le récent premier président de la République, rebaptisé prince-président, ce qui dit déjà toute l'ambiguïté de la chose, s'est installé au palais de l'Élysée, pourtant ancienne résidence de mon cousin le duc de Berry. Les Français vont-ils gagner au change ?

Souvenons-nous de l'histoire des Grecs, où une première révolution non terminée en produisit tant d'autres en l'espace de cinquante ans. Xénophon a observé combien de monarchies ont été détruites par des factions populaires, combien d'ambitieux ont été dépouillés de la souveraine puissance qu'ils venaient d'usurper, et combien l'on admire l'habileté de ceux qui ont su s'y maintenir, même peu de temps. La démocratie que beaucoup ont appelée de leurs vœux me semble pourtant bien éloignée de celles de la Grèce antique ou de la République romaine qui ont tant fasciné la Révolution, puis l'Empire. Dans la première, seule une petite minorité de la population possédait le titre de citoyen ; dans la seconde, le vote des plus riches avait davantage de poids et surtout – les Français le savent-ils ? – les plus hautes fonctions étaient réservées aux nobles ! Au fond, qu'est-ce donc que la République, si ce n'est une caricature de la monarchie constitutionnelle, sans sa stabilité ? Mon père l'avait bien compris : « On ne gouverne jamais une nation contre ses habitudes ; cette maxime est aussi vraie à Constantinople qu'en république. »

Malgré toutes sortes de gouvernement, notre pays n'a pas retrouvé sa permanence d'antan. Je mourrai sans savoir où mènera cette démocratie qui hisse sur le pavois un roi sans couronne et n'en est pas moins exempte de courtisans. Quant à l'égalité, Tocqueville n'a-t-il pas démontré récemment, dans son ouvrage relatif à l'Amérique, qu'elle était liberticide et allait inévitablement conduire à un despotisme douceâtre ? Ceux qui ne sont pas éduqués, ou bien qui sont mal informés, sont manipulés par la propagande et votent pour le plus habile. On vient de le voir avec Louis-Napoléon Bonaparte, dont le césarisme se dévoile déjà. Soutenu par le parti de l'ordre pour lutter de concert avec lui contre ce qu'ils appellent « le péril rouge », ne va-t-il pas saisir ce prétexte pour s'emparer plus complètement du pouvoir ? Les Français viennent d'en prendre le risque.

La république sera-t-elle éternelle ? La France, épuisée par ses expériences, à bout de ses ressources et lassée par des partis se disputant pouvoir et popularité, trouvera-t-elle dans le pouvoir électif l'équilibre qu'elle poursuit ? Le découragement et les mécomptes retourneront-ils ses pensées vers le principe héréditaire, comme base plus fixe de l'autorité et d'une réconciliation des deux Frances issues de la Révolution ? Henri V incarne ce principe et, le cas échéant, c'est son pays lui-même qui le regardera comme un ultime recours. Jusque-là, je ne vois pour nous qu'une chose à faire : attendre.

L'espoir est né de nouveau il y a deux ans, lorsque

les Français ont élu cinq cents députés monarchistes. À l'heure où j'écris, mon neveu n'a toujours pas d'héritier. Quelqu'un, se l'imaginant déjà sur le trône, m'a récemment dit : « Quelle joie lorsque nous verrons Henri V descendre l'avenue des Champs-Élysées et traverser la place de la Concorde ! » Je n'ai pu me retenir de m'écrier : « Pas là !… Pas là ! » Durant les quinze années de la Restauration, je n'ai d'ailleurs jamais consenti à emprunter cette place maudite, quitte à faire mille détours.

# ÉPILOGUE

## « IL SEMBLE QUE LE CŒUR S'USE »

Un journaliste a écrit que mon existence n'a été qu'un « holocauste perpétuel ». Certes, je n'ai connu qu'une lente procession de draps noirs, et même une tragédie unique dans l'histoire des monarchies européennes. Mais c'est un piège dans lequel j'ai été enfermée et dont je ne sortirai pas même le jour de ma mort.

Toute ma vie, ma longue vie, j'ai été entourée de spectres, quand je ne les ai pas incarnés : à tout propos on faisait rimer *malheurs* avec *pleurs* et *douleurs*. On trouva d'abord ma physionomie « céleste » ; les mille regards qui se posaient sur moi étaient apitoyés par ma « si touchante beauté avec une si profonde mélancolie » ; mes traits rappelaient « la bonté de Louis XVI et la dignité de Marie-Antoinette ». L'auréole du malheur me seyait si bien… Sur mon passage, j'entendais des gens du peuple qui disaient à leurs enfants : « Père, mère, frère, parents, elle a tout perdu ! Il ne lui reste que nous. » Partout dans les départements, si je devais descendre dans les rues pavoisées et jonchées de fleurs, je pressais le pas, jetant des regards sévères et inquiets tout en adoptant une cadence bien peu royale. Parfois je m'arrangeais pour arriver en avance, ou bien de nuit afin de repartir discrètement avant le lever du soleil.

Un quart de siècle après ma libération, cinquante mille personnes m'attendaient encore de pied ferme à Guérande afin de célébrer l'objet de leur adulation. Paralysée par cet excès d'enthousiasme, apeurée par la foule depuis les effroyables journées d'octobre 1789, je me contentai d'incliner la tête. Je vois encore une femme se jetant à mes pieds pour me présenter un placet. « Que faites-vous, madame ? lui demandai-je. Cet hommage n'est dû qu'à la Divinité ; je ne puis vous écouter dans cette posture. Levez-vous, je vous en prie. » Je n'aime pas les scènes car elles me rappellent les drames que j'ai vécus. Dans les provinces comme dans la capitale, les épreuves traversées me rendaient inaccessible, presque déifiée. Ceux qui m'approchaient pleuraient de joie et de pitié en me découvrant ; j'étais une sorte de relique morte-vive censée incarner la légitimité même, la famille royale décimée. C'était une charge bien trop lourde à porter.

Comment échapper au poids, à la tyrannie de mon passé ? Si longtemps après la Révolution, je pensais que les « aimables rétrospectives » sur mes « illustres infortunes » me seraient enfin épargnées. Eh bien, il n'en fut jamais ainsi. Continuellement en représentation, je recevais de perpétuelles condoléances. Dans la litanie des harangues, on énumérait encore et toujours mes précieux défunts. Pensait-on sincèrement qu'après de tels « divertissements » j'aurais encore le cœur de sourire ?

On croyait me rendre hommage ; on m'oppressait, on me torturait. Droite comme la justice, les yeux rougis, je reprenais mon masque de circonstance, impassible, presque statufiée, sourde aux gesticulations environnantes. Oui, j'étais raide, et ma parole brève. Combien de fois en ai-je été critiquée ! Une manière de brusquerie résumait toute ma conduite car je m'interdisais, moi, de m'attendrir. Objet d'adoration, je crois n'avoir été qu'une allégorie de la malédiction. Et si je faisais convenablement mes révérences, si j'accrochais un sourire à mes lèvres, je n'ai jamais eu la démarche caressante ni l'aisance de ma mère au milieu des réceptions. Ni sa grâce.

Lors d'une visite à Toulon, j'assistai au lancement d'une frégate baptisée comme il se doit *Duchesse d'Angoulême*. Mais voilà qu'à peine sorti le bateau s'enfonça dans la vase. J'entendis des insolents lancer : « Marie-Thérèse a le cul dans la boue ! » Le pauvre préfet vint s'excuser platement pour cet échec piteux et je ne pus que lui répondre tristement : « Je porte malheur à tout ce qui porte mon nom. » Lorsqu'elle avait dû, bien à contrecœur, se mêler de politique, ma propre mère avait déjà déclaré : « Mon sort est de porter malheur. » Née le jour du tremblement de terre de Lisbonne, elle a toujours été frappée de ce sinistre augure.

Si elle avait eu la chance de vivre une jeunesse insouciante, il n'en était pas de même pour moi. En prison, la jeune fille innocente s'était peu à peu muée en une personne indéchiffrable et repliée sur elle-même. Quant à la sensibilité de mon cœur, je savais si bien la contenir en public qu'on m'en croyait parfois dépourvue, puisque j'accueillais les témoignages d'amour avec la plus grande réserve. Ayant d'abord vécu recluse, je m'étais rendu compte en recouvrant la liberté que je n'étais pas forte sur les usages. On m'avait confisqué mes plus belles années, aussi comment aurais-je pu reprendre d'emblée le cours du temps et oublier tout à fait ce qui était advenu ? Au sortir du Temple, ma métamorphose était telle que quelques-uns ont cru que j'avais été substituée entre Huningue et Vienne avec une mystérieuse comtesse, dite des Ténèbres. Elle n'ôtait jamais sa voilette en public et sans doute son esprit était-il altéré car elle n'offrit point de démenti. Une fable aussi peu probante, hélas ! abondamment colportée, était-elle seulement recevable ?

Quarante ans d'exil ! J'ai été une princesse errante. Mes pérégrinations m'ont conduite à Vienne d'abord, puis en Russie, à Varsovie et Londres. Après la Restauration, Édimbourg, Prague, Goritz, Vienne. Mes exils ont commencé et fini en Autriche...

L'identité de « l'auguste souveraine » a changé aux gré des vicissitudes : Marie-Thérèse de France, Charlotte, Madame Royale, Mousseline, Amélie de Korff, Thérèse Capet, Sophie Méchain, Madame de France, duchesse d'Angoulême, comtesse de La Meilleraye, Madame la Dauphine, reine Marie-Thérèse de France, comtesse de Marnes, reine douairière de France. Ai-je été la « princesse du malheur » ou bien le « seul homme de la famille » ? M. Capefigue, un historien récent de la Restauration pourtant hostile à notre endroit, a observé que j'avais organisé « avec un admirable sang-froid » la résistance du Midi en 1815. Que l'on me reconnaisse au moins cette action.

L'eau a coulé sous les ponts depuis mon enfance choyée dans les fastes de Versailles ; c'était encore le XVIIIe siècle ! Désormais, je ne voyage plus en berline, mais en chemin de fer, ce monstre haletant.

De la cité des Doges, où un bureau a été placé dans ma chambre, je ne peux échapper aux effluves pestilentiels du Grand Canal. Le palais Cavalli étant situé près du Rialto, face à l'Accademia, je n'ai rien manqué de l'ancestral festival qui vient de s'y dérouler et qui, dit-on, a beaucoup perdu de son charme depuis que Bonaparte, y redoutant des troubles, l'a fait interdire en 1797. Depuis qu'il a repris, je n'y ai presque pas vu de ces célèbres masques, jugés dangereux par Napoléon. Puisque je ne peux marcher à ma guise dans cette ville qui n'a d'autre moyen de circuler que la gondole, je monte dans l'une d'elles pour me rendre à la messe, puis je rentre aussitôt. Parfois je brode encore dans le salon des Oiseaux, baigné de lumière. Et lorsque je me rends au théâtre de la Fenice, où j'ai une loge, il est bien rare que j'assiste à la représentation entière. À l'inverse de ma mère qui en raffolait, je n'apprécie plus la musique ni la danse, qui me rappellent douloureusement ma vie d'avant la Révolution, excepté la musique gitane que j'entends parfois dans les fêtes de village en Autriche. Dans ces occasions j'aime à rencontrer les paysans car, à la compagnie des notables, je préfère celle des humbles dont la sincérité me touche.

Je ne me plais pas ici. Je ne vois que tristesse et misère. Si le climat est plus doux qu'à Frohsdorf où je vais bientôt rentrer, je peux à peine trouver un espace pour faire de l'exercice. Les promenades à pied étant malaisées, j'ai pu ici coucher mes souvenirs sur le papier. Je suis sur le point de les achever et demande pardon au lecteur de m'être si fort étendue. Mais je les ai réunis pour que les temps futurs puissent juger de la position qui était la nôtre, position donnée par la naissance et qui m'imposa plus de devoirs que de droits.

Si les mémoires de contemporains ne peuvent être exempts de partialité, que penser de ceux de la fille d'un roi guillotiné ? Et si les hagiographes ont qualifié mon existence d'« Évangile de la Passion », libre à eux de sombrer dans les excès. Pour ma part, je me contente d'endosser le titre d'historienne affligée de cette lamentable histoire. Pour cela, je n'ai eu nul besoin de tremper ma plume dans l'encrier de ce que l'on appelle aujourd'hui le romantisme. Je n'ai pas voulu être l'artisan de je ne sais quel laisser-aller. Consigner les faits sans trop d'arabesques aura suffi, je l'espère, à prendre le lecteur à témoin, à le faire entrer en compassion avec ma douleur de Française aussi bien que filiale, enfin à lui faire juger l'Histoire selon son cœur et sa raison.

Lorsque j'étais enfant, je notais des réflexions issues de mes lectures, telles que : « Les vieilles gens sont ordinairement moins compatissants que les jeunes. Il semble que le cœur s'use. C'est que l'expérience des maux l'endurcit. » Mon cœur s'est-il usé ? Ma sensibilité s'est-elle autant émoussée qu'on l'a suggéré ?

N'est-ce pas plutôt par un immense effort de volonté que je parviens à contenir les peines tapies au fond de mon âme ? Cette volonté de suivre le si britannique *never explain, never complain* n'est pas allée sans entraîner un raidissement, mais la haute naissance n'est point compatible avec le manque de tenue. Enfin, mon caractère est naturellement prompt, impatient, entier. On n'a pas souvent compris ma gravité et on m'en a voulu de ne pas chercher à plaire. Détestant l'hypocrisie et les obséquiosités dont je n'ai jamais été dupe, je me suis volontairement tenue en dehors du cercle des intrigues inhérentes au pouvoir. Je n'ai donc pas toujours eu la souplesse que commande la politique, mais ainsi ne pourra-t-on m'accuser d'avoir usé d'artifice.

Encore aujourd'hui, je recherche la solitude et la tranquillité, qui conviennent mieux à ma disposition d'esprit et mettent mes nerfs au repos. J'ai toujours abhorré le trouble, et la vieillesse n'a pas le moins du monde entamé ce trait.

Si je suis invariablement décrite par mes visiteurs comme droite, majestueuse et de haute stature – ainsi que mon père, dont on dit encore et toujours qu'il était atteint d'embonpoint sans préciser qu'il était immense, presque un géant –, on note que mon regard a toujours une grande expression de tristesse et qu'il ne reflète plus qu'une inaltérable résignation. C'est juste, mes sourires sont rares, mais ceux qui ne regardent que superficiellement parlent de la sévérité de mes traits quand d'autres y voient patience, douceur et bonté. Beaucoup jugent que je me suis assouplie avec l'âge. Comme l'a exprimé ma mère avant Varennes, l'épreuve vous fait comprendre qui vous êtes.

Durant son procès, mon père avait confié à Malesherbes qu'il avait vu jusqu'où allait la méchanceté des hommes, et qu'il ne croyait pas qu'il s'en trouvait de semblable. J'ai éprouvé cela moi aussi et, au-dessus de l'orgueil qui ne peut être à mes yeux qu'une faiblesse, c'est dans mon âme que j'ai cherché un refuge, et mon âme est devenue plus forte que l'injustice des hommes. Comment, dans ces conditions, craindre leurs jugements et y attacher le moindre prix ? Je manquais de gaieté ? Je n'avais plus confiance ? Je n'avais rien oublié ? Eh quoi ! Si j'avais été légère et imprudente, si j'avais accueilli sans distinction le crime et la vertu, la trahison et la fidélité, si j'avais été sans religion, si mes souvenirs n'avaient pas été profonds, si j'avais sacrifié par goût aux frivolités dont on fait tant de cas, m'aurait-on trouvée plus digne d'attachement et de respect ?

Désormais, je ne suis plus qu'une vieille dame bienveillante qui parle avec une amabilité extrême. Ma voix, devenue rauque depuis quelques années, s'est adoucie. À bientôt soixante-treize ans, je me suis un peu affaissée et je marche plus lentement qu'autrefois. Drapée dans ma douleur, j'ai versé tant de larmes que je ne puis plus pleurer, mais mon cœur saigne toujours. Il ne me reste qu'à consoler les affligés. Mes deux king charles spaniel, Pyrame et Thisbé (du nom de la chienne de ma mère au Temple), me tiennent compagnie ; leur amour inconditionnel et muet me comble. L'eau de rose soulage mes maux de tête. Toujours vêtue de noir, j'attends maintenant la mort. Je sais que je ne reverrai plus les Tuileries. J'en ai fait le deuil, mais mon neveu y entrera un jour, si Dieu le veut. J'ai compris que son heure n'a pas encore sonné et je suis trop âgée pour espérer le voir porter bientôt la couronne de France. Pauvre enfant ! Que deviendra-t-il ? Au soir de ma vie, je ne puis me persuader qu'un grand avenir ne lui soit pas réservé. C'est au moins ce que je veux croire lorsque je cherche une consolation.

Il y a deux jours, j'ai contracté un refroidissement. Depuis, le mal a empiré et, tandis que rien ne pourrait m'empêcher d'aller à la chapelle rendre à la mémoire de ma mère le devoir auquel je n'ai jamais manqué, voilà qu'aujourd'hui, jour du cinquante-huitième anniversaire de sa mort, je n'ai pu me lever. Je viens d'appeler Mme de Sainte-Preuve, ma femme de chambre, pour lui déclarer qu'il allait falloir nous quitter : « Entendez-vous ce qui se passe dans ma poitrine ? Ne vous y trompez pas, c'est le râle de la mort. » J'ai demandé la montre et l'alliance de mon père car je voudrais les baiser une dernière fois. J'aurais souhaité aussi voir encore le fils de Mme de Sainte-Maure, ma dame de compagnie que j'ai tant aimée, et puis le fidèle fils du duc de Blacas, mais en aurai-je la force ?

Chère France… Je suis trop âgée pour te revoir ! Ton sang coule dans mes veines, mais je ne serai point inhumée en ton sol. Au terme de ma longue vie, il faut me résigner… Adieu, mon neveu, pour moi le fils le plus attentif et le plus tendre ! Je n'en puis plus, mon cher enfant… Seigneur, protégez-le… Bénissez la France… *O salutaris hostia !* Je vais enfin rejoindre au ciel mes parents, mon frère, mon mari. Je suis anéantie…

La faiblesse m'impose de poser la plume. Il conviendrait que je mette de l'ordre dans mes papiers.

❧

Le 19 octobre 1851, à onze heures du matin, la fille de Louis XVI et Marie-Antoinette meurt à Frohsdorf, loin de la France républicaine, à la suite d'une broncho-pneumonie qui l'a vite emportée. Sa pierre tombale, située au couvent de Castagnavizza (aujourd'hui Kostanjevica en Slovénie), porte cette épitaphe, tirée des Lamentations de Jérémie :

*« O vos omnes qui transitis per viam attendite et videte si est dolor sicut dolor meus. »*

« Ô, vous qui passez par ce chemin, prêtez attention et voyez s'il est une douleur semblable à ma douleur. »

*Actes de mes dernières volontés*

*[...]*

*À l'exemple de mes parents, je pardonne de tout mon cœur et sans exception à tous ceux qui ont pu me nuire et m'offenser, demandant sincèrement à Dieu d'étendre sur eux sa miséricorde, aussi bien que sur moi-même, et Le suppliant de m'accorder le pardon de mes fautes.*

*Je remercie tous les Français qui sont restés attachés à ma famille et à moi des preuves de dévouement qu'ils nous ont données, des peines qu'ils ont subies à cause de nous.*

*Je prie Dieu de répandre ses bénédictions sur la France que j'ai toujours aimée au milieu même de mes plus amères afflictions.*

*Je remercie l'empereur d'Autriche de l'asile qu'il a accordé à ma famille et à moi dans ses États. Je suis reconnaissante des preuves d'intérêt et d'amitié que j'ai reçues de la famille impériale, surtout dans des circonstances bien douloureuses, et des sentiments que m'ont manifestés plusieurs personnes dans ce pays, particulièrement les habitants de Goritz.*

*Ayant toujours considéré mon neveu Henri et ma nièce Louise comme mes enfants, je leur donne ma bénédiction maternelle, ils ont eu le bonheur d'être élevés dans les principes de notre sainte religion, qu'ils soient toujours les dignes descendants de Saint Louis. Puisse mon neveu consacrer ses heureuses facultés à l'accomplissement des grands devoirs que sa position lui impose. Puisse-t-il ne s'écarter jamais des voies de la modération, de la Justice et de la Vérité...*

*Je veux être enterrée à Goritz dans le caveau des franciscains près de mon mari et de son père. Il ne sera pas célébré de service solennel, des messes seront dites pour le salut de mon âme.*

*Je défends qu'on procède à l'autopsie de mon corps...*

*Je lègue aux pauvres une somme égale de vingt-trois mille francs. Mes exécuteurs testamentaires régleront l'emploi de ces deux sommes...*

*[...]*

*Je veux que toutes les feuilles, papiers et livres*

*écrits de ma main qui sont dans ma cassette ou dans mes tables soient brûlés par mes exécuteurs testamentaires*[1].

*Fait et entièrement écrit de ma main en mon château de Frohsdorf le 1er juillet 1851.*

*Marie-Thérèse-Charlotte de France,*
*comtesse de Marnes.*

1. Marie-Thérèse a pris cette décision pour ne pas faire la moindre peine à ceux qu'elle avait pu critiquer par écrit, ou même à leurs descendants. Son vœu a été exaucé. (*N.d.A.*)

## REMERCIEMENTS

*À Olivier Orban, qui a bien voulu porter ce livre dès l'origine.*

*À Alexandre Maral, historien et conservateur à Versailles, qui m'a fait visiter des pièces non ouvertes au public.*

*À Lydie Salvayre et Bernard Wallet, qui ont amicalement relu une version du manuscrit.*

Composition et mise en pages
Nord Compo à Villeneuve-d'Ascq

Imprimé à Barcelone par:
BLACK PRINT
en juin 2018

POCKET – 12, avenue d'Italie – 75627 Paris Cedex 13

Dépôt légal : mars 2017
Suite du premier tirage: juin 2018
S27259/05